박 바라 2022. 겨울

당신은 누군가의 슈읍입니다.
때로는 누군가가 씌워주는 슈읍 아래 있습니다.
구멍이 숭숭 뚫려도, 소음은 부족해도
늘 최선을 다하지 못해도... 지금 모습 그대로
행복하셨으면 좋겠습니다. ^ᵕ^

슈읍♥ 슈두룹♥

                              -박 바라 ✿-

진취적인 캐릭터의
냥엽 ♡

Queen 아화령 ♡

슈룹

1

박바라 대본집
슈룹 1

초판 1쇄 인쇄 2022년 12월 13일
초판 1쇄 발행 2022년 12월 23일

지은이 | 박바라
펴낸이 | 金滇珉
펴낸곳 | 북로그컴퍼니
책임편집 | 김옥자
디자인 | 김승은
주소 | 서울시 마포구 와우산로 44(상수동), 3층
전화 | 02-738-0214
팩스 | 02-738-1030
등록 | 제2010-000174호

ISBN 979-11-6803-053-4 04810
ISBN 979-11-6803-052-7 04810(세트)

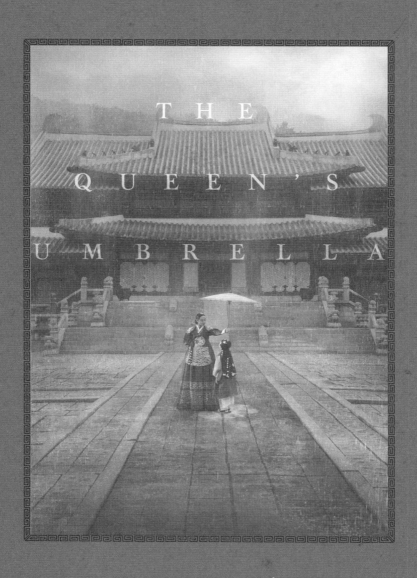

THE
QUEEN'S
UMBRELLA

박바라 대본집 ——— 슈룹 1

북로그컴퍼니

"사람은 누구나 완벽하지 않아.
어쩌면 이 계영배처럼 작은 구멍이 뚫려 있을지도 모르지.
사실 국모인 나도 구멍이 숭숭 나 있다~!!
스스로 만족한다면 꽉 채우지 않아도 썩 잘 사는 것이다."

늘 뛰어넘지 못해 자신감을 잃은 심소군에게
화령이 계영배에 술을 따라주며 하는 9부의 대사다.
사실 이 말은 작가로서 한계를 느끼는 나 자신에게 하는 말이었다.
원작 없는 오리지널 사극을 쓰겠다고 겁도 없이 뛰어든 신인 작가.
품은 두 배로 들었고, 대사 한 줄을 쓰려고 해도 자료 조사가 필요했다.
그러니 뛰어넘지 못하고 자신감을 잃는 순간들도 많았다.
그때 화령의 이 대사가 나왔다.

"하기 싫은데 억지로 하는 것이 더 한심한 짓이다.
사람들은 이 계영배에서 넘침을 경계하지만...
난 말이다. 이 숭숭 뚫려 있는 구멍이 좋다.
비울 건 비우고, 필요 없는 건 새어 나가니까.
그러니 너도... 하고 싶은 건 해보고 맘에 안 들면 확 들이박고
고집도 좀 부리거라. 그래야 숨통이 트이지."

이 대사를 쓰며 오히려 내가 위로를 받았다.
그래, 뭐 구멍 숭숭 뚫리면 어때.

난 하고 싶은 일을 하는 행복한 사람이잖아.

난 이런 화령이 좋다. 나라에서 가장 계급이 높은 여성임에도
자신 또한 완벽하지 못한 사람이라고 솔직히 말하는.
그런 화령과 각각의 인물들을 쓰며 힘이 났다.
국모이자 엄마인 화령처럼 나도 발 빠른 여인이었다.
작가이자 엄마로 살았기에.
그래도 행복했다.
내 딸은 그사이 초등학교에 들어갔고, 또 다른 자식인 〈슈룹〉도 방송이 됐으니까.
우리 딸은 친정엄마와 남편이 거의 키워줬고
〈슈룹〉은 수많은 사람들이 함께 키웠다.
너무 많은 분들의 고생이 있었는데, 〈슈룹〉이 해외에서도 인기가 많아 너무 기쁘다.

요즘은 내가 글 쓰는 일을 포기하지 않길 잘했다는 생각이 든다.
지망생 시절은 너무 길었고, 딱 동굴을 걷는 것 같았다.
너무 좋아서 쉽게 들어선 길이기에
너무 힘들다고 쉽게 딴 길로 샐 수 없었다.
나름 한눈팔지 않고 열심히 달려왔다 생각했는데
때론 한눈팔아 다른 길로 가서 경력이라도 쌓을걸 그랬나 후회도 했다.
하지만 정말 버티길 잘했다. 계속 걸으니 동굴이 터널이 됐다.
그리고 감사한 인연들을 만날 수 있어 행복한 시간이었다.

첫 회의하던 날 김형식 감독님께서 그런 말씀을 하셨다.
"박 작가, 16부까지 완성하게 된다면 그것만으로도 대단한 작가야.
그러니까 부담 갖지 말고 완성해봅시다."
감동이었다.
감독님과 우리 팀은 단 한 번도 나를 신인으로 대하시지 않았다.
그래서 더 보답하고 싶어 멋지게 완수하고 싶었다.
16부를 모두 탈고하고 나면 놀고 싶을 줄 알았는데,
이상하게 또 쓰고 싶어진다.
아무래도 드라마는 내게 가장 재밌고 행복한 일인가 보다.

〈슈룹〉을 사랑해주신 시청자분들과
대본집을 읽어주시는 독자들님께 감사드립니다.
더 노력하고 열심히 집필해 더 좋은 글로 보답하는 작가가 되겠습니다.

P.S 》
김형식 감독님~ 감독님이 계셔서 〈슈룹〉을 완성할 수 있었습니다. 존경합니다.
그리고 화령을 너무 멋지게 소화해주신 김혜수 배우님께도 큰절을 올리고 싶습니다.
마지막까지 최강 빌런이 되어주셨던 대비마마 김해숙 배우님과
임금의 고뇌를 잘 소화해주신 최원영 배우님께도 깊은 감사를 드립니다.
우리 성남대군, 무안대군, 계성대군, 일영대군,
의성군, 보검군, 심소군, 호동군… 왕자님들과
김의성 배우님을 비롯한 대소신료들, 꽃미모 후궁님들과 상궁님들…

윤왕후, 권의관, 토지선생을 연기해주신 모든 배우님들께 진심으로 감사드립니다.
춥고 더운 날씨에 장거리를 이동하며 고생해주신 감독님과 스태프분들께도 감사드립니다.
하우픽처스의 박진형 대표님, 신선주 이사님, 김나영 피디님, 이효주 작가.
스튜디오드래곤의 유상원 국장님, 최순규 피디님, 권경현 피디님 너무 고생하셨고,
감사합니다.
그리고 엄마를 기다려준 우리 아라와 늘 응원해준 혁준,
엄마, 언니, 유미, 시부모님께도 감사하다고 말씀드리고 싶습니다.

2022년 겨울
박바라

일러두기

1.   이 책의 편집은 박바라 작가의 집필 방식을 따랐습니다.

2.   드라마 대사는 글말이 아닌 입말임을 감안하여, 한글맞춤법과 다른 부분이라
        해도 그 표현을 살렸습니다. 지문의 경우 한글맞춤법을 최대한 따르되, 어감
        을 살리기 위해 고치지 않고 그대로 둔 경우도 있습니다.

3.   대사와 지문에 등장하는 말줄임표나 쉼표, 느낌표와 마침표 등의 문장부호
        역시 작가의 집필 의도를 살리기 위해 그대로 실었습니다.

4.   이 책은 작가의 최종 대본으로, 방송된 부분과 다를 수 있습니다.

차례

엄마이자 참어른의 크나큰 우산, 슈룹

이 드라마는
나라는 태평성대였지만,
궁중(집안)은 매우 혼란했던 어느 시절의 이야기다.

또한 대단한 왕을 남편으로 두고,
방황하는 왕자들을 자식으로 둔 중전(국모) + 마마(엄마)의 고군분투기이며,
중전의 위기가 곧 기회인 극성 후궁들의 내 자식 신분 상승 분투기다.
하여, 모든 궁중 엄마들의 멈출 수 없는 자식 사랑과 욕망에 관한 이야기다.

또한 국모이기 이전에 엄마였고, 엄마이기 이전에
계영배처럼 구멍이 숭숭 뚫려 있기도 한 '인간' 화령을 통해
완벽하지 않아도 썩 잘 살 수 있고, 그렇기에 서로 의지하고 도우며
성장하는 삶을 살 수 있다는 메시지를 전하고 싶었다.
우리가 누군가의 우산이 되어 주기도 하고
누군가의 우산 아래 있기도 한 것처럼.

'슈룹'은 우산의 옛말.
언젠가 존재했었지만, 이젠 사용하지 않아 사라진 이 말에서
'어깨가 흠뻑 젖은 우산 든 엄마와
우산 속, 비 한 방울 맞지 않은 자식의 모습'을 떠올렸다.

이것이 드라마 〈슈룹〉의 함축적 이미지다.

그러나 화령은 슈룹을 내 자식 보호하는 데만 쓰지 않는다.
지아비인 임금을 지키는 데도 쓰고
후궁들의 자식들과 궁 밖의 약자들까지 자신의 우산 아래 품어 보호한다.
권력을 가진 자가 마음을 어떻게 품느냐에 따라
그것은 무기가 되기도 하고 타인을 보호하는 방패가 되기도 하는 것이다.

21세기를 살아가는 우리도 여러 형태의 슈룹을 쓰며 살아간다.
내 손에 있는 슈룹이 단지 비바람으로부터 자신만을 지키지 않고
다른 이에게도 방패막이 되기를 바라는 마음이다.

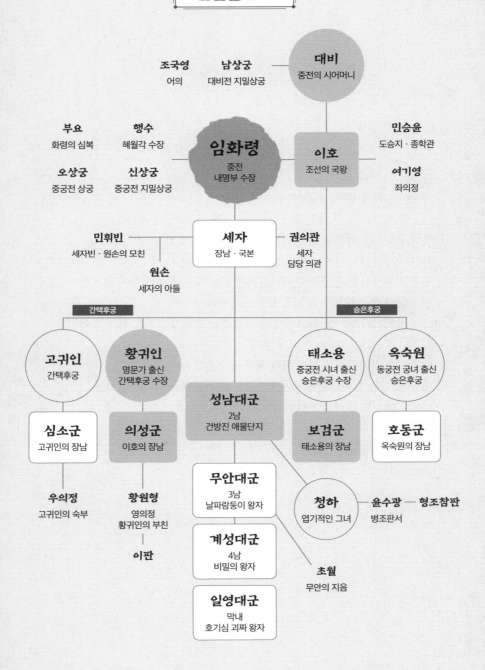

인물관계도

조국영
어의

남상궁
대비전 지밀상궁

대비
중전의 시어머니

부요
화령의 심복

행수
혜월각 수장

민승윤
도승지 · 종학관

임화령
중전
내명부 수장

이호
조선의 국왕

여기영
좌의정

오상궁
중궁전 상궁

신상궁
중궁전 지밀상궁

민휘빈
세자빈 · 원손의 모친

세자
장남 · 국본

권의관
세자
담당 의관

원손
세자의 아들

간택후궁

승은후궁

고귀인
간택후궁

황귀인
명문가 출신
간택후궁 수장

성남대군
2남
건방진 애물단지

태소용
중궁전 시녀 출신
승은후궁 수장

옥숙원
동궁전 궁녀 출신
승은후궁

심소군
고귀인의 장남

의성군
이호의 장남

보검군
태소용의 장남

호동군
옥숙원의 장남

우의정
고귀인의 숙부

황원형
영의정
황귀인의 부친

무안대군
3남
날파람둥이 왕자

청하
엽기적인 그녀

윤수광 ── 형조참판
병조판서

이판

계성대군
4남
비밀의 왕자

초월
무안의 지음

일영대군
막내
호기심 괴짜 왕자

임화령

중전·내명부 수장 / 디펜딩 챔피언

소개   대단한 왕이 남편, 사고뭉치 왕자들이 자식인 중전마마.

평판   기품과 우아보다는 버럭, 까칠, 예민 중전마마.

소문   어우 독해...!!

팩트   한때는 잔잔한 호수 같은 성격이었다.

그런데 자꾸 누가 돌을 던져대니 거센 파도로 변했다.

교육관 참여교육. 자식들을 이해하기 위해 다각도로 고민한다.

내 아이에게 맞는 교육은 따로 있다. 아이가 진정 원하는 것을 찾아라!

— 궁에서 가장 걸음이 빠른 걸 크러시 중전마마.

필요에 따라 욕도 하고, 자존심도 버릴 줄 아는 국모.

자식들은 사고 쳐. 남편은 바람펴. (공식적인 바람이라 치자)

후궁들 때문에 빡쳐. 며느리는 기막혀. 시어머니는 속 뒤집어!

여기에 하루가 멀다 하고 사고 치는 아들내미들까지!

사실 그녀는 의외로 가만히 앉아 있는 것을 좋아한다.

차를 음미하는 것도... 수를 놓는 것도...

그런데 이노무 자식들이 온갖 사건·사고를 일으켜대니

어느새 궁에서 가장 걸음이 빠른 여자가 되어버렸다.

— 그녀에게 자식이란? 반품 안 되는 선물.

다섯 손가락 깨물어 걱정 안 되는 자식 없다!

하루가 멀다 하고 사고 치는 성군의 옥의 티S 때문에... 하루가 짧다!!

아침 댓바람부터 담 너머 기루에 있는 3남 때문에 환복하고 쫓아 나가질 않나,

학문과 담쌓은 반항기 충만 2남은 종학에서도 깔째(꼴찌)!!
개중에 멀쩡하다 믿었던 4남은 치명적인 비밀로 엄마 간 떨어지게 하고
막내는 날아보겠다고 대형 연 달고 전각에서 뛰어내려 간담을 서늘하게 한다.
사고뭉치 왕자들 뒷수습에 매일매일 넘어야 할 미션이 한가득이지만
그래도 그녀에겐 멀쩡한 자식도 있다! 더없이 완벽한 장남 왕세자.
잘 키운 녀석 하나 덕분에 그나마 궁에서 고개 들고 다니는 화령이다.
'훗 *끄떡없어!!*' 무적방벽 왕세자가 있어
그동안 궁중 엄마(후궁)들도 감히 화령을 대놓고 공격할 엄두를 내지 못했다.
그런데... 그 방벽에 미세한 틈이 생기더니 물이 새기 시작한다.
화령에게 닥친 절체절명의 위기! 넘어서지 못하면 내 자식들이 위험하다!
과연 화령은 상대의 합종연횡과 편법, 계략을 넘어
디펜딩에 성공할 수 있을 것인가?

화령의 사람들

신상궁 중궁전 지밀상궁

딱 보면 무표정. 자세히 봐도 무표정. 살짝 카리스마 있는 교관 느낌.
중전의 모든 일을 처리해주는 그림자, 일 잘하는 능력자!
20년 전, 중궁전에 오기 전까지는 대비전 소속이었다.

오상궁 중궁전 상궁

행수 혜월각의 수장

화령의 심복. 초월에겐 모친과 같은 존재.

부요 화령의 심복

대비

중전의 시어머니 / '극강'하신 상대: 왕의 엄마

소개   서울대 보낸 엄마보다 위대한, 아들을 왕으로 만든 엄마.

        제왕 육성 비법을 지닌 내명부 실세.

평판   아들을 성군으로 만든 후궁들의 워너비.

소문   귀인의 품계로 어떻게 서자를 임금으로 만드셨을까...?

팩트   내 아들을 위해서라면 내 손에 피 묻히는 것쯤은 우스운

        극악무도함이 내재된 여인.

        이 나라는 내 아들의 것이지만, 이 궁중은 내가 만든 내 거다.

교육관 코칭교육. 자식이 능력을 최대치로 올릴 수 있는 것은 엄마의 힘이다.

— 내 아들이 왕이다!!

머리부터 발끝까지 빈틈이라고는 허락되지 않는 얼음장 눈빛과 본새.

아직도 들끓는 자식에 대한 욕망과 열정!!

여전히 외모를 가꾸는, 때로는 중전보다 더 주목받고픈 여인.

아들 사랑은 지극하지만, 며느리에겐 매우 엄격하다.

그녀의 자랑은 왕, 성군이라 칭송받는 나의 아들, 아들임에도 존경스러운 그!

손자들보다 내 아들이 최고!!

한데 지금 돌아가는 꼴을 보니 기가 막힌다.

내 아들은 위대한 업적을 하나씩 실록에 기록하는데...

저 사고뭉치 대군들은 클린 실록에 스크래치나 내고 앉아 있다.

그럼에도 중전 화령을 지금까지 너그럽게 봐줬던 건

완벽한 세자의 모친이기 때문이다.

— 반전엔 반전으로 맞서는 여자. 한 번 해봤는데 두 번은 못 하겠는가?

갑작스런 궁중의 정세 변동.

역시나 눈 하나 깜짝 안 하는 대비.

곧장 태세를 바꿔 나만의 빅 픽처를 그리기 시작한다.

이 기회에 눈엣가시인 중전과 애물단지 대군들을 몰아내리라...
차근차근 단계를 밟아가기 시작한다...
내 아들의 나라를 더 굳건하게 만들고 말 거다!
한 번 해봤는데 두 번은 못 하겠는가?

대비의 사람들

남상궁   대비전 지밀상궁

대비의 그림자. 발이 넓고 궁에서 일어나는 모든 일을 꿰고 있다.
경험치가 많아 아랫사람을 노련하게 다루는 능구렁이 같은 여인이자,
주빈 모시기를 하늘같이 하는 의리녀.
신상궁과는 한때 자매처럼 친구처럼 가까운 사이였지만
이제는 모시는 주빈이 달라 서로에게 벽이 생겼다.
대부분의 궁인들이 그렇듯 주빈인 대비마마의 삶이 곧 자신의 삶이다.
대비마마가 조귀인이었던 시절부터 함께해온 시간이 벌써 30년이 넘었다.
말하지 않아도 척 하면 척인 사이가 되었다.
그분이 무엇을 결정하든 그저 따를 뿐이다.

이호

국왕 / '어려운' 상대: 왕 + 남편

평반   성군. 지덕체를 모두 갖춘 애민 군주.
소문   있어도 못 적는다. 절대권력 왕이니까.

— 일개 종학에서 왕이 배출됐다.

후궁이었던 조귀인(대비)의 소생.
어릴 적부터 워낙 총명하고 육예에 뛰어났다.
모든 책을 섭렵했지만 가장 좋아했던 글은 상소문.
그것이 읽고 싶어 늘 편전을 기웃대는 바람에
선왕은 어린 이호를 무릎에 앉히고 못 이기는 척 업무를 보기도 했다.

— 군약신강(君弱臣強) 왕권을 반석 위에 올리고 싶었던 선왕의 선택!

태인세자가 죽음으로 내몰리고, 윤왕후와 대군들이 쫓겨나는 순간에도
선왕이 이를 방관했던 건 대의를 위해서다.
이 나라를 위해서는 왕권을 뒤흔드는 외척을 누르고
이호가 왕위에 오르는 것이 맞다고 암묵적 동의를 한 것.

— 정통성에 대한 콤플렉스와 굴레를 심연에 숨기고 있다.

이호는 자신을 왕위에 앉히기 위해 나라에 불어닥친 피바람을 모르지 않았지만,
나서지 않았다.
괴로워하기보단 그 희생을 헛되이 하지 않으려 한다.
그 결과 20년이 흐른 지금, 태평성대를 열었고, 성군이라 불리게 됐다.
허수아비 왕을 원했던 공신들은 이호의 성장을 두려워하고
그들에게서 완전한 독립을 원하는 이호는 왕권을 강화하려 애쓰고 있다.

성남대군

화령의 2남 · 건방진 애물단지

평판	종학 깔쌔에 불량생도. 머리보단 몸 잘 쓰는 왕자.
소문	왜... 저 왕자만 궁 밖에서 자란 거야? 혹시 출생의 비밀이?

가장 역동적이면서, 가장 양면성을 가진 인물로
방정 떨 때도 있고 진지할 때도 있다.
마초남 + 짐승남 + 건방짐 + 삐딱함 + 어쩐지 슬픈 눈빛
+ 청하를 향한 감정엔 순정적이지만 차가워 보이는 양면성을 갖고 있다.

— 궁중에선 늘 묘(猫)처럼 행동한다.

표현도 시크, 감정 시그널도 오묘하다.
궁 안에서 애지중지 귀하게 자라 세상 물정 모르는 다른 왕자들과 달리
궁 밖 서촌에서 민초들의 삶을 겪으며 자랐기에 틀에 박히지 않은 영혼.
좋게 말하면 자유롭고, 나쁘게 말하면 자세도 말투도 삐딱해
어른들이 딱 "쟤랑 놀지 마!!" 할 스타일.
무술에 능하다. 말도 잘 타고, 활도 잘 쏘고, 그냥 몸 쓰는 건 다 잘한다.

— 여기선 말이다... 본 것은 눈 감고, 들은 것은 잊고,
　　하고픈 말이 있거든 꾹 다물거라!
　　이젠 이곳이 네가 살 집이니까.

이유도 모른 채 민가에서 자랐고, 어느 날 갑자기 넓은 궁에 던져졌다.
지독히도 자신에게만 차가웠던 대비. 어색한 엄마 아빠.
이제 여기가 네 집이니 무작정 적응하라는 어른들.
김내관의 도움으로 궁에 겨우 적응하고 있었는데...
어느 날 그조차 사라진다.
왜 자신만 궁 밖에서 자라야 했는지 김내관에게 묻고 난 직후였다.

─ 잘만 갈고닦으면 다이아몬드가 될 원석인데 아무도 몰라!

사실 서책 보는 것이 유일한 낙이었다.

궁에 들어와 마음 붙일 곳조차 없었으니까.

그런데 대비가 경고한다.

네가 영특함을 드러내면 네 형을 위협하는 걸로 간주하겠다고...!!

조용히 궁에 머물다가 혼인해 출궁하는 것이 네 역할이라고.

그렇게 조용히 본분만 지키며 살아왔는데... 믿을 수 없는 일이 벌어진다.

현실을 부정하며 몸부림쳐보지만... 시간이 없다.

쓰러져 있기엔 당장 해결해야 할 것들이 너무나 많다.

해서 눈을 부릅뜨고 난생처음 맘먹는다.

사랑하는 사람들을 반드시 지켜내겠다고!

성남대군의 사람들

청하　　병조판서 윤수광의 첫째 딸

평판	양반댁 규수가 뭐 저래.
소문	어우!! 차마 입에 담기도 민망해서...

혼기가 꽉 찼는데도 그 어느 집안에서도 데려가길 꺼리는 여인.

매파들 사이에 윤수광의 장녀는 믿고 거른다는 말이 돌 정도!

─ 엽기적인 그녀!

자신의 선택을 행동으로 옮길 줄 아는, 깡이 있는 여자.

목적이 있으면 반드시 이뤄내는 성격으로

생애취록(生涯就錄: 버킷리스트)도 거의 다 달성했는데...

아직 한 가지가 남아 있다.

心 뛰는 사람 찾기!!

그리고 드디어!!

혼기를 놓치면서까지 찾아 헤매던 그 사람을 만나는데 아뿔싸!

이름도 집안도 물어보지 못한 채 놓치고 만다!

우여곡절 끝에 그가 궁 담을 넘어 나온 성남대군이라는 사실을 알게 되는 청하...!

0.1초의 망설임도 없이 성남을 향해 큐피드의 활시위를 당긴다.

이번엔 절대로 놓치지 않겠다.

너란 남자, 반드시 내 남자로 만들고 말 거다!

박경우

이호의 벗이었으나 그를 임금으로 인정하진 않았고

스스로 눈을 찌른 채, 속세를 등졌다.

그리고 20년 후... 이호의 아들 성남대군이 그를 찾아온다.

황귀인 명문가 출신·간택후궁 수장

평판 아버지가 영의정. 대단하신 집안의 엄친딸.
소문 관상을 봐도, 성품을 봐도 황귀인이 중전감이지.
교육관 전략교육. 정확한 플랜으로 움직인다.
　　　부모는 아이 인생의 열 걸음 앞을 보아야 한다!

황원형의 장녀. 의성군의 모친.
품위 있고, 도도하며, 어떤 상황에서도 흐트러짐이 없다.
대비가 편애하는 후궁. 그러나 대비를 대적할 무서운 상대이기도 하다.
정도와 품위를 지키는 그녀지만,
키우던 개도 우아한 표정으로 갈가리 찢을 수 있는 여자다.
물론 자신의 손엔 피를 묻히지 않는다. 사람을 부릴 줄 아는 사람이니까.

— 눈앞에서 내 자릴 빼앗겼으니까!

화령에게 밀려 후궁이 된 자신 때문에 내 자식은 왕의 장남인데도 서자가 됐다.
본래 정비의 자리에 내정됐던 건 나였다.
국본의 자리도 따지고 보면 내 아들 의성군의 것이었고.
그런데 눈앞에서 화령에게 세자빈의 자리를 빼앗겨버렸다.

— 난 빼앗는 게 아니다. 되찾는 거다.

누구보다도 우아한 껍데기를 두르고 있는 그녀는,
누구보다도 서늘한 내면을 가지고 있다.
침묵 속에 쥐고 있던 비밀은 이제 잘 벼려진 칼이 될 것이다.
본래 내 것이었으니 되찾는 것일 뿐...
이제부터는 수단과 방법을 가리지 않을 것이다.

태소용　　중궁전 시녀 출신·승은후궁 수장

보검군의 모친. 중궁전 시녀 출신 신데렐라. 궁녀들의 워너비.
딱 보면 화려하고. 자세히 보면 엄청 예쁘다.
애교가 많고, 눈치가 빨라 함께 있으면 즐거운 여인이라 왕이 총애한다.
무식한 면도 없진 않지만, 그게 또 이 여자의 매력이다!!
그런데 내 천한 출신 성분이 계속 내 아들의 발목을 잡는구나.
아들의 걸림돌이 되지 않기 위해... 계급 상승할 것이다!
까짓것 그 출신 올리면 되지.

고귀인　　간택후궁

심소군의 모친. 우의정의 조카.
자식을 위해서라면 구정물에도 들어갈 여인.
이미 금수저를 물고 태어났는데, 남의 수저가 더 빛나 보여서 늘 시샘하는 여자.
기본적으로 의심이 많고, 호기심이 많아 소문 생성도 잘하고, 펌프질도 잘한다.
남들이 좋다는 건 내 아들도 다 해야 한다.
특히, 세자가 하는 건 다 해주고 싶다. 그의 교육, 그의 스승, 그가 먹는 것. 모두 다!!
그러나, 영~ 성에 차지 않는 자식 때문에... 자신도 스트레스, 심소군도 스트레스다.
기대를 채워주지 못하는 심소군에게 실망하고, 압박하고, 모멸감을 준다.

박씨　　총명한 특별상궁·태소용의 책사

총명하고 영특한 눈썰미. 그리고 쉼 없이 씹어 삼키는 궁내 먹방계의 일인자.
눈치도 상당히 빠르고 정세 판단에 능하다.
기 센 언니들이 우글대는 내명부 정글에서도 기죽지 않는 당돌함과
눈치 안 보고 툭툭 던지는 돌직구를 탑재한 짱돌 같은 여인.
근데 그 돌이 정확히 핵심 포인트만 때려 박는다.
뇌순녀 태소용의 눈에 띄어 책사로 거듭나는 뇌섹녀.

옥숙원　승은후궁

호동군의 모친. 아들 보러 갔던 이호의 눈에 들어 승은을 입었다.
웃으면서 할 말 다 하는 스타일.
자라처럼 안 건드리면 목을 쑥 넣고 얌전한데...
툭툭 건드리면 생각보다 긴 목을 쭉 빼서 사람 먼저 놀라게 해놓은 다음,
물고 늘어지는 그런 여자다. 그러니 너무 만만하게 봐서도 안 된다.

숙의　화평군 모친

소의　영민군 모친

문소원　남현군 모친

세자 장남·국본

제왕의 재목이라는 걸 누구도 감히 의심할 여지가 없는 완벽남.
상당한 학문을 익혔고, 기본적인 무예부터 활쏘기에 검술 실력까지 뛰어나다.
거기에 엄마 맘도 헤아려주어, 존재만으로도 화령의 방어막이 되어주는 자식.

무안대군 3남·날파람둥이 왕자

이름처럼 무안한 일을 참 많이도 만들어내는 무안한 왕자.
믿지 않은 트러블 메이커. 잘생긴 얼굴은 덤이다.
능청 + 엉큼 + 익살 + 해맑음 + 발랄 + 꾀부림, 머리 회전도 빠르다.
그리고 아주!!! 가볍다. 깊이라고는 눈곱만치도 없다.
함께 있으면 그냥 즐거워지는 사람. 그러나 사랑에는 강렬하고 솔직한 로맨티스트.
신분을 초월한 초월과의 사랑을 초월하지 못해서 화령을 또 한 번 달리게 한다.
화령한테는 챙길 거 많은 철없는 자식이다. 그래도 제일 귀엽다.

계성대군 4남·비밀의 왕자

초절정 꽃미남 + 예술가 기질 + 서예와 그림, 가야금에 능하다.
말도 곧잘 듣고, 학문도 곧잘 한다. 남의 눈을 의식하지 않고 번거로운 건 싫어한다.
엄마한텐 딸같이 살가운 아들. 개중에 믿을 만한 애였는데...
화령에게 가장 큰 충격을 안겨주는 치명적인 왕자.

일영대군 막내·호기심 괴짜 왕자

엉뚱함 + 손만 대면 망가뜨리는 파괴 손 + 끊임없는 실패에도 긍정적.
학문과는 담을 쌓았지만, 처소는 늘 발명품들로 발 디딜 틈 없이 난장판이다.
막둥이답게 언제든 화령 품에 달려가 폭 안길 줄 아는 애교쟁이 왕자.

의성군　황귀인의 장남·황원형의 외손주

날카롭게 잘생긴 + 은근 근육질 + 몸도 꽤 잘 쓴다.
강한 자는 적당히 피하고, 약한 자는 들이박거나 밟아 으깨버린다.
자신에게 흐르는 피가 고결하다고 생각한다.
해서 천한 것들은 인간 취급도 안 한다.
아바마마께서 제일 먼저 품에 안았던 자식은… 저 세자 새끼가 아니라 바로 나다!!
늘 불만에 차 있고 성남과 자주 부딪친다.
성남대군… 두고 봐 새꺄.
여차하면 네 아우들부터 하나씩… 하나씩 색다른 방법으로 죽여줄 테니까.

보검군　태소용의 장남

부친을 닮아 총민하고, 모친을 닮아 얼굴도 잘생긴 왕자. 유전자 승리!
명석하고, 바르며, 소신 있고, 강단 있는 왕자다.
과외 없이 늘 종학 1등을 놓치지 않는 모범생.
그런데 이리 반짝반짝 빛나는 왕자의 옥에 티는 다름 아닌 엄마, 태소용.
어디 가서 문제 한 번 일으키지 않는 자식인데… 이쪽은 엄마가 철이 덜 들었다.
그래도 해맑고 귀여운 엄마를 원망한 적은 없었는데 이번엔 좀 다르다.
넘어설 수 있을 것만 같은데… 자꾸만 엄마가 발목을 잡는다.

심소군　고귀인의 장남

태생적으로 심성이 착하고, 조심성도 있는 왕자다.
그러나 못난 놈이라는 말을 수도 없이 들어 늘 위축돼 있다.
자존감은 바닥이고 이제는 엄마와 함께 있으면 호흡곤란이 올 정도가 됐다.
벌써 사는 게 버겁다. 엄마의 기대에 미치지 못하는 스스로가 밉기만 하다…

호동군   옥숙원의 장남

통통하고 귀엽다. 학문보다는 미각이 발달한 왕자.
야참 즐기는 게 취미다. 옥숙원과 늘 씹고 맛보고 즐긴다.
근육질 형들 사이에서 치명적인 젖살로 존재감을 드러낸다.

화평군   숙의의 장남

영민군   소의의 장남

남현군   문소원의 장남

황원형 영의정 / 잔인하고 '집요'한 상대

— 만인지상(萬人之上) 모두의 위에 서려는 자!

황귀인의 부친. 의성군의 외조부.
모든 이가 내 아래에 있다. 어쩌면 왕마저도.
이 나라의 엘리트 서연관들을 주무르고
실록을 기록하는 사관들조차 눈치를 보게 만드는 인물.
후궁 소생인 이호가 세자로 즉위하고 용좌에 오르는 동안
영의정 타이틀을 얻어낸 야심가.

— 20년 전 조귀인과의 만남... 그날 이후 운명은 바뀌었다.

젊은 황원형은 막강한 집안 덕에 권력의 중심에 섰지만,
완전히 기반을 잡지 못한 상태였고,
조정은 여전히 외척 윤씨 일가에 의해 좌지우지되고 있었다.
그러던 어느 날, 황원형의 사가로 조귀인(대비)이 찾아든다.
얼마 뒤, 국본이었던 태인세자가 급사했고.
공석이 된 왕세자의 자리는 당시 중전이었던 윤왕후의 소생들이 아닌
조귀인의 소생 이호가 채우게 되었다. 서자가 용좌에 오르게 된 것.
그 일등 공신이 바로 황원형이다.

— 자꾸 대든다. 이호가... 누구 덕에 그 자리에 앉은 것인데!

머리가 커져서 말도 제대로 안 듣고 왕권까지 키워가니 영 맘에 안 든다.
그런데 어라? 기회가 생겼다!!
피 냄새를 맡은 하이에나처럼 두 눈이 번뜩인다.
이번엔 기필코 그때 대비가 내게 진 빚을 제대로 받아내야겠다!

윤수광 병조판서 / 대비의 최측근. 청하의 부친

태인세자 사후, 외척 윤씨 일가는 완전히 몰락한다.
그러나 황원형과 대비 사이에서 적당히 줄을 타며 기생하던 윤수광은
언젠가 황가를 뛰어넘을 꿈을 꾸고 있다.
그 시작은 황가가 이뤄내지 못한, 이 나라의 왕비를
자신의 가문에서 다시 세우는 것이다.
그러려면 대비의 힘이 필요하다. 그렇게 들인 공만 20년...
5년 전 세자빈 간택 때 청하를 세자빈으로 만들려 했으나
청하가 처녀단자를 들고 튀는 바람에 실패했다.
지금의 꼬라지를 보면 참 다행이다 싶다.
저 야생마가 궁에 들어갔으면 어쩔 뻔!
그리고 마침내 또다시 때가 왔는데... 이번에도 청하가 태클을 걸고 만다.

민승윤 도승지

이호의 편에 선 인물. 굉장히 공명정대하고 원칙을 중시한다.

여기영 좌의정

이호의 편에 선 인물. 황원형과는 정치적인 입장부터 성격까지 반대되는 인물.

우의정 고귀인의 숙부

황원형과 막역한 사이로 이호의 반대편에 선다.
역시나 이호를 국본으로 만든 공신. 심소군을 지지한다.

이판 이조판서. 황원형의 측근

형조참판 형조판서. 대비의 측근. 윤수광과도 가깝다

조국영 어의

태인세자를 담당했던 어의 중 한 명.
태인세자 사후 승승장구하여 당상관의 자리까지 올랐다.

권의관 동궁전 담당 의관

––––––––––––––– ◈◈ 그 외 ◈◈ –––––––––––––––

초월

무안대군이 잊으려 그리 노력하지만 결국 초월해내지 못하는 여자.

윤왕후 폐비 윤씨

태인세자의 모친. 현재는 서인으로 강등돼 목숨만 부지하고 있다.

토지선생 의원

움막촌에서 신종역병인 비루수(飛淚水)를 치료하고 있는 괴짜 의원.

민휘빈 세자빈·원손의 모친

원손 세자의 아들

용어정리

(E)   대사와 음악을 제외한 효과음(Effect)을 뜻하며, 보통 등장인물은 보이지 않고 소리만 나는 경우에 사용한다.

점프   연속성이 없는 두 장면을 붙이는 편집 방식이다.

몽타주   따로따로 편집된 장면들을 짧게 끊어서 붙인 화면을 말한다.

ins 》   인서트(insert)의 줄임말로, 연결되는 한 장면에 다른 장면이 삽입되는 것을 말한다.

ins_cut 》   인서트 컷(insert cut)의 줄임말로, 삽입 장면을 의미한다. 주로 한 장면이 짧게 삽입되는 경우를 가리킨다.

F.B 》   회상을 나타내는 장면. 지금 일어나고 있는 사건의 인과를 설명할 때 쓰이기도 하고, 인물의 성격을 설명하기 위해 쓰이기도 한다.

(OL)   오버랩(Overlap). 현재의 화면이 사라지면서 뒤의 화면으로 바뀌는 기법이다.

1부

1   도성 거리 (새벽)

다다다. 매우 긴박히 이동하는 가마꾼들.
안개 낀 이른 새벽의 적막한 거리를 가로지른다.

2   기루 대문 앞 (새벽)

가마꾼들의 발이 브레이크 잡듯 끽- 멈춰 서면
뭐가 그리 급한지, 가마가 땅에 닿기도 전에 내려서는 여자.
짙은 안개 사이로 얼굴도 드러나는데
피도 눈물도 없어 보이는 냉혈한 인상!!
한 손엔 쓰개치마 들렸고,
한 손은 34cm의 비녀를 머리에서 칼처럼 쓱 뽑아내는데, 비장하다.
뒤로는 건장한 가마꾼들도 따른다.

3   기루 행랑 마당 (새벽)

날이 점차 밝아오자, 안절부절못하는 청년.
안채로 향하다가, 또 돌아섰다가 "아, 어떡하지..." 발 동동.

순간!! 두 눈을 의심하는 청년. 공포심 느끼고 뒷걸음질 치는데
기습하듯 나타나는 여자 일행.

여자 어디 있어, 이 새끼?!!
청년 저, 저기 그것이...

4   동 초월 방 (새벽)

발로 문을 뻥!!! 불륜 현장 덮치듯 나타난 여자.
바닥엔 술병과 함께 뒤엉킨 남녀 있다.
'저것들이 잤구나...!!'
여자, 급습하듯 이불을 확!!! 걷어내면
야한 시스루 입고 누운 초월과
비단 속적삼 사이로 복근 노출한 남자도 보인다. 술도 잠도 안 깨는데
그 모습에 눈이 확 도는 여자!!
쓰개치마 던져 남자의 얼굴부터 가려버린다.

여자 뭣들 해?! (턱짓하면)

우르르 들어와 남자를 번쩍 안아 들고 나가버리는 가마꾼들.
방어 1도 못 하고 "어. 어. 어." 들려 나가는 남자.
그 소란에 초월 눈뜨면, 다짜고짜 치마부터 확 들춰보는 여자!
여자, 스캔하듯 치마 속 훑는데... '자진 않았네.' 싶은 표정.

초월 (수치심에) 대체 누구신데 이리 무례하십니까?
여자 나?!
         (겁주듯 비녀 끝으로 초월 얼굴 쓸어내리는) 맘먹고 미치면...
         그 미친 짓도 맘먹은 대로 되는 사람.

급기야 초월의 목을 겨누는 비녀.

여자	지금 내가...
	너 하나 죽이는 건 일도 아니란 말을 하는 것이다!

초월의 시선이 비녀의 장식에 이르면
그 비녀, 여의주를 문 용잠(龍簪: 왕비의 표식)이다!!

5   도성 거리 (이른 아침)

새벽에서 아침으로 넘어가는 듯 걷히기 시작하는 안개.
가마와 함께 긴박히 이동하는 여자. 눈치 보며 따르는 청년도 보인다.
그때 드르륵!! 가마 창이 열리며 얼굴 내미는 남자, 무안(3남).
그 잘생긴 녀석이 소리친다.

무안	작별 인사도 못 했습니다!
여자	내가 했다.
무안	초월인 기생이 아닙니다. 제 벗이란 말입니다...!
여자	한 이불 덮고 누운 벗도 있다냐?! (매섭게 째리고) 그냥 잊어!
무안	잊다뇨!! (받아들일 수 없고) 아버지는 부인이 열 명도 넘는데-에!
여자	(이 자식이!!)
무안	왜 저는 한 명도 안 된다 하십니까?!
여자	(정색) 그럼 너도 임금 하든가...!!!

'시끄러워!' 하듯 드르륵!!! 가마의 창을 닫아버리는 여자, 화령.

6   궁궐 안 (낮)

장엄하고 웅장한 조선의 궁궐을 빠르게 가로지르는 중전 일행.
지나는 궁인들 예를 갖추면, 절도 있게 받아주는 화령.

그 뒤론 중궁지밀 신상궁과 몇몇 상궁들도 줄지어 따르는데

화령	어찌 됐어? 다들 종학으로 갔느냐?
오상궁	(눈치) 일영대군께서는 아무리 깨워도 일어나질 않으십니다.
상궁1	(난감) 성남대군께서도 행적이 묘연하시어...
화령	(버럭) 내가 모든 곳에 갈 수 없어 너희들을 각 처소에 나눈 것이질
	않느냐! 그거 하날 해결 못 하면 어째!! (미치겠고) 몸이 열 개도 아니고,
	어찌 하루도 그냥 지나가는 날이 없어!
상궁들	송구하옵니다.
화령	(화낼 시간도 없다. 긴박하게 이동) 가 가. 성남대군 어딨어?!

그 위로 말발굽 소리.

7   한성 밖 들판 (낮)

흑마를 타고 거침없이 내달리는 성남(2남).
넓은 들판을 "으랴!!" 질주하는데
바람에 휘날리는 도포 자락과 머리카락. 차가운 마초남 느낌.
저 멀리 피어오르는 검은 연기.
더욱 박차를 가하는 성남.

8   서촌(西村), 움막촌 안 (낮)

불길에 휩싸인 몇몇 민가와 움막.
화마에 아수라장이 된 현장에서 아이를 찾아 헤매고 있는 아낙, 울고.
삽시간에 번지는 불길, 파편까지 떨어지는데!
그 사이로 소년을 어깨에 들쳐 메고 뛰쳐나오는 성남. 마스크처럼 복면 썼고.

성남	(내리더니, 소년 엉덩이 툭!! 걷어차며) 엄마 옆에 딱 붙어 있어. 가!!

뛰어가는 소년, 그 옆으로 나무 물통 들고 불 끄러 가는 노인 보이는데
성남, 그 물통 받아 들더니 망설임 없이 불길을 향해 뛰어든다.

9   강무장 (낮)

무예 수련장인 강무장을 돌아보는 화령과 신상궁. 그러나 아무도 없고.
그때 급히 다가오는 오상궁.

오상궁   계실 만한 곳은 다 찾아보았으나 안 보이십니다.
화령   (깊은 빡침) 오늘이 어떤 날인데... 하필 오늘!!
신상궁   마마. 더 서두르셔야겠습니다.
         한 식경(30분) 안에 모든 대군들께서 종학에 도착하셔야 합니다.

10   종학 입구 (낮)

현판 宗學.

[자막] 종학: 왕족들의 교육기관

유일한 출입문은 아직 굳게 닫혀 있는데
대기하듯 주르륵 앉아서 기다리는 내관들. 하품하거나, 졸거나.

송내관   아니, 대체 언제부터 기다려야 앞줄을 맡을 수 있는가?
         잠 설치면서 새벽부터 나섰는데 이거야 원...
김내관   (눈 퀭한) 난 여기서 밤을 꼴딱 샜는데도 이 위치네.
송내관   (뭔가 보고 뜨억 놀라는)

보면, 내관들 사이에 질서 있게 줄 서 있는 왕자 복식의 대군이 눈에 띈다.

그는 곱상하면서도 꽃도령 같은 계성(4남)이고
반지 낀 손에는 회화가 그려진 소설책도 하나 들렸다.

송내관   (달려가서 굽신) 아이고 계성대군 마마.
        아랫것들을 시키시지 왜 직접 서 계시옵니까?
계성   (시선은 서책에) 뭐 하러 번거롭게 그래...
        난 신경 쓰지 말고, 뗄 준비나 하거라. (여유롭게 책 넘기는)
송내관   (뭔 소린가 싶은데) ???

'끼-익' 하며 열리는 출입문.
이에, 바로 몸이 반응하며 뛰기 시작하는 내관들. 송내관도 냅다 뛴다.

11   종학 내부 (낮)

달려와 앞자리부터 경쟁적으로 맡는 내관들. 몸 날리고, 서책 던지고...
선착순. 먼저 맡는 사람이 임자인 암묵적 약속!!
그 치열함 속에 홀로 딴 세상에 있듯 대충 뒷자리에 앉는 계성도 보이고.
서안(書案)은 12개(3열*4줄) 정도 배치되어 있다.

12   그 시각, 일영대군 처소 (낮)

드르륵!! 문이 열리며 급히 들어서는 화령.
보면 처소는 발명품들로 발 디딜 틈 없이 난장판이다.
밤늦게까지 연구했는지 구석에서 잠이 든 일영(막내)의 모습.

화령   (급하다. 이불을 확 걷는) 일어나!!
일영   (이불 끌어 올리며) 아, 조금만 더요...
화령   (등짝 때리고. 흔들고) 일어나! 얼른!!!

화령, 시간 없는데 미치겠고! 처소를 둘러보다가
휴대용 앙부일구(손바닥 크기)를 확 집어 들더니 던져버리는데
잠결에 벌떡 일어나, 온몸을 던져 어떻게든 받아내는 일영!

화령   일어났지?! 그럼 눈곱 떼고 뛸 준비 해...!
일영   (앙부일구 소중히 들고) 왜 그래야 합니까?
화령   왜긴!! 대비마마와 전하보다 먼저 도착해야 된다고 이 녀석아!!
일영   안 그럼 어찌 되옵니까?
화령   안 그럼, 너도 끝장. 나도 끝장이다...!!

13   종학 근방 거리 (낮)

- 덮개 없는 1인용 가마를 타고 이동하는 왕자들의 모습.
그리고, 가마 옆엔 치맛자락을 휘날리는 우아한 왕실 사모들도 보인다.
그렇게 자식들을 호위하듯 함께 걸어가는데...
- 특히, 서열이 가장 높은 듯 화려한 복식을 갖춘 황귀인.
품위 있고 관상만큼은 이쪽이 중전.
그 옆엔 고급 가마에 오른 의성군도 보인다.

황귀인   지난번 선생들은 어땠느냐?
의성군   (거만한) 산술은 영 별로였습니다.
황귀인   그럼, 그 선생은 바꿔주마.

- 그 뒤를 따르는 고귀인은 그들의 대화가 궁금해 미치겠고!
고귀인 옆엔, 소심해 보이는 심소군도 보인다.
- 뒤이어, 유독 미모가 빼어난 태소용과
가마 위에서 서책 보는 총민해 보이는 보검군도 이동한다.

태소용   (가벼움 통통) 보검군~ 오늘은 전하와 대비마마께서 종학에 오시는
특별한 날이 아니냐~ 긴장은 안 돼?

보검군   (무게감 있고) 하던 대로만 하면 됩니다.

태소용   (어디서 이런 게 나왔누~ 이뻐 죽고)

– 미모의 옥숙원과
손에 먹을 거 들려 있는 호동군도 뒤따른다.
그렇게 호화로운 가마들이 떼 지어 한 곳, 종학으로 몰려드는데...

14   대비전 침전 (낮)

잔뜩 긴장한 궁녀들이 누군가의 의복 수발을 들고 있다.
머리엔 화려한 뒤꽂이가 꽂힌다.
먹(墨)에 먹물을 찍는 궁녀의 손.
몇 가닥의 흰머리 위로 먹이 쓱쓱 지나면, 염색되듯 검게 물드는데
이윽고 드러나는 주빈(主嬪)의 모습.
빈틈없는 눈빛과 본새가 느껴지는 대비다!!

남상궁   (E) 대비마마. 세자저하 내외 문안 드셨사옵니다.

대비   (세자라는 말에 눈빛이 부드럽게 바뀌는) 들라 하라.

점프, 반듯해 보이는 세자(장남)와 만삭의 민휘빈이
"밤새 강녕하셨사옵니까?" 문안하면, 한 박자 늦게 원손도 인사 올린다.

원손   (혀 짧은 소리로, 귀엽게 머리 박고 절하며) 할마마마~~
강룡하셨사옵니까? 오래오래 만수무강하옵쏘서.

대비   (미소 짓는, 팔 벌리며) 이리 오세요, 원손~

세자, 원손 보며 가보라는 듯 웃으면
원손이 뛰어가 대비 품에 안긴다.

대비   (원손을 무릎에 앉히며 흡족한) 이 할미가~ 원하는 걸 이제 다 얻은 것

	같습니다~ 지금 당장 눈을 감아도 아쉬울 게 없어요~
세자	(미소) 할마마마. 부디 무강하시옵소서.
	초석 없이 어찌 지주(支柱: 기둥)와 장대석이 바로 서겠사옵니까?
	할마마마께서 주초가 되어주시니
	아바마마께서도 강건할 수 있는 것이옵니다.
대비	(더없이 흐뭇한) 예~ 그리하겠습니다, 세자.

세자를 보는 눈빛에서 애정과 만족감이 느껴지는 대비.

15   편전 내부 (낮)

용상에 우뚝 앉은 다부진 눈빛의 이호.
여럿의 대신들과 정사를 돌보고 있는데
영의정 황원형, 병판 윤수광, 도승지 민승윤,
좌의정 여기영, 우의정, 이판, 형조참판 등도 보인다.

이호	경들은 정녕, 그 기민들을 아사시킬 작정이오?
윤수광	전하. 역병이 창궐하는 것을 방지하기 위함이옵니다.
이호	해서 서촌의 움막촌을 봉쇄하지 않았소?
	그런데 움막촌 사람들을 혐오해 불을 놓는 자들까지 생겨났습니다...!
	이럴 때 구휼까지 통제하고 막아선다면
	그들은 분명 굶주림에 시달리게 될 것이오!
황원형	(영향력 있는 느낌) 그곳은 역병의 근원지이옵니다!
	감염의 위험까지 감수하고 구휼할 필요는 없사옵니다 전하.
이호	(보는. 무게감 있게) 질병으로 인한 죽음을 막진 못하더라도
	내 백성을 굶어 죽게 놔둘 순 없소...!!
황원형	움막촌 밖에 전하의 백성이 더 많다는 것을 기억하시옵소서!
	(가르치는 느낌도) 대의를 위해선 희생도 필요한 법이옵니다.
윤수광	그러하옵니다 전하. 구휼 제급을 위해 움막촌의 출입을 허한다면
	도성 전체가 위험해질 수 있사옵니다.

여기영	(반대파) 보름 정도가 지나면 증세 또한 호전된다 들었습니다.
	구휼은 하되, 서촌에 출입한 관리들만 격리하면 될 일입니다.
황원형	(무슨 소리!!) 그들과 접촉한 이들은
	단 한 발자국도 그곳에서 나와선 아니 될 것입니다.
	이번 역병은 서촌에서 시작되었으니 거기서 끝이 나야 합니다.
이호	나 또한 서촌에서 끝낼 것입니다!!
황원형	(본다)
이호	(본다)
황원형	(이호야...) 전하... 때로는 정사를 돌봄에 단호함이 필요한 것이옵니다!
이호	나에게 단호함이 요구된다면 그리하겠소.
	(자리에서 일어선다. 카리스마 있게) 경들은 듣거라!
	움막촌 근방 터를 골라 임시 진휼소를 설치하라.
	단, 밀접접촉을 금하고 식량만 들일 것이다.
	또한, 경계를 강화해 격리자들의 이동을 전면 통제하라!!
대신들	(강경한 태도에 다소 놀란 얼굴들)
황원형	(이호... 많이 컸구나)

16   종학 내부 (낮)

내관들이 맡아 놓은 자리로 이동하는 왕자들.
"수고했다." 왕자들의 칭찬에, 앞자리를 맡은 내관들은 기세등등한데
중간자리 맡은 송내관은 죄지은 듯 자리 비켜주고.

의성군	(조인트 까며 낮게 날리는) 자리가 왜 이따위야?!

16-1   종학 입구 (낮)

이미 주차된 빈 가마들도 보이는 가운데
보검군을 비롯한 몇몇의 왕자들이

왕실 사모들의 밀착 보호 아래 가마에서 내리고 있다.
그 사이로 부채 부치며 걸어오는 왕자 복식의 무안.
무안의 뒤를 바짝 따르는 내관 복식의 문내관(3씬의 청년)도 보인다.

무안   아유~ 엄마들 극성 극성~

           (귀엽게 쩨리며 지나는) 이그 보검군~ 웬만하면 좀 걸어 다녀라~

보검군   (거슬리는 듯 멀어지는 무안을 본다)

17   종학 내부 (낮)

           사모들은 서안 위로 간식을 놓아주거나
           자식의 머리 만져보며 열 체크도 하는데
           그런 사모들 눈을 피해 심소군의 입에 환을 하나 쏙 넣어주는 고귀인.

심소군   (환을 입에 물고 놀란 눈!!)
고귀인   두뇌 영양제인 총명환이다~ 씹다가 한 번에 꿀꺽 삼켜~!
심소군   (씹다가 억지로 꿀꺽)
고귀인   어때? 머리가 맑아지는 느낌이 오느냐?

           한편, 승은후궁 라인 쪽. 태소용, 옥숙원, 문소원.
           자세히 보려는 듯, 눈을 가늘게 뜨며 의성군을 보는 태소용.
           그러나 거리가 있어 잘 안 보이고 옥숙원 툭 치며 묻는데

태소용   눈 좋으면 의성군 서책 좀 자세히 봐보세요~
옥숙원   예? 왜요?
태소용   (의심 의심) 아무래도 서책이 좀... 달라~
옥숙원   (다시 봐도 잘 모르겠고)
태소용   (뭔가 보고 확신) 맞네~!! 저거 저거 주자서절요 같애. 어머~~!!
옥숙원   그게 뭔데요?
태소용   (것도 몰라? 왜 여갔니?) 퇴계 선생이 편찬한 유학서 말입니다~

(가만) 주자서절요는 대학, 논어를 다 배워야 넘어갈 수 있는 진돈데...?

옥숙원 그럼 진도를 다 뗐나 보죠.

태소용 (!!!) 어머~! 종학에서 안 뺀 진도를 대체 어디서 뺐다는 거야~?!
(분명 뭔가 있어... 의성군을 실눈으로 째리듯 본다)

17-1   종학 근방 거리 (낮)

그 시각!! 종학으로 달려가는 화령 일행.
눈곱 떼며 달려가는 일영과,
그 아이에게 답호(褡襲: 소매 없는 겉옷)를 입히는 화령,
서책을 가슴에 품은 신상궁이 긴박하게 이동하고 있다.

18   종학 내부 (낮)

품위 있는 황귀인 주변으로 모여든 간택후궁들. 고귀인, 숙의, 소의.

소의 왕위에 오르시고 처음이시지요? 전하께서 종학에 오시는 게.

숙의 예~ 맞습니다. (의문) 한데 그동안은 왜 안 오셨을까요~?

고귀인 국본인 왕세자가 시강원에 있는데, 여기 올 시간이나 있으셨겠습니까?

대전내관 (E) 주상전하 드십니다!!

문으로 들어와, 귀빈석으로 향하는 이호와 대비. 따르는 대전내관과 남상궁...
대비, 범접할 수 없는 카리스마로 스캔하듯 쓱 둘러보면
일제히 고개를 숙이는 사모들과 왕자들.
그 시각, 어느새 들어와 뒷자리로 다다다 뛰고 있는 화령과 일영.
이호가 착석하며 시야가 확보되는 순간!과 동시에 세이프 하듯
일영을 자리에 앉히는 화령!! 0.01초의 긴박한 시간차다.

화령 (짧고 깊은 숨) 후흡...!!!

아무 일 없었다는 듯 표정과 몸가짐을 다잡는 화령.
무안, 계성, 일영까지. 자신의 자식들이 다 왔는지 눈으로 체크하는데
한 놈이 안 보인다! "하... 성남대군." 화령 낮게 탄식하는데
그 모습을 쓱 보는 대비.

19   시강원 전경 (낮)

현판 春坊.

[자막] 춘방(세자시강원): 왕세자만을 위한 특별 교육 기관

20   시강원 내부 (낮)

다부진 느낌의 세자, 그 앞으로 쭉 도열해 앉은 시강관들.
단 한 명의 학생과, 열 명의 스승. 1:10.

세자   수유선자라도 역무여지하리니...
황원형   (매섭고 무게감 있게) 뜻을 풀이하고 해석해보십시오.
세자   비록 잘한 것이 있다 하더라도, 또한 그것을 어찌할 수가 없다는 뜻으로
          임금이 간신을 두어 재물을 함부로 쓰다가...

          조선의 수뇌들답게, 겉모습부터 내공이 느껴지는 시강관들의 모습.
          신료를 겸임한 황원형, 윤수광, 여기영, 형조참판 등도 보이고
          서안엔 강경패도 놓였다. **통(通), 약(略), 조(粗), 불(不), 방외(方外).**

21   종학 내부 (낮)

여럿의 학생과 단 한 명의 스승. 12:1.
민승윤이 귀빈석 시야를 가리지 않게, 좌측에서 수업을 시작한다.

민승윤　예로부터 옳고 그른 것을 분별할 줄 아는 군자는
　　　　임자 없이 흐르는 냇물도 가려 마신다 하였습니다...

귀빈석엔 화령, 이호, 대비 앉아 있고
후궁들은 참관 수업하는 학부모들처럼 측면에 일렬로 쭉 일어서 있다.

22　　시강원 내부 (낮)

막힘없이 대답하는 세자. (* 20씬과 이어지는 대사)

세자　　나라가 위기에 처하게 되면
　　　　비록 유능한 신하가 있을지라도 어찌할 수가 없는 것입니다.
　　　　소인지사위국가 재해병지(小人之使爲國家 菑害並至).
　　　　그러니, 재앙과 해악이 그치지 않으려면
　　　　소인에게 나라를 맡겨선 안 될 것입니다.

막힘없이 답하는 세자의 모습에 강경패 '通'을 내미는 시강관들. 올 통.

[자막] 통(通): 우수

23　　종학 내부 (낮)

뒷짐 지고 여유 있게 걸어 다니며, 질문하는 이호의 모습.
한자를 말하면 붓으로 써지듯 화면에 나타나는 형태.

이호　　내 왕자들에게 다소 엉뚱한 질문을 하나 던져보고자 한다.

왕자들	(뭐지 싶고)
이호	얼음 빙(氷)이 물 수(水)가 되었다. 이것을 한번 설명해보겠느냐?

고민에 빠지는 왕자들.
무안은 종이에 火를 써 넣고, 커닝하듯 옆도 슬쩍 본다.
한 명씩 일어나 대답하는 왕자들.

의성군	돌아올 환(還)을 생각해보았습니다.
	얼음은 본디 물이었으니, 본래대로 돌아가면 수가 되기 때문입니다.

의성군을 유심히 보는 대비.

계성	봄 춘(春)이라 생각합니다.
	자연의 이치를 따르면 얼음은 자연스레 녹고 초목에는 물이 오릅니다.
	추위를 견뎌 봄꽃을 피우면... 결국 빙은 수가 됩니다.
이호	(끄덕이는)
보검군	제 답은 옮길 이(移)입니다.
이호	왜 그리 생각하느냐?
보검군	한강의 얼음을 옮기면, 그 밑에서 물을 얻을 수 있고
	거둬낸 얼음 또한 석빙고(石氷庫)로 옮겨 저장하면
	여름에 요긴하게 쓸 수 있기 때문입니다.
이호	(흡족) 보검군은 실제로 소용될 수 있는 답을 냈구나.

이호의 칭찬에
사모들의 고개가 일제히 한곳, 보검군 엄마에게 향한다.
태소용, 시선 의식한다. '봤지~? 내 아들이야!' 하는 눈빛.

이호	난 우리 왕자들이 틀에 박힌 학문에만 매일 것이 아니라
	끊임없이 고민하고, 새로운 생각을 해내는 힘 또한 키웠으면 한다.
	모두 훌륭했다. (대견함에 왕자들을 미소로 보는데)

그때 '끼-이--익' 소리와 함께 수업을 방해하며 열리는 종학 문.
술렁이는 분위기 속, 도포 자락 휘날리며 들어서는 성남.
지금까지 여유 있던 화령, 이번엔 표정이 좀 굳고!
여기저기 낮게 수군대는 사모들의 소리.

숙의 종학 깔째 성남대군 아닙니까?
고귀인 (조소) 수업도 제일 깔째로 왔네요.
황귀인 (제압) 조용하세요.

[자막] 깔째: 꼴찌

단정한 복식을 갖춘 왕자들과는 달리
무예복에 머리도 살짝 헝클어진 성남. 맨 뒷자리에 앉는데
그 모습에 서늘해지는 대비. 이호 또한 표정이 좋지 않다.

24   종학 외부 (낮)

내관들과 궁인을 이끌고 빠져나가는 이호의 모습.

25   종학 내부 (낮)

저 뒤쪽엔, 철없이 떠들고 장난치는 대군들이 보이는데
앞에선, 대비와 화령에게 인사하며 빠져나가는 후궁들.
뒤이어 황귀인 차례가 오자 반색하며 특별히 대하는 대비.

대비 황귀인~ 시간 되면 차나 한잔하시겠습니까?
황귀인 (기품 있게) 예, 대비마마. 그럼 밖에서 기다리고 있겠사옵니다.
대비 (황귀인을 보는 미소)

대비의 편애를 부러운 시선으로 보던 후궁들, 곧 나가는데

화령	저도 이만 물러가겠사옵니다.
대비	(탐탁지 않고) 저런 것들을 두고도 발길이 떨어지십니까?
화령	(설마) 저런 거라 하심은...
	혹 저희 대군들을 두고 하시는 말씀이십니까?
대비	예.
화령	(참는 성격 아니고) 저런 거가 아니라 대비마마의 손자들인데요.
대비	아무리 손자라도 내 자식 속상하게 하면 꼴 보기 싫은 법입니다.
화령	(내 자식 욕에 싸늘해지는)
대비	중전께서도 눈이 있으면 보셨을 것 아닙니까?
	본을 보여야 할 대군들이 눈 가리고 아웅 하듯 수업 시작 전에
	겨우 도착해서...

대비의 대사 위로- 무안, 성남, 일영, 계성의 모습 보이는

대비	(무안) 딴짓에.
	(일영) 딴생각에!
	(성남) 심지어 건방지게 수업 중간에 들어섰습니다...!!
	(계성 보이며) 그나마 계성대군은 학문에는 관심은 보이나
	보검군이나 의성군에 비해 뛰어나 보이지도 않습니다.
화령	종학에서 뛰어나 뭐 하겠습니까?
	이곳 종학은 왕자들의 기초 학문과 기본 소양을 가르치기 위한
	단순한 교육기관일 뿐입니다.
대비	(아니!!!) 주상을 배출한 곳이기도 하지요.
화령	(아니요!!) 본디 시강원에서 배출되는 것입니다.
	세자가 제왕의 교육을 문제없이 잘 소화하고 있으니
	노파심을 그만 거두셨으면 좋겠습니다.
대비	아하... 중전께서 그리 도도하신 게. 왕세자가 중심을 떡하니 잡고 있기
	때문이었습니까? 한데, 언제까지 저 대군들의 자잘한 사고들이
	왕세자의 그늘에 가려질 거라 생각하십니까...?

화령	대비마마.
대비	(왜!! 하듯 보면)
화령	(카리스마) 내명부와 왕자들 관리는 중궁의 임무입니다.
대비	(눈으론 대군들 보며) 정말... 세자만 아니면!!
	그 임무를 제. 대. 로 하고 계시는지 의심이 들 뻔했습니다.
화령	아시겠지만, 보이는 것보다 바쁜 것이 중궁의 일입니다.
대비	(아시겠지만?!)
화령	(공손하게) 그럼 저는 이만 물러가보겠사옵니다.
대비	(이빨 꽉) 이 늙은이가 중궁의 경험이 없어...
	그 자리가 그리 바쁜 줄은 미처 몰랐습니다...?
화령	세자 시강관과 면담이 있어 가고자 하는 것인데
	더 하실 말씀이 있으십니까?
대비	(세자라는 말에 아무 말 못 하고)
화령	(인사하고 돌아서는)
대비	(눈에 핏발 선다)
신상궁	**(E)** 왜 그러셨습니까?

26   궐내 거리 (낮)

거의 나란히 걸어가고 있는 화령과 신상궁.

신상궁	(안타까워서) 이른 새벽부터 대비마마와 안 부딪히시려고
	그리 뛰쳐놓고, 몸으로 한 일을 말로 다 깎아 먹으시고...
화령	아니!! 화나잖아. 우리 애들한테 저런 거라니!! (다시 생각해도 복받치고)

갑자기 손을 쓱 내미는 화령.
자연스럽게 공진단 한 알을 손바닥 위로 올려주는 신상궁.
공진단 까더니 입에 쏙 넣고 오독오독 씹는 화령.

화령	차라리 잘됐어. 이왕 이렇게 찍힌 거 그만 잡지 뭐.

어차피 녀석들 혼인하면 다 출궁해야 되는데... (갑자기 멈춰 서는)

신상궁   (끽- 멈추면)

화령   (무슨 생각인지 몸을 휙!! 틀더니 갑자기 다른 쪽으로 걸어가는)

신상궁   어디 가십니까? 노부 연회 준비 마무리 안 하십니까?

화령   그건 내일로 미뤄.

신상궁   마마께서 미루기도 하십니까?

화령   대비마마께 한번 대들고 보니 세상 무서울 게 없구나. 일정 미룬다고
하늘이 두 쪽 날 것도 아니고~ 진짜 시강원이나 가봐야겠다!

27   시강원 내부 (낮)

학부모 면담 느낌으로
서안을 사이에 두고 앉아 있는 여기영, 화령, 세자.
자식의 스승이라, 최대한 예를 갖추고 앉아 있는 화령인데.

여기영   저하께서 오늘 치르신 회강에서 모두 '통'의 성적을 받으셨습니다.

화령   (전교 1등 엄마의 위엄처럼 더없이 어깨가 으쓱)

여기영   지금까지 늘 있어왔던 고강과 회강에서도 '약, 조, 불'의 성적은
단 한 번도 받으신 적 없으시니 실로 놀라울 따름입니다.

화령   (새어 나오는 웃음을 막지 못하겠고) 그렇습니까? 하하.
혼자 알긴 너무 아쉬운데~ 이걸 어디다 자랑하지요~~

세자   (미소) 소자, 어마마마께서 이리 웃으실 때가 가장 기쁘옵니다.

화령   그럼 더 크게 웃어야겠구나~ 하하하.

화령과 세자, 그렇게 마주 보며 환하게 웃는데.

28   강무장 (오후)

퍽!!! 소리와 함께 나가떨어지는 의성군.

이미 몇 대 맞은 듯 입술에 피가 고인 의성군인데
무안, 계성, 일영 또한 그를 둘러싸고 있다.

성남   (의성군 멱살 움켜쥐며) 다시 한번 그딴 소리 지껄이면
         그땐 죽여버린다!!
의성군   (귀에 대고 비열하게 속삭이는) 니 엄마 얘기해서 흥분한 거야..?
성남   (이게!! 주먹 더 날리려는데)
대비   **(E)** 이 대체 무슨 짓이야!!!

대군들 뒤돌아보면, 분노로 서 있는 대비와 황귀인.

29   궐내 일각 (오후)

화기애애. 웃는 소리 들려온다.
다정히 걸어가는 화령과 세자. 그 뒤로는 궁인들과 동궁내관도 따르고 있다.

화령   (이르듯이) 진짜래도~ 다른 왕자들은 종학에서 날고 기는데
         우리 대군들은 딱 종학 날라리인 게야.
세자   (다정한) 속상하셨습니까?
화령   (진심) 아니 그깟 걸로 무슨~ 대군들이 관직에 나갈 것도 아닌데
         공부 잘해 어따 써먹어. 건강하면 됐지. (그런데 불현듯 한숨) 근데...
         사람들이 우리 대군들더러 뭐라는 줄 아느냐? 성군의 옥의 티란다.
         녀석들 모범은 못 되더라도 피해는 주지 말아야 할 텐데 그게 걱정이야.
세자   어마마마.
화령   (보는)
세자   생각보다 속이 깊은 아이들이니 너무 걱정하지 마십시오.
         사고는 쳐도 남에게 해를 끼칠 녀석들은 아닙니다. (미소)
화령   (미소) 그래. 세자가 그리 말해주니 맘이 좀 놓이는구나~

화령, 그렇게 세자가 옆에 있는 것만으로도 든든한 느낌인데

그때 화령을 보며 웃어주던 세자가 서서히 옆으로 쓰러진다.
"세자!!!" 놀라서 손을 뻗는 화령. 세자가 바닥으로 쿵!!

신상궁　(궁인들에게 외친다) 둘러싸거라!

쓰러진 세자를 안아 드는 화령.
그리고 그들을 빙 둘러싸 감추는 중궁전 궁인들과 동궁내관.
울부짖듯 주변을 둘러보며 뭐라 뭐라 하는 화령의 얼굴 위로-
우르르 쾅. 번쩍! 번개가 치고
신상궁, 고개를 들어 보면 금방이라도 비를 쏟을 듯 잿빛 하늘.
갑자기 화령의 옷 위로 비의 시작을 알리듯.
한두 방울씩 떨어지기 시작하는 빗방울.

30　강무장 (오후)

대군들과 의성군 앞에 우뚝 서 있는 대비. 그 뒤에 서 있는 황귀인.
그런데 왕자들은 입을 꾹 닫은 모습.

대비　다들 한마디도 안 하겠다는 게냐?
모두　(함구) .....
대비　그럼, 의성군이 말해보거라.
　　　왜 대군들에게 둘러싸여 아무 말 없이 맞고만 있었어?
의성군　(말하면 자신이 손해라 입 꾹 다물고)
대비　대체 무슨 일이 있었던 게야?!
일영　(못 참겠고) 저기 할마마마 저희가 몰아세운 것은...
성남　(일영의 팔을 잡더니. 말하지 말라는 듯 고개 젓는다)
대비　끝까지 함구하겠다...?
대군들　......
대비　의성군은, 황귀인께서 데려가십시오.

의성군, 대군들을 쓱 보더니 황귀인과 이동한다.

대비	단 한 번도 이런 적은 없었다. 단 한 번도 없었어 내 아들은! 대체 누굴 닮아 이리 안하무인인 것이야?!
대군들	(대부분 고개 숙이지만, 성남은 꼿꼿하게 보는데)
대비	(서늘해지는 눈빛) 중궁의 소생이라 해서 니들이 특별하다 생각하느냐? 어디서 감히 똘똘 뭉쳐 모친이 다른 왕자 하나를 따돌리며 몰아세워?! ......꿇거라!
대군들	(놀라서 보면)
대비	어서!!!
대군들	(하나둘 바닥에 꿇어앉는다)

획!! 돌아서며 이동하는 대비. 따르는 남상궁.

남상궁	(조금씩 떨어지는 빗방울 의식하고) 비가 곧 쏟아질 것 같습니다. 대군들을 저리 둬도 괜찮겠습니까?
대비	(상관없고) 지금 당장 중전을 찾아 대비전으로 불러들이거라!

31   중궁전 전경 (오후)

세차게 내리는 모다깃비.

32   중궁전 침전 (오후)

무너진 표정의 화령.
그 앞엔 의식을 잃고 누워 있는 세자 보인다. 매우 창백한 얼굴.

33   중궁전 복도 (오후)

맞은 비를 툭툭 털어내며 복도로 들어서는 남상궁.
그런데 남상궁의 표정이 점점 묘해진다.
중궁전 상궁들이 평소와 다른 것을 감지한 것.

남상궁   (문 앞에 서며) 고하시게.
오상궁   (긴장) 오늘은 이만 돌아가셔야겠습니다...
          아무도 들이지 말라는 명이 있었습니다.
남상궁   (안 듣고, 들어서려) 중전마마께 고하시래두!!
오상궁   (막아서는데)

높아진 언성에, 문이 열리며 안에서 나오는 신상궁,
남상궁, 잠시 열린 문틈 사이로 내부를 보려는데... 곧 닫혀버리는 문!!

신상궁   무슨 일이시옵니까?
남상궁   (누르는 눈빛) 중전마마께 직접 전할 것이 있으니 비키시게.
신상궁   제게 말씀하시면 됩니다.
남상궁   (주먹 꽉. 고개 오르는) 그럼 전하시게.
          대비마마께서 급히 찾으시니 지금 당장 대비전으로 드시라고.
신상궁   그리 전하겠습니다.

획!! 돌아서 가던 남상궁이 잠시 멈춰 섰다가 이내 걸음을 옮긴다.

34   황귀인 처소 (오후)

회초리를 맞고 있는 의성군. 무표정으로 세차게 내리치는 황귀인.
회초리가 부러진 뒤에야 끝이 나고.

황귀인   부끄러운 줄 알거라.
          정면에서 비난할 자신 없으면, 뒤에서도 하지 말아야지.

하물며 상대는 국모다.

의성군   (아프고 분한) 어머닌 화도 안 나십니까?!

원래대로라면 국모 자리도... 저 왕세자 자리도 제 것이었질 않습니까?

황귀인   말조심해! 자격을 갖추지 못한 자의 비판은 허장성세(虛張聲勢)에 불과해.

학문이나 성품. 그 어느 하나 네가 세자보다 더 나은 것이 있느냐?

의성군   (눈 시뻘게지더니) 아바마마께서 가장 먼저 품에 안은 자식은

그 세자 새끼가 아니라... 저란 말입니다...!!

황귀인   (냉정하고 단호한) 실력을 키워서 그 아일 넘어서!

그런 뒤에 비판을 하든, 불평을 하든... (의미심장하게) 그 자릴 뺏든...

의성군   (!! 예상치 못한 말에 놀라는데)

황귀인   (본다) 실력부터 키운 뒤에 하거라.

의성군   (본다)

35   중궁전 침전 (밤)

의식 없는 세자.
진맥을 하던 권의관이 손을 떼자, 화령이 다가선다.
신상궁과 동궁내관도 서 있다.

화령   (두렵다) 대체 병명이 뭔가?

권의관   정확한 병명을 알기는 어려우나... 혈허궐로 보입니다.

화령   혈허궐...?

권의관   예. 피가 부족한 혈허로 오는 궐증의 일종입니다.

[자막] 궐증(厥症): 갑자기 정신을 잃고 넘어지는 병

화령   (동궁내관 보며) 언제부터 이런 증상을 보이셨는가?

동궁내관   일 년여 되었습니다...

화령   (말도 안 돼) 그리 오래되었다면 내가 몰랐을 리 없어!

동궁내관   일전엔... 통제가 가능했기 때문이옵니다.

화령	!!!
동궁내관	한데 최근에 쓰러지시는 횟수가 늘어났고
	의식을 잃으시는 시간까지... (울먹) 길어졌사옵니다.
화령	그럼 왜 진작 알리지 않았어...! 왜!!
동궁내관	저하께서... 걱정하시니 알리지 말라 간곡히 당부하시어...
화령	그래도 알렸어야지! 어찌 일을 이렇게까지 만들어!!
동궁내관	(괴롭고)
화령	(권의관 붙잡는) 말씀해주시게. 살릴 수 있는 병인가?
권의관	아뢰옵기 황공하오나...
	(머뭇) 태인세자의 사인이 혈허궐이었다 들은 적이 있사옵니다.
화령	!!!!
신상궁	지금 어느 안전이라고, 그런 불경한 말을 하는가!!
권의관	(몹시 당황. 놀라서 엎드린다) 그.. 그런 것이 아니오라...
	혈허궐이 회복된 경우가 더 많긴 하오나, 저하의 경우는 내력인 듯하여...
	치료에 도움을 받을 수 있지 않을까 싶어 말씀드린 것이옵니다.

[자막] 내력: 유전병

신상궁	(날이 선 채 한마디 하려는데)
화령	(손 들어 신상궁 제지한다) 방금 도움을 받을 수 있을 거라 했느냐?
	똑바로 다시 설명해보거라...!!
권의관	(긴장해 떨며) 조국영 어의가 당시 태인세자의 담당 의관 중
	한 명이었던 걸로 알고 있사옵니다.
	아무래도 그때의 치료법과 상황을 기억하고 있지 않겠사옵니까?
화령	(흠... 잠시 생각) 조국영 어의는 내가 알아서 하겠네.
	(권의관을 향한 당부와 경고) 자네도 공식화되기 전까진
	세자의 발병을 절대 외부에 알려서는 안 될 것이야. 알아듣겠는가?!
권의관	(숙이며) 예.
동궁내관	(조심스럽게) 송구하오나 마마...
	저하께서 동궁전을 계속 비우실 수는 없사온데 어찌해야 할까요?
화령	(잠시 고민) 오늘 밤까지는 여기서 모시게.

36   왕의 침전 가는 길 + 침전 앞 (밤)

다급히 걸어가는 화령.
그런 화령에게 우산을 씌워주며 함께 걸어가는 신상궁.

신상궁   전하께 병명을 말씀드릴 생각이시옵니까?
화령   그래야지, 세자의 일인데.
신상궁   (아무래도 우려스럽고) 하오나 마마...
          전하께 사실대로 말씀드리면 분명 그 일부터 떠올리실 것이옵니다.
화령   (뭘 걱정하는지 안다) 그러시겠지...
          태인세자가 혈허궐로 죽었다는 걸 전하께서 모르실 리 없으니까.
          (깊은숨) 그래도 조국영 어의와 접촉하려면 전하의 윤허가 필요해.
신상궁   신중하셔야 합니다.
          피부병만으로도 전하의 윤허는 가능하질 않사옵니까?
화령   (살짝 갈등) 하... 모르겠다. 일단 전하를 뵈면 판단이 서겠지.
신상궁   (여전히 걱정스러운 얼굴로 뒤를 따르는데)

어느새 침전 앞에 다다른 화령과 신상궁.
중전의 갑작스러운 등장에, 난감한 기색으로 달려 나오는 대전내관.

대전내관   (와서 숙이며) 중전마마...
화령   급히 상의드릴 게 있으니 전하께 고해주시게.
대전내관   전하께서는... 이미 침소에 드셨사옵니다.
화령   비켜서게. 세자의 일이야...!

당황한 기색이 역력한 대전내관, 그러나 말은 못 하고 난감한데
화령, 그 모습에 댓돌을 보면
임금의 신발 옆에 나란히 놓인 여인의 신발.

화령	(한동안 그대로 서 있는)
신상궁	(보고)
대전내관	(보는데)
화령	...내일 다시 찾아뵙겠네.

화령, 신상궁의 우산에서 벗어나 빗속을 걸어가기 시작한다.
쏴-- 세차게 쏟아지는 빗줄기.
궁을 가르며 당당히 걸어가지만, 비바람이 그녀에게 내리치는데

37 중궁전 앞 (밤)

돌아오던 화령이 중궁전으로 향하던 대비와 마주친다!!
화령, 의연하려 애쓰지만 긴장한 상태.
각 상궁이 든 우산 밑에서 마주한 대비와 화령.

대비	(서늘한) 뒷방에서 애타게 기다렸는데...
	중전께서 찾아오지 않으시니 이 늙은이가 직접 왔습니다.

대비가 중궁전 쪽으로 걸음을 옮기려는데

화령	(다급히) 긴히 하실 말씀이 아니시면, 여기서 하시지요.

대비, 슬쩍 댓돌 위를 보면
벗어 던져놓은 것 같은 세자의 신발!!

대비	(자연스럽게 화령을 향해 돌며) 잠시의 짬도 못 낼 만큼
	업무가 많으신가 봅니다. 중전...
화령	(보는데)
대비	한데 아무리 바쁘셔도...
	중궁의 임무라 하시던 왕자들 관리는 제대로 하셨어야지요.

화령	(...?) 무슨 말씀이십니까?
대비	우리 대군들이 의성군을 때려눕히고 몰아세운 죄로 지금 벌을 받고 있으니 하는 말입니다.
화령	...!!

의미심장하게 화령을 보더니, 그대로 가버리는 대비 일행.

| 화령 | (눈은 대비를 보며, 신상궁에 지시) 우리 애들 어딨는지 알아봐...!! |

빠르게 이동하는 대비 쪽.

| 대비 | (은밀히. 남상궁에 지시) 지금 당장 동궁전에 가서 세자가 있는지
확인해보거라. |

38 강무장 (밤)

여전히 꿇어앉은 자세로, 오는 비를 그대로 맞고 있는 대군들.
막내 일영은 추워서 덜덜 떠는데...

성남	미안하다.
무안	(무슨 소리!) 형님이 안 쳤으면 아마 제가 쳤을 겁니다!! (다시 생각해도 화나는지 허공 주먹질)
일영	(억울) 그러게 왜 말하지 못하게 막으셨습니까? 할마마마도 아실 건 아셔야지요...
계성	도발은 상대가 했지만, 결국 폭력을 쓴 건 우리야.
무안	인정! 벌은 받자. 근데... (일영에게 꼭 붙는) 그 전에 얼어 죽겠다.
화령	얼어 죽기 전에 일어나!!

대군들 놀라서 보면,
빗속에서 모습을 드러내는 화령. 신상궁은 옆에서 우산을 받치고 있다.

대군들, 크게 혼날 거라 생각하고 각오를 단단히 하는데

화령	다들 처소로 돌아가.
대군들	(놀란 얼굴. 일어나도 되나 싶기도 한데)
일영	할마마마께서 해시(21~23시)까진 벌을 받으라 하셨습니다.
화령	(내가 책임져!!) 어미 말 듣거라. 일어나!!

그제야 하나둘 일어서는 대군들.
다 젖은 새끼들을 보니 속도 상하고. 발길은 안 떨어지지만. 급히 돌아선다.
쏟아지는 빗속으로 멀어지는 화령의 뒷모습.

39   중궁전 침전 (깊은 밤 → 새벽)

화려한 중전 복식 밑으로
오늘 그녀의 하루를 말해주듯 진흙 튀고 엉망으로 젖어든 버선발.
화령, 의식 잃은 세자를 걱정스럽게 바라본다.
그렇게 밤새 자식의 옆을 지키는 엄마의 모습.

40   종학 가는 길 (낮)

날이 밝았고, 비도 그쳤다.
밤새 온 비로 만들어진 물웅덩이를 밟고 지나는 왕자들의 뜀박질.
대군들은 그러거나 말거나, 하품하며 유유자적 걷는데

일영	오늘은 왜 다들 가마도 안 타고 저리 뜁니까?
계성	(의아하고) 그러게...
무안	쟤들은 잘~들 뛰는구나~
	(엄살) 난 어제 너무 오래 꿇어서 그런지, 다리에 감각도 없는데...
	(다리 풀린 척 성남에게 기대고)

성남   (질색!!) 왜 이래?!

그때, 또 한 무리의 왕자들이 우르르 뛰어간다.

대군들   (깜짝이야!!)

이쯤 되면 궁금해지고. 뛰어가는 심소군을 확 잡아 세우는 무안.

무안   (친한 사이) 아니 왜들 뛰어?! 뭔 일 있어?
심소군   금일 종학에서 보정 수업을 한답니다.
무안   보정? (그제야 인식) 뭐? 보정!!!!
무안   (일영에게) 야야, 뛰어 뛰어. 좋은 자리 맡자.
일영   (얼결에 같이 뛰며) 그게 뭔데요?
무안   (뛰며) 우리가 꼭 배워야 하는 필수 학문!!

하고는 감각 잃었던 다리로 쌩하고 달려가는 무안.
그 모습 보며 못 말린다는 듯 마주 보며 웃는 성남과 계성.

41   대비전 침전 (낮)

문안 인사를 든 이호를 그윽하게 바라보는 대비.

이호   문후 올리옵니다. 밤새 강녕하셨사옵니까?
대비   (끄덕이고, 부르는) 주상...
        임사홍을 중국에 파견하면서 장남을 함께 보낸다 들었습니다.
이호   예, 시무에 밝은 연행사(燕行使: 중국에 파견된 사신)로 육성하고자
        그리 결정했습니다.
대비   한데, 그의 장남은 시강원에서 세자와 함께 동문수학하는 배동이
        아닙니까?
이호   예, 맞사옵니다.

대비   (기회의 눈빛) 그럼 한동안 배동 자리가 비게 되겠네요...?

42   중궁전 침전 (낮)

나갈 채비를 하던 화령이 놀라서 신상궁을 본다.

화령   뭐? 비워두기로 한 배동을 왜 종학에서 뽑아?!
신상궁   그것까진 듣지 못했사오나...
        이번 배동은 왕자들 중에서 뽑겠다는 전갈이 있었사옵니다.
화령   (흠... 뭐지 싶다가) 세자 상태는 어때?
신상궁   동궁전으로 잘 모셨사오나, 아직 깨어나지 못했사옵니다.
화령   (긴장감. 근심 가득한 눈빛)

43   종학 내부 (낮)

볼들이 하나같이 복숭아색마냥 달아오른 왕자들.
수위가 낮은 춘화가 교재이며, 민승윤이 수업한다.

민승윤   '보정'이라 함은 본성을 지킨다는 뜻으로
        인간의 본성을 지키고 몸가짐을 정갈히 하며, 지혜롭고 절도 있는
        성생활을 하도록 가르치는 중요한 학문입니다.
무안   (세상 눈이 그리 반짝인다!!)
민승윤   왕실에서 대를 잇는 것은 단순한 가계(家系)의 계승을 넘어 혈통의
        영속성이 보장됨을 의미하니 진중히 수업에 임해주시기 바랍니다.
왕자들   (자세 바르게 잡고)
무안   (필기까지 하며 집중!!)
민승윤   자, 먼저 다룰 분야는 남녀의 교합 횟수와 관련된 '방중절도일'입니다.
        포박자에 따르면 20대의 교합 횟수는 3~4일에 한 번...
        30대는 열흘에 한 번씩 관계를 맺는 것이 좋습니다.

잦은 관계보다 절제도 필요한 것입니다.

무안　(번쩍 손 들고) 스승님~ 질문 있습니다!! 20대가 3~4일에 한 번이면
　　　(눈썹 올리며) 10대는 더 자주 해야 하는 것이 옳다 생각되는데...
　　　저는 열아홉이니 이틀에 한 번은 해야 합니까~?

민승윤　(미소) 혼례를 치르시면 20대가 되시니 그에 맞는 방중절도일을 지키시면
　　　되겠습니다. 자, 교재의 세 번째 장을 펴십시오.

　　　해당 페이지를 펴자, 일시 정지된 왕자들!! 충격과 신세계.
　　　일영은 심장이 벌렁거리고. 눈은 깜빡깜빡.

민승윤　지금 보고 계시는 체위가 가장 기본적인 자세로...

성남　(옆자리 계성에게) 나는 무안이가
　　　저리 수업을 열심히 듣는 걸 생전 처음 본다.

계성　보정 수업으로 평가하면, 아마 무안대군 형님이 일등일 겁니다. (웃는)

44　　중궁전 앞 (낮)

　　　그 시각, 왕실 사모들이 중궁전으로 모여든다.
　　　평소보다 한껏 치장에 신경 쓴 모습.

45　　중궁전 부속, 내명부 회의실 (낮)

　　　호화로움의 끝판왕 황귀인이 들어서면
　　　왼쪽 열이 일제히 일어나 그녀를 매우 극진히 맞이한다.
　　　그녀들은 미모보다는 교양이 넘치는 간택후궁 라인. 고귀인, 숙의, 소의...

고귀인　(칭찬 일색) 황귀인~ 오늘따라 자태가 참으로 고우십니다~~

숙의　(궁금) 한데 황귀인께선 향낭에 무엇을 넣으셨길래~
　　　이리 좋은 향이 나는 겁니까~?

황귀인	전 향낭은 차지 않습니다.
소의	어머!! 그럼 살결에서 이리 고운 향이 난단 말입니까~?
태소용	(놀고들 있네!!) 허!

그런 간택후궁들을 지켜보고 있는 맞은편 승은후궁 라인.
교양보다는 미모가 빼어난 태소용, 옥숙원, 문소원.
그렇게 정확히 반으로 가른 듯 마주 앉은 간택후궁 VS 승은후궁 파벌.
그때 다소 긴장한 대전내관이 얼른 박씨를 들여보낸 뒤 도망치듯 가버리면
모든 사모들이 약속이나 한 듯 싸늘하게 그녀를 주시하고!
앳된 박씨의 이동 경로와 함께 일제히 움직이는 사모들의 고개.
그리고 수군거리는 소리들.

고귀인	쟤 뭡니까?
태소용	(시꽈 또!!!)
옥숙원	(아 혈압) 새파랗게 어린 걸... 언제 또!!

후궁들이 우아하게 쏘아 올리는 것이 멸시의 시선인 줄도 모르고
어디 앉을지 몰라 어슬렁대다가 간택후궁 열에 합류하는 박씨.
그때다! 누군가를 보고 일제히 일어서는 사모들.
보면, 치맛자락을 휘날리며 강렬하게 등장하는 화령!!
화령이 맨 앞에 착석하자, 모두 자리에 앉는데

화령	(박씨 존재 확인. 잠시 보는) 승은을 받은 궁녀께선 성이 어찌 되시는가?
박씨	박가이옵니다.
화령	(끄덕) 승은후궁의 경우, 왕자를 낳아야 종4품 숙원으로 품계가 시작되니
	오늘 내리게 될 첩지는 특별상궁이네.
	이제부터는 행실과 처신에 각별히 유의하시게.
박씨	(살짝 들뜬) 예. 중전마마~

박씨의 옆에 앉은 고귀인, 박씨를 톡톡 건드린다.

고귀인	자네는 어디 소속이었는가?
박씨	대비전 침방나인이었사옵니다.
고귀인	(허! 기막힌) 전하의 취향은 변함이 없으신가 봅니다.
박씨	(뭔 소린가 싶은데)
고귀인	(태소용 보며) 아니, 교태전에 중전마마 보러 갔다가 덜컥.
	(옥숙원 보며) 동궁전에 아들 보러 갔다가 또 덜컥.
	이제는 모친 보러 가서까지... (기막혀 고개 절레절레) 제 처소에 드실 때
	는 모든 시녀들 얼굴을 가리든가 해야지. 아니 승은이라도 입어 이 자리
	에서 만나면 서로 껄끄러워 어찌 본답니까?

한마디 할 법도 한데, 고귀인의 질주에 브레이크를 잡지 않는 화령.

박씨	(고귀인 톡톡 건드리는) 저는 길에서 우연히 전하와 만났습니다~
고귀인	(얘 뭔데? 짜증) 근데 다음부턴 되도록 저쪽에 앉으시게...!!!
박씨	예~?
고귀인	(교양 있는 말투) 지금 앉으신 자리는 공식적인 간택 절차를 거쳐
	후궁의 반열에 오른 간택후궁들이 주로 앉는 자리라서.
태소용	그러게 말입니다~ 그쪽엔 영 안 어울리시네~~
모두	??
태소용	그 사이에 끼어 계시니 유독 자색이 뛰어나서~ 너무 튑니다!!
	다음부턴 이리로 와 앉으세요. 어우러지게~~~ 호호호 호호.
승은후궁들	(피식 웃고)
간택후궁들	(분한 듯 노려보는)
고귀인	전하의 취향이신가?
	승은후궁들께서는 어찌 하나같이 비슷하게 생기셨는지... (쯧쯧)
숙의	(비꼬듯) 성형 틀에 찍으셨나 봅니다~!

눈빛 하나, 표정 하나에도 팽팽한 신경전이 느껴지는 살얼음판.

화령	(다소 싸가지 없어 보일 정도로) 자리를 가르고 나눠 앉는다고
	어디 달라지는 것이 있습니까? (까불지 마!!!)

황귀인	(무표정으로 화령 쪽 보는)

화령, 자세 잡더니 무게감 있게 통보한다.

화령	그리고 금일은 특별한 공지 사항이 있습니다.
	전하께선, 이번 종학 평가를 통해
	세자 시강원의 배동이 될 기회를 주시겠다고 하셨습니다.
후궁들	(술렁이고)

46   종학 + 내명부 회의실 교차 (낮)

종학
수업이 끝난 뒤 공지하는 느낌으로

민승윤	이번 배동 선발은 거자(擧子 : 응시자)에 한하여 평가가 치러집니다.
	출전을 원하시는 왕자들께서는 명패를 모레 신시(15~17시)까지
	종학에 제출하시면 됩니다.
무안	에이~ 스승님. 그런 거 복잡하게 하지 말구
	그냥, 성적 제일 좋은 보검군 시켜요~ (그냥 너 해라~ 찡긋)
보검군	(웃고)
의성군	(굳는 얼굴)

내명부 회의실
웅성거리는 후궁들.
화령이 집중하라는 듯 서안을 손으로 팍 내려친다. 다들 집중!

화령	이번 선발이 경쟁으로 과열되는 것은 원치 않습니다.
	(경고하듯) 특히, 우리 빈들께서도 자중하셔야 할 겁니다...!!

47   중궁전 앞 (오후)

이동하고 있는 간택후궁들.

숙의   (의문) 배동은 원래 종실과 대신들 자제 중에 선발되는 것 아닙니까?
고귀인   예, 지금까진 그래왔었습니다.
소의   그럼 좀 이례적이긴 하네요...
숙의   (이번엔 의심) 이번엔 왜 왕자들 중에서 선발하시는 걸까요?
고귀인   뭐 이유야 어찌 됐건 시강관에게 배워볼 수 있는 기회니
         저는 응하라 할 겁니다. 언제 또 그들에게 배워보겠습니까~?
소의   (팔랑귀) 맞습니다~ 좋은 기회긴 하죠.
황귀인   (기품) 자중들 하세요.
         중전마마께서 하신 말씀을 그새 잊으셨습니까?
후궁들   (보는데)
황귀인   소가 물을 마시면 젖이 되지만, 뱀이 물을 마시면 독이 된다는 말이 있습
         니다. 배동이 득일지 실일지 모르는 일입니다.
소의   (또 팔랑. 듣고 보니 그렇고) 맞습니다...
         운이 좋아 뽑힌다 해도 세자와 비교될 게 뻔하질 않습니까?
         사실 말이 배동이지, 세자 그림자지요 뭐...

그 말에 생각이 많아지는 사모들.

숙의   (더 궁금해지는!!) 아니, 배동도 이리 머리 아픈데
         대비마마께서는 어떻게 후궁의 위치에서
         것도 서자셨던 전하를 제왕으로 만드셨을까요?
고귀인   제왕으로 만들었다 뿐입니까! 싸그리 싹도 잘라났지... (어멋!!! 말하다가
         자기도 놀라서 쏙 들어가는)
소의   그땐 지금보다 훨씬 치열했다던데... 무슨 비법이라도 있으셨나?
후궁들   ('비법'이란 말에 반응) !!!
고귀인   (입 모양만) 비법?

모두 그 말에 표정 미묘해진다. 그리고 서로 눈치 게임을 시작하는 사모들.

고귀인 저는 일정이 있어 먼저 가보겠습니다. (급히 빠지고)
숙의 저도 오늘 부친께서 처소에 들르신다는 것을 깜빡했습니다~

"아, 저도.", "저도요." 등등 핑계를 대며 갑자기 흩어지는 사모들.
그러나 여유 있게 직진하는 도도한 황귀인.

48   궁궐 일각 (오후)

화령이 이동하는데, 쪼르르 따라붙는 태소용.

태소용 마마~~
화령 (친근한 말투) 뭐가 또 궁금해 왔는가~?
태소용 (애교 있게 웃고) 갑자기 배동 선발은 왜 하는 것이옵니까~?
        아니~ 전하는 대체 무슨 생각이시옵니까 마마~?
화령 내가 그걸 어찌 알아. 결정하셨으니 따르는 것뿐이지.
태소용 마마는 아실 줄 알았는데...
화령 (무심하게) 뭐 별거 있는가~? 그냥 세자랑 동문수학하는 건데.
        한다고 또 몇이나 응시하겠어.
태소용 (무슨 소리) 대부분 할걸요~ 마마~
화령 (아니 왜? 하는 표정)
태소용 어우~ 마마는 아랫것들 맘을 너무 모르셔~~
        조선의 내로라하는 학자들은 다 시강원에 있질 않습니까.
        그들에게 교육을 받아볼 수 있는 것만도 얼마나 영광인데요~
화령 (아... 그럴 수도 있겠다 싶고)
태소용 한데~ 마마께서는 배동에 관심 없으십니까~?
화령 (그딴 거 귀찮고) 뭣 하러.
태소용 어? 정말입니까~?
        (허락받듯) 그럼 우리 보검군은 한번 도전해봐도 되겠습니까 마마~?

화령	뭐 보검군이야 워낙 영특하질 않은가? (진심이고) 우리 세자와도 성향이 잘 맞으니 보검군이 배동에 선출되면 제일 좋지~
태소용	정말 합니다~!!
화령	(응원 느낌) 그래. 할 거면 제대로 해보시게.
태소용	(들떠서 신나고)

점점 빨라지는 화령의 걸음. 따르는 태소용.

태소용	마마~ 좀 천천히 좀 걸으십시오~ 따라잡기 늘 버겁습니다~~
화령	(귀찮고) 이러다 노부 연회까지 따라오겠다. 가라 쫌!!
태소용	너무하십니다, 마마. 제게도 깍듯이 존대해주십시오~ 중전마마 시녀 딱지 뗀 지가 몇 년인데 아직도 가끔 이리 하대를 하십니까~
신상궁	(웃는) 태소용 마마는 참 변함이 없으십니다.
태소용	무엄하다~ 이제는 내가 더 신분이 높은데~!!

49   대비전 앞 (오후)

곱게 싸인 보자기 들고 오다가 멈춰 서는 고귀인. 허!! 기막히고.
보면, 선물을 들고 대비전으로 몰려든 사모들.
서로 마주치니 아주 민망한데

고귀인	아니 오늘 부친께서 처소에 드신다 하지 않으셨습니까?
숙의	(민망) 그런 고귀인께서도 아까 일이 있다 하지 않으셨습니까?
고귀인	(딴 데 보고) 그야 뭐.
소의	사실 다들 제가 한 말 때문에 오신 거 아닙니까? 대비마마께서 전하를 제왕으로 만드신 뭐 비결이나 비법 같은 게 있나 싶어서...
고귀인	(더 이상 안 숨기고) 안 궁금하면 그게 더 이상한 거 아닙니까?

이젠 서로 눈치 안 보고, 경쟁하듯 빠르게 대비전으로 향해 가는데
허탕 친 듯 선물 들고 나오며 쯧쯧거리는 옥숙원.

옥숙원	싸워 뭐 합니까. 제일 발 빠른 사람이 이미 들었는걸...
고귀인	아니, 옥숙원이 어떻게...
옥숙원	사람 머리 굴리는 건 다 비슷비슷한 거 아닙니까.
	오늘 한 번 더 깨달았네요.
	머리 굴리는 것보다 발 굴리는 게 빨라야 된다... 뭐 그런.

50   대비전 침전 (오후)

대비 앞에 세상 다소곳이 앉아 있는 태소용.
대비 여유롭게 차를 마시는데

대비	(미끼 던지듯) 나만의 비법이야 없었겠습니까. 있었겠지.
태소용	(반응) !!!
대비	한데, 오래전 자료이기도 하고...
	(차 한 모금 마시고 보는) 태소용에게만 알려주기도 그렇고...
태소용	(갖고 싶어 미치겠고)
대비	한데. 그를 물어보심은 혹...
	뭔가 의도가 있어 보이는 위험한 발언입니다!
태소용	(당황) 어머~ 대비마마. 아닙니다~
	시강원 배동의 기회를 얻고자 함이지 의도라니요~ 가당치도 않습니다~
	이번 배동 선발이 다시 없을 좋은 기회가 아닙니까~
	자식에게 단지 좋은 교육을 받게 해주고픈 어미의 마음이라 받아들여
	주십시오~~ (고개 푹 숙이고)
대비	(갖고 놀듯 여유 부리며, 차 한 모금) 백미탕같이... 후궁들 사이에서
	은밀히 따라 하는 왕세자의 비법. 혹 그런 사소한 것들이 전부라
	생각하셨습니까? 아니요... 제왕을 만드는 길은 참 멀고도 험하지만
	모든 것 하나하나에 가치가 있습니다.

서안 밑에서 고동빛이 감도는 두꺼운 비법 서책을 하나 꺼내 드는 대비.

태소용   (!!! 대비의 눈을 보면)
대비   태교부터... 세상 밖으로 나오는 순간 보양청이 설치되면서 시작되는
         제왕의 길... 용상에 오른 뒤의 처신들까지.
         그 모든 것 하나하나가 이 책자에 담겨 있습니다.
태소용   (!!! 다가와 비책을 품는) 제게~ 제게 이것을 주시는 것입니까~?
대비   그럴까 하는데...
         태소용은 제게 무엇을 주실 수 있겠습니까? (씩 웃는데)

51   편전 내부 (오후)

마주 앉아 있는 이호와 화령.

화령   (차분히) 전하.
         조국영 어의가 세자를 진료할 수 있도록 윤허해주십시오.
이호   조어의를요?
         그는 지금 궁에 없습니다.
화령   (다소 의아) 궁에 없다니요...?
이호   외숙부께서 두창으로 고생하신다기에
         어마마마의 청으로 오늘 낮에 함길도로 보냈습니다.
화령   아... 그렇습니까... (어쩌지 싶은데)
이호   (격양되며) 혹시 세자의 피부병이 많이 안 좋아진 것입니까?
         그럼, 조어의를 당장 다시 불러들이겠습니다.
화령   (걱정하는 모습을 잠시 보다가) 아닙니다. 전하.
         고질적인 아양(痾癢: 만성 피부병) 증세가 그 어의에게 치료받으면
         좀 호전될까 싶어 말씀드려본 것이옵니다.
         따로 치료는 하고 있으니 심려치 마십시오.
이호   (그럼에도 얼굴에 근심이 서리고)
화령   (화제 전환 겸) 참 전하...
         이번엔 배동을 왜 왕자들 중에서 뽑고자 하십니까?

이호	어마마마께서 제안하셨는데
	듣고 보니 좋은 기회가 될 것 같아 그리 결정했습니다.
화령	대비마마께서요...?

52   편전 앞 (오후)

밖에서 기다리고 있던 신상궁이 막 나와서는 화령을 맞는데
화령의 낯빛이 어둡고 혼란스러워 보인다.

신상궁	(표정 읽고) 마마, 무슨 일이 있는 것입니까?
화령	조국영 어의가 궁에 없어.
	(의구심이 떠나질 않고) 근데 아무래도 너무 이상해...
신상궁	그게 무슨 말씀이시옵니까?
화령	(되짚듯) 조어의를 궁 밖으로 내보내신 것도
	배동 선발을 제안하신 것도... 모두 대비마마셔.
신상궁	(놀라고. 그러다 문득) 그러고 보니...
	태소용 마마께 이상한 얘길 하나 들었사옵니다.
화령	이상한 얘기?
신상궁	예, 대비전에서 어떤 비법서를 받았다고요.
	그런데 그 서책 내용이... 제왕 육성에 관한 것이었사옵니다.
화령	(번개 맞은 듯 강한 충격으로 보는데)
동궁내관	마마! 중전마마!!

저 멀리 사색이 된 동궁내관이 뛰어오는 모습이 보인다.
뭔가를 직감하고 서늘해지는 화령!

53   동궁전 가는 길 (오후)

동궁전으로 다급히 향해 가는 화령!!

54   동궁전 침전 (오후)

동궁전으로 들어서던 화령이 누군가를 보고 멈춰 서면
발설한 듯 난감한 얼굴의 권의관과, 몸을 일으키며 뒤돌아서는 대비!!
그리고 의식을 잃고 누워 있는 창백한 세자.

화령   (아셨구나) ...!!!
대비   (보는)
화령   (보는)

시간 경과. 해 질 녘.
마주 앉은 두 여자, 화령과 대비.
저편엔 의식을 잃고 누워 있는 세자도 보인다.

대비   혈허궐이라... 익히 알고 있는 병입니다.
         그 끝도 잘 알고 있지요.
화령   (감정을 누르고) 치료 중입니다.
대비   태인세자도 치료는 했었던 기억이 언뜻 나긴 하네요.
         결국 요절했지만 말입니다...
화령   !!!
대비   병이란 게 그렇더이다.
         예고도 없이 순식간에 목숨을 앗아가 남은 사람들을 혼란에 빠뜨리는...
         (고개 틀어 세자를 보는) 그래서 그런가...?
         의식을 잃은 세자를 보고 있자니, 갑자기 그런 생각이 들더라고요.
         세자가 혹... 목숨을 잃어 국본의 자리가 갑자기 공석이 되면
         중전의 소생 중에는 그 자리에 앉힐 재목이 없다? 뭐 그런...
화령   (분노) 지금 대비마마의 손자가 아픈 겁니다...!
         길 지나가던 모르는 아이가 누운 것이 아니란 말입니다!!
대비   (말 자르고) 전...!!

제 아들의 나라가! 나의 궁중이!! 더 염려되고 걱정됩니다.

화령   (도무지 이해할 수 없고) 손자의 안위보다 궁중 혼란이 더 염려되신단
말입니까?!

대비   (차분하고도. 섬뜩한 표정으로) 궁중 혼란을 막는 것이
모두의 안위를 지키는 것입니다 중전.... (네가 뭘 알겠어)

화령   (대비의 의중을 읽을 수 없어 더욱 혼란스러운데)

의미심장하게 보던 대비가 자리에서 일어난다. 곧 문가로 향하는데

화령   (이대로 보낼 수는 없고!!) 그럼, 배동을 제안하신 의중은 무엇입니까?

대비   (멈춰 서는)

화령   대체 무슨 일을 벌이시느냔 말입니다...!!

대비   중전...
(눈을 가늘게 뜨며 세자를 보는) 저 썩어가는 뿌리로 얼마나 버틸 수
있을 거라 생각하십니까?!!

화령   (무슨 소리) 세자는 나을 겁니다!!

그 말에, 화령을 내려다보는 대비!

대비   그런가요? 한데... 그러지 못하다면요?

화령   (그대로 굳어버린다)

대비   (씹어 내뱉듯) 그렇게 되면 실록에 흠집이나 내고 앉아 있는 그 사고뭉치
들이 왕위를 물려받겠습니다. 적통이라는 이유만으로 말입니다...

화령   (보는데)

대비   그거 아십니까? 중전께 딱 하나 봐줄 만했던 거...
그게 바로 저 세자였습니다.
저 아이의 모친이라 그동안 봐드린 것입니다.

화령   ....

대비   (의미심장하게) 그러니... 내 손자 잘 지키세요.

오싹할 정도로 살벌하게 응시하더니, 무게감 있게 나가는 대비.

화령은 진짜 두려움을 느끼는데

55   동궁전 전경 (밤)

쏴--- 내리치는 비.

56   동궁전 침전 (밤)

의식이 돌아오지 않은 세자.
그 아이의 손을 놓칠세라 꽉 붙잡고 있는 화령.
그 모습을 지켜보는 신상궁.

화령   (세자의 손을 더욱 꼭 쥐는) 무섭구나...
          이 궁에 들어와 처음으로 대비마마가 두려워.
신상궁   (보는데)
화령   신상궁...
신상궁   예, 마마.
화령   자네 나 본 지 몇 년 됐지?
신상궁   빈궁마마가 되셨을 때부터 모셨으니, 이십 년 조금 넘었사옵니다.
화령   무슨 일이 있었는지. 내게 말해줄 수 있겠느냐?
신상궁   (보면)
화령   당시... 태인세자는 병약했고 결국 급사했다.
          모친이셨던 윤왕후마저도 폐비가 되셨어.
          이것이... 나도, 궁인들도, 백성들도 알고 있는 내용이야.
          거기까지만 말이다.
신상궁   ......
화령   한데, 내가 모르는 그 무엇이 혹...
          (본다) 지금처럼 배동 선발이었느냐?
신상궁   그것은 아니옵니다.

주상전하께서는 배동을 거치신 적은 없사옵니다.

화령 　허면...! 후궁의 소생이셨던 전하께선
　　　어떻게 왕위에까지 오르실 수 있었던 것이냐?
　　　대체 무슨 일이 있었길래... 윤왕후께서 그 지경까지 되셨단 말이야?

신상궁 　(고개 숙인 채 아무 말이 없다)

화령 　당시 대비마마를 모셨으니 알 것 아니냐? 대체 무슨 일이 있었어?!

신상궁 　(본다)

화령 　(보는)

신상궁 　그것은... 당사자인 그 두 분만이 아시겠지요.

화령 　대비마마와 윤왕후를 말하는 것이냐?

신상궁 　(그렇다는 듯 보고) 전하를 위해선...
　　　그 무엇도 하실 수 있는 분이 대비마마십니다.
　　　제가 드릴 수 있는 말씀은 이것뿐이옵니다...

화령 　(세자를 본다. 이 아일 잃을까 두렵다. 자신도 모르게 흐르는 눈물)

그러나 곧 그 눈물 거칠게 닦아내는 화령.
그리고 뭔가를 결심하듯 돌변하는 눈빛!!

57　대비전 침전 (밤)

서안 위로 두 종류의 서책이 보이는데
태소용이 받은 것과 동일한 고동빛의 두꺼운 서책(1권)과,
황색의 좀 얇은 서책(여러 권). 확연한 두께 차이.
화려한 옷으로 갈아입으며 나갈 채비를 하고 있는 대비.

대비 　황귀인에게선 아직 전갈이 없느냐?

남상궁 　예.

대비 　(재밌다는 듯 눈썹 실룩) 관심이 없다... (두꺼운 서책 집어 드는)

남상궁 　결국, 태소용 마마께 그 서책을 주신 것입니까?

대비 　(미소) 어 줬지.

근데 가능성 있는 모든 왕자들의 어미에게도 뿌릴 게다.

남상궁 (놀라고) 예-에?

대비 아까 줄 섰던 빈들에게도 선물은 줘야지...
(서안 위 얇은 서책 보며) 저 서책들을 각 처소에 돌리거라.
자기만 받은 거 같게... 그래서 어느 누구에게도 공유하지 못하게.
그리고... 내게 충성을 맹세하고 복종하게... (미소)

두꺼운 비책을 품고, 밖으로 나서는 대비.

58   도성 거리 → 민가 앞 (밤) (부감)

- 비 내리는 도성 거리로 우산이 이동한다.
- 그 우산이 거리를 지나 허름한 어느 민가 앞에 멈춰 서는데.

59   허름한 민가 앞 (밤)

그 우산 밑, 다소 긴장된 얼굴로 서 있는 평상복의 화령.
이내 결심한 듯 싸리문을 열고 조심스럽게 들어서는데.

60   윤왕후 집 마당 (밤)

들어서던 화령과 눈이 마주치는 누군가!
대청마루에서 볏짚을 쌓아놓고 꼬고 있던 허름한 차림의 익현이다.
사색이 되더니 방으로 도망치듯 숨어드는데 다리를 절룩이는 모습.
그렇게 우산을 든 채 마당에 한동안 서 있는 화령.
익현이 숨어든 방에서... 잠시 뒤, 문을 열고 나오는 윤왕후.
옷은 해졌고, 행색은 초라하지만, 표정과 눈빛에서 기품이 느껴지고
윤왕후, 평민 복식으로 서 있는 화령이지만 머리에 꽂힌 용잠을 본다.

윤왕후	참 무례하십니다.
	아무리 숨죽여 사는 인생이라지만...
	이리 기척도 없이 오밤중에 마당 한가운데 드시다니요.
화령	송구합니다... 마마.
윤왕후	(정색) 마마라니요! 말조심하세요.
화령	꼭 묻고 싶은 것이 있어 이렇게 무례를 무릅쓰고 찾아왔습니다.
윤왕후	(단호) 가십시오.
	저희와 접촉하는 것만으로도 역모라 오해받으실 수 있습니다.
	중전마마뿐 아니라 저희도 위험해집니다.
화령	(간절한) 마마...!
윤왕후	목숨을 부지하는 것...!! 그것이 제가 지켜낸 유일한 것입니다.
	그조차 지키지 못하게 흔들지 마시고 당장 돌아가세요!!! (하고 돌아서는데)
화령	저 또한! 지키지 못할 것 같아 찾아왔습니다.
	두려워 왔습니다...
	(절실) 큰소리치며 덤벼보라 했지만 지키는 방법을 몰라 왔습니다...!

우산이 바닥으로 떨어지며, 드러나는 화령의 모습.
윤왕후를 향해 무릎을 꿇은 모습이다.

윤왕후	(놀라는데) !!!
화령	왕세자를 지키지 못하고... 대군들을 지키지 못하는 삶이 어떤지
	마마께서는 잘 아시지 않습니까?
윤왕후	전. 실패한 사람입니다.
화령	(고개 드는) 그때로 다시 돌아가신다면...!! 어떻게 하시겠습니까?
윤왕후	!!!

대청마루에 서서 화령을 내려다보는 윤왕후와
마당에 무릎 꿇은 화령의 모습에서 엔딩!!

2부

1   윤왕후 집 마당 (밤)

윤왕후를 향해 마당에 무릎 꿇은 화령의 모습.

화령   왕세자를 지키지 못하고... 대군들을 지키지 못하는 삶이 어떤지
        마마께서는 잘 아시지 않습니까?
윤왕후   전. 실패한 사람입니다.
화령   (고개 드는) 그때로 다시 돌아가신다면...!! 어떻게 하시겠습니까?
윤왕후   !!!
화령   그때와 같은 상황의 이 중전에게
        절박한 이 어미에게 뭐라도 해주실 말씀이 없으시겠습니까?
윤왕후   한 나라의 국모가 한낱 서인에게 무릎을 꿇다니요.
        다음부터 반드시 얻어야 할 것이 있거든... 차라리 허리를 굽히세요.
화령   (보는)
윤왕후   (보는) 무슨 얘기가 듣고 싶으신 겝니까?
화령   소문에도 기록에도 없는, 두 분만이 알고 계신
        그 모든 것들이 알고 싶습니다.
        당시... 대체 무슨 일이 있었던 것입니까?

2   황귀인 처소 (밤)

고급스런 다기 세트가 놓여 있고
정성스럽게 차를 내리고 있는 황귀인. 그 앞엔 대비 앉아 있다.

대비　　　이 늙은이의 늦은 방문이... 불편을 드린 건 아닌가 싶습니다.
황귀인　　(내린 차를 공손히 건네며) 제가 이 궁에서 가장 귀히 여기는 시간이
　　　　　대비마마와 청담을 나누는 시간이옵니다. 언제든 찾아주십시오.
대비　　　(흡족하게 보는)
황귀인　　(기품 있는 미소)

대비, 찻잔을 이리저리 돌리며 어떤 생각에 빠져들고.

대비　　　이리 속 깊은 황귀인과 부친께... 제가 빚이 좀 있지요.
황귀인　　?
대비　　　(자극하듯, 안타까운 신음) 삼간택 당시 우리 황귀인이 내정되어 있었는데
　　　　　선왕께서 외척을 견제하시는 바람에... 근본도 없는 집안의 여식이 간택되
　　　　　어서 이리 후궁으로 사시게 해드렸으니 말입니다.
황귀인　　(잊었던 기억이 소환되듯 굳는)
대비　　　(부추기는) 그때 내정대로 중전이 되셨다면
　　　　　의성군도 그 위치가 달라졌을 텐데 말입니다... (쓱 반응 보는)
황귀인　　(시선 틀며) 다 지난 일입니다.
대비　　　다 지난 일이다...? (피식)
황귀인　　(보는데)
대비　　　(잔을 쓱쓱 돌리며) 궐 동쪽에 말입니다.
　　　　　특별히 아끼던 커다란 나무가 하나 있었는데... 보기에도 좋고,
　　　　　그늘도 만들어주니 그만한 게 없었지요.
황귀인　　(뭐지? 싫지만 우선 듣고)
대비　　　한데 그게 어느 날... 뿌리가 조금씩 썩어 말라비틀어지는 것이
　　　　　잔풍도 견디지 못하고 쓰러질 것 같단 말입니다.
　　　　　(쓱쓱 돌리던 잔 멈추고, 고개 드는) 어찌해야 할까요?
황귀인　　뽑아야죠.

(의미심장한) 정말 그런 것이라면 말입니다.
대비   (다소 의외라는 듯 본다)
황귀인 몇백 년을 뿌리 내려야 하는 것이니까요.
대비   (눈 가늘게 뜨며) 한데, 배동엔 관심이 없으신 듯 보입니다?

얇은 미소 띠더니, 차를 따라주는 황귀인.

황귀인 의성군에게 어울리지 않는 자립니다.
대비   그럼. 국본의 자리는 어떻습니까?!

멈칫하듯 잠시 끊기는 차,
그러나 찻잔을 다 채우고 차분히 내려놓는 황귀인.

황귀인 대비마마...
       저희 모자에겐 해당되지 않는 말씀이니 질문을 거두어주십시오.
       본래의 자리에서 본분을 다하는 것이 저와 의성군이 할 일입니다.
대비   (넌 역시 다르구나. 가늘게 뜬 눈이 풀리고)

대비, 갑자기 찻잔을 쓱 옆으로 치우더니, 두꺼운 비책을 올려놓는다!!

대비   (의미 있게 바라보면)
황귀인 (대비를 보다가, 비책을 본다)

3   윤왕후 처소 (밤)

       너무도 단출한 살림살이. 바느질감들도 쌓여 있다.
       기억을 떠올리는 것만으로도 힘에 겨운 듯, 눈을 감는 윤왕후.

화령   혈허궐...
       당시 태인세자도 그 궐증을 앓았다 들었습니다.

윤왕후	(지그시 눈을 뜨고)
화령	결국 그것이... 태인세자를 죽음에 이르게 한 것입니까?
윤왕후	다들 그렇다고들 하지만
	난 절대 혈허궐로 죽었다 생각하지 않습니다.
화령	(보면)
윤왕후	심지어 그때 어의는 혈허궐이 완치됐다고 했었습니다.
화령	(놀라) 허면, 다른 원인으로 사망했다는 말씀이십니까?
윤왕후	(순간!! 뭔가 묘한 느낌을 받는) 밖에 익현이냐?!!

대답이 없자, 문을 열어보는 윤왕후.

4   윤왕후 처소 밖 (밤)

윤왕후, 밖을 살피지만 아무도 없고
조금 찜찜한 얼굴이지만, 곧 문을 닫는데...
매복했던 누군가가 빠르게 이동한다!!
왼손에 경미한 화상 자국이 있는 여인이다.

5   윤왕후 처소 (밤)

윤왕후, 힘겹게 다시 입을 떼는데...

윤왕후	마치...
	세자가 죽을 거란 걸 이미 알고 있었던 사람들 같았습니다.
화령	...!!
윤왕후	지금의 주상이 국본이 되고
	부친께 역모가 씌워지고
	내가 폐비가 되는 이 모든 일들이... 일사천리로 진행됐으니까요.
화령	묻고 싶습니다.

	마마껜 소생이 넷이나 더 있었던 것으로 알고 있습니다.
	국본의 자리는 당연히 적통대군에게 계승되어야 했던 것 아닙니까?
윤왕후	저도 묻겠습니다.
	대군들에게 기본적인 학문 외에 제왕교육을 시키신 적이 있으십니까?
화령	(고개 젓는) 없습니다...
윤왕후	당연했을 겁니다.
	왕세자를 위협하는 인물로 찍힐 수도 있으니 말입니다.
	그것이 후궁의 소생들과 다른 것이고...
	중전이 자식을 지키는 방법 중 하나였을 겁니다.
화령	(그렇다는 듯 보면)
윤왕후	하지만 그 경우엔 택현이 적용될 빌미를 주게 됩니다.

[자막] 택현(擇賢): 가장 현명한 후계자를 택함

화령	가장 총민한 자가 후계자가 되는 것을 말하는 것입니까?
윤왕후	예, 그렇습니다.

6   종학 내부 (낮) (과거)

뒷자리에 앉아, 딴짓하거나, 장난기 깃든 대군들의 모습.

윤왕후	(E) 정실 왕비의 소생 중 적당한 후계자가 없거나
	자질이 현저하게 부족한 경우...
	그 택현이란 제도가 오히려 서자에게 명분을 실어주게 됩니다.

젊은이호가 왕자들 사이에서 일어나 답을 하고 있다.

윤왕후	(E) 바로... 지금의 주상전하처럼 말입니다.

모두가 이호의 대답에 탄복한 표정이고.

귀빈석에 앉아 있는 선왕 또한 남다르게 보는 모습.

7   정전 앞뜰 (낮) (과거)

장엄한 아악이 울리며 세자 책봉식이 펼쳐진다.
세자 복식을 갖춘 젊은이호가 기단으로 걸음을 옮기는데
희열의 미소로 그 모습을 지켜보는 대비. 감격스럽고 벅차다. 쟁취한 느낌!!
그 옆으로 쓱 다가서는 황원형.

황원형   감축드리옵니다. 조귀인 마마...
대비   (미소)
황원형   (은밀하고도 낮게) 국본의 자리는 채워졌으니
         이제 중전과 대군들을 쫓아내야겠습니다.
         (미소로) 마마께서 중전의 자리에 앉으셔야지요...

         황원형과 대비, 서로 주고받는 결탁의 눈빛!!

8   윤왕후 처소 (밤) (현재)

윤왕후   (비통함을 누르며) 그러니 대비하셔야 합니다...!
화령   (보는)
윤왕후   대비하지 못하면 국본의 자리뿐 아니라
         다른 대군들의 목숨까지도 내놓아야 할 것입니다!!

9   몽타주 (과거)

        # 한적한 민가 (낮)
        - 한가로이 서예를 하거나, 단소도 부는 대군들.

빨래를 널며 대군들을 보는 평민 복식의 윤왕후. 미소.
아무런 욕심 없는 평화로운 모습들. 익현은 다리를 절며 윤왕후를 돕고.

윤왕후   (E) 저 또한... 그때까진 몰랐습니다.
아무리 숨죽이며 살아도
상대에겐 우리 아이들이 숨 쉬고 있는 것만으로도
위협이 된다는 사실을 말입니다...

         # 민가 방 안 (밤)
         - 화선지 위에 난을 치는 대군1 뒤로 자객의 그림자.
         칼날이 획!!! 지나가며 피가 사방으로 튄다.

         # 마당 (밤)
         - 뒤에서 대군2의 목을 조르는 자객. 발버둥 치던 다리가 멈춘다.

         # 강가 (낮)
         - 물 위로 둥둥 떠가는 대군3의 시신 등.

윤왕후   (E) 그렇게 전... 남은 대군들마저 잃어야 했습니다.
아무런 욕심도... 우리에겐 남아 있지 않았는데도 말입니다.

10   윤왕후 처소 (밤) (현재)

         화령, 너무나 충격적이고!! 자신도 모르게 흐르는 눈물.

윤왕후   제가 아직 숨 쉬고 있는 건...
단 한 명이지만 지켜야 할 자식이 남아 있기 때문입니다.
(화령을 본다) 그때로 다시 돌아간다면...
어떻게 할 거냐 물으셨습니다.

11   궁궐 전경 (밤)

비는 그쳤지만, 꽤 거센 바람이 불어오고
펄럭이는 쓰개치마. 드넓은 궐을 가로지르는 화령. 그 위로-

윤왕후   (E) 전...!!
치졸하고, 비겁하고, 비열하다 손가락질당하더라도
내 자식들을 지킬 수만 있다면. 무슨 짓이라도 할 겁니다!!
내가 아직... 기회가 있는 중궁이라면요.

각성한 듯, 확연히 달라진 화령의 눈빛!! 궁중을 가로지른다.

12   대비전 침전 (밤)

서책(얇은 황색)을 읽고 있는 여유로운 대비. 그 앞엔 남상궁 보이는데.

남상궁   한데 마마... 세자저하의 상태를 왜 전하께 알리지 않으십니까?
후일에 전하께서 아신다면 분명 노하실 것이옵니다.
대비   (서책 넘기며) 주상의 화가 커질수록 좋다...
남상궁   예...?
대비   예고 없이 닥치는 일에 더 화가 큰 법이니 말이다.
그러니 세자의 병을 함구한 건... 우리가 아니라 중전이 돼야지.

대비가 마지막 장을 읽고 딱 덮으면, 비법 서책(이하 비책)이다.

대비   (생기 도는) 내일부턴 꽤 재밌어지겠구나.

13   궁궐 전경 (새벽)

인시를 알리는 북소리. 둥둥둥둥. (약 새벽 4시)
새벽안개 자욱한 궁중에 울려 퍼지면-

14   심소군 처소 (새벽)

고귀인이 깊은 잠에 빠져 있는 심소군을 흔들어 깨운다.

고귀인   일어나!
심소군   (눈 못 뜨고) 아직, 인시(03~05시)밖에 안 됐습니다.
고귀인   (비책[황색] 펼쳐 귀 옆에 대고 읽는) '인시와 묘시(05~07시)에는 간장과
         담의 기능이 활발하여 두뇌가 활성화된다.'라고 여기 쓰여 있다.
심소군   (눈 겨우 뜨고) 그게 뭔데요...?
고귀인   (비책 들어 보이며, 눈썹 씰룩) 왕실 교육의 비법 서책이랄까~
         전하께서도 이 방법으로 용상에 앉으셨단다.
         대비마마께서 이것을 내게 주신 것이 무엇을 의미하겠느냐?
         바로 너를 남다르게 생각하신다는 것 아니겠느냐~
심소군   (부담감에 잠이 확 깨는!!)
고귀인   (의욕 활활) 지금껏 몰랐는데 학문을 향상시키는 특별한 세안법이
         따로 있단다~! 오늘부턴 우리도 지식법으로 세수하자.
심소군   (두려워지는) 그건 또 뭡니까...?

15   몽타주 (새벽)

보검군 처소
굵은 소금이 놋 세숫대야 위로 뿌려진다.
두 손으로 귀를 막는 보검군.
귀를 막은 채, 얼굴과 머리 전체를 소금물에 담그면
옆에서 태소용이 하나, 둘, 셋... 숫자를 세기 시작한다.

[자막] 지식법(止息法): 150초 이상을 소금물에서 버티는 두뇌 개발 호흡법

태소용, 손에 비책을 든 채 보검군을 본다.

태소용   이렇게 지식법을 익히면~
          인내력, 집중력이 생긴단다~ 조금만 더... 더...

    # 심소군 처소
    박차고 고개를 치켜드는 심소군. 코에서 입에서 물이 뿜어져 나오고.
    숫자 세던 고귀인 화나서 버럭!!

고귀인   아직 시간 덜 됐어!
심소군   더 이상 못 참겠습니다...
고귀인   (머리를 다시 대야에 박으려는 시도)
심소군   아, 소금물이라 너무 짭니다. (퉤퉤퉤)
고귀인   짜면 어때!!! 이걸 견뎌야 발상력이랑 창조력이 출중해진다잖어.
          세자도 매일 아침마다 이리한다지 않느냐~!!
심소군   그건 왕세자시니 그런 것이고... 저는 왜 해야.. (하는데)

'입 다물어!!' 하듯 완력으로 심소군의 머리를 대야에 처박는 고귀인.
컥컥대는 심소군.

16   의성군 처소 (새벽)

바를 정(正) 자가 그어지며 횟수를 체크하는 궁녀들.
꽤 많은 횟수를 넘어온 듯. 종이엔 正正正正正正正正.
그리고, 상 위에 주르륵 약 50개의 하얀 도기잔이 놓여 있고.

황귀인   (비책 펼쳐 들고 읽는) 수라상의 마무리는 맹물을 백 번 끓이고 식힌

백비탕을 쓴다. 엄청난 품이 들지만 수명 연장의 힘이 있다…

황귀인, 비책을 내리고 걸어 다니며 간간히 살피는 눈길.

황귀인	완전히 식거든 다시 끓이거라. 그래야 효과가 있어.

황귀인   완전히 식거든 다시 끓이거라. 그래야 효과가 있어.
　　　　　(날카로운 눈빛) 거기, 똑바로 하거라!
궁녀　　　　(땀 닦으며) 예.

김 오르던 도기잔 위로 열기가 사라지면
다시 한곳에 붓고 끓이기 시작하는 궁녀들.
바를 정(正) 자가 그어지며 횟수를 체크하는 궁녀들.

17　　　동궁전 침전 (새벽)

약수건을 막대로 비틀어 탕약을 내리는 궁녀1.
권의관과 궁녀2는, 잠든 세자의 치료에 집중하고 있다.
그런데 화령과 신상궁이 들어서자
모두가 하던 일을 멈추고, 예를 갖추며 세자에게 등을 돌린다.

화령　　　(위엄 있게) 이제부터 내게 예를 갖추는 일은 생략하거라.
　　　　　내가 옆에 있어도. 문으로 들어서도
　　　　　신경 쓰지 말고 세자의 치료에만 전념해야 할 것이다.
모두　　　(일제히 숙이며) 예, 마마…
화령　　　우선 다들 물러가거라.

중궁전 궁녀들이 밖으로 나가면
잠든 세자와 권의관, 화령, 신상궁만이 남는다.

화령　　　(은밀히 지시하듯) 권의관, 자넨 내의원 기록을 좀 찾아봐.
　　　　　태인세자를 치료했던 병상일지가 남아 있을 것이 아닌가?

	혈허궐 치료와 관련된 그 어떤 기록이라도 좋으니까... 알아보게.
권의관	예, 그리하겠사옵니다.
신상궁	(세자 쪽을 향해) 저하...!

화령 그 소리에 돌아보면, 의식을 차린 세자가 눈을 막 뜬다.

권의관	(급히 세자의 맥을 짚어보는데. 반색) 맥이 정상으로 돌아왔사옵니다.
화령	(긴장 풀리며 안도한다. 걱정했던 티는 안 내려 하고)
권의관	(당부) 저하, 일상생활은 가능하나... 아직 기력이 완전히 회복되신
	상태는 아니오니, 절대 무리해서는 안 될 것이옵니다.
세자	(알았다는 듯 본 뒤, 일어나 앉는다)
화령	(만류하는) 좀 더 누워 있어. 아직 이른 새벽이다.
세자	어마마마. 걱정을 끼쳐 송구하옵니다...
화령	(살짝 째리며) 그러게 왜 혼자 끙끙 앓으면서 일을 크게 만들어.
	엄마가 설마 아프다고 혼이라도 냈겠느냐?
세자	(진심을 담아 본다) 안 좋은 선례가 있는 병증이니...
	걱정하실까 말씀드리기가 쉽지 않았습니다.
화령	(그제야 이 녀석이 숨긴 진짜 이유를 알겠고. 본다) 세자...
	치료만 잘 받으면 정상 생활도 가능할 거야, 그러니 너무 걱정 마.
세자	(그저 웃는)

18 의성군 처소 (새벽)

소중히 들린 도기잔 하나가 의성군에게 전해진다.
도기잔에 담긴 백비탕을 다 마시고 내려놓는 의성군.
그 앞엔 황귀인이 앉아 있다.

황귀인	(무게감 있게) 배동 선발에 응시하거라.
의성군	싫습니다.
	지금 저보고 세자 치다꺼리나 하란 말씀이십니까?

황귀인	네 실력을 검증해보고 싶진 않느냐?
의성군	(!!) 그게 무슨 말씀이십니까..?
황귀인	전하께 네 실력을 보여드릴 기회라 생각해.
	네 말대로 전하께서 제일 먼저 품에 안은 자식은... 너야.
의성군	(자극받는)
황귀인	응시만 하거라. 그다음은 이 어미가 알아서 할 것이다.
의성군	(엄마의 변화에 다소 놀란 표정인데)
황귀인	물귀원주.

[자막] 物歸原主: 물건이 원래의 주인에게 돌아가다

황귀인	원래 네 것이었으니
	그 자리를 되돌려줄 것이다.

황귀인, 기품 있는 미소로 의성군 본다.

19 궐내 거리 (낮)

궐을 빠르게 가로지르는 화령 일행.
궁인들이 예를 갖추면, 인사 받아주면서도 속도 유지하는 화령.
뒤따르는 궁녀들은 거의 경보 수준인데.

화령	(결심 서고) 무조건 밀어붙여야겠다...!!
신상궁	마마. 오히려 엇나갈 수도 있사옵니다.
화령	왜?!
신상궁	강하게 나가셨다간 괜히 반감이 생길 수 있지 않겠사옵니까?
	최대한 많은 대군들이 출전해야 배동의 기회도 커지는 것이니
	강요가 아니라 설득이 되어야 할 것입니다.

화령이 갑자기 멈춰 선다. 뒤따르던 궁녀들도 브레이크 잡듯 멈춰 서고.

화령	설득...?
신상궁	예 마마. 제발 소리 지르지 마시고, 부~드럽게 말씀하시옵소서.
화령	(잠시 생각) 봐서!

다시 빠르게 이동하는 화령과 그 일행. 바쁘다.

20 궁 연못가 (낮)

연못 옆을 지나는 세상 해맑은 대군들. 일영, 무안, 성남.

일영	근데~ 어마마마께서 왜 갑자기 저흴 소집하신 걸까요?
무안	왜겠냐? 뻔하지~ 어디 그냥 넘어갈 분이시냐.
일영	(화들짝) 그럼... 의성군 형님 일 때문이란 말입니까?
무안	그것밖에 더 있어?
성남	(인상 팍!) 니들은 뭐 그리 비관적이야?
무안	형님~ 비관적인 게 아니라 현실적인 겁니다~
성남	(어이없어 웃는)

그때 누군가를 보고 멈춰 서는 성남.
연못 건너편을 지나고 있는 세자를 발견한 것.

| 성남 | (반갑고. 부르는) 형님!! |

소리 듣고는 멈춰 서는 세자.
건너에서 아우들을 발견하더니 반기는 맏형의 모습.

| 성남 | (크게) 시강원 가십니까? |

세자가 두 팔을 들어 그렇다는 듯 동그라미 그린다.

세자	(외치는) 너희들은 어디 가는 길이냐?
무안	(해맑) 어마마마께 혼나러 가는 길입니다~!!
세자	(웃는) 무조건 싹싹 빌거라!
대군들	예~!!

서로 손인사 하는 대군들과 세자.
세자 가던 길로 멀어지면 대군들도 이동하는데
그 뒤로 뒤늦게 계성도 뛰어와 합류한다.

무안	아니~ 우리 계성대군께서는~~ 어찌 이리 공사다망하십니까?
	대체 허구한 날 어딜 그리 싸돌아다니십니까~~?
계성	(차분한 미소)
무안	(순간 어떤 합리적 의심) 잠깐만!!
	혹시 너 궁중에 여자라도 숨겼냐? 예쁘냐? 어? 어?
성남	(으그. 그만하라는 듯 무안 머리 미는)

계성도 대군들과 섞여 웃고 떠드는데, 계성의 옷에 묻은 하얀 가루.
성남 봤고, 다른 대군들 모르게 자연스럽게 툭 털어준다.
뭔가 그 가루의 정체를 아는 느낌으로-

21   궐내 누각 (낮)

다과상이 간단히 차려져 있고
빙 둘러앉은 화령과 대군들. 그리고 서 있는 신상궁.
화령은 작정하고 까칠함을 내려놓은 말투로 대사한다.
막상 대군들은 화령의 말투에 적응이 안 되는 상황.

화령	계성대군~?
계성	(엄마가 낯설고) 예... 어마마마.

화령	외국어에 관심이 많다 들었다. 특히 어느 나라 언어에 관심이 있느냐~?
계성	(왜 물으시지?) 한어(漢語: 중국어)에 관심이 있사옵니다.
화령	그래~ (다음 하듯, 일영 보는) 우리 일영대군은 천문학에도 관심이 많고~ 명과학(命課學: 역술, 풍수지리 등을 연구하는 학문)에도 관심이 많은 것 같은데.
일영	예? 예...
무안	(도저히 못 참겠다) 저기!!! 어마마마.
화령	어, 그래~
무안	부담스럽습니다!!! 차라리. 혼내려면 빨리 혼내고 끝내세요. 아주 그냥 조마조마해 죽겠습니다.
화령	아니, 그게 무슨 소리야~ 난 그냥~ 오늘 우리 대군들이 어느 분야에 관심이 있는지 궁금해서 대화를 나눠보고자 하는 것인데~?
무안	아 그게 갑자기 왜 궁금하신데요?!
화령	(순간 버럭할 뻔한 걸 겨우 참으며) 아니~ 왜 궁금하냐니? 방금 말했잖느냐. 너희들의 관심 분야가 알고 싶어 묻는 거라고~
성남	(건방진 느낌이 살짝 묻어나는) 어마마마도. 그 시강원 배동 때문에 치맛바람 부셨습니까?
화령	(뜨끔) 어허! 치맛바람이라니?!
대군들	(그거였구나) 아.....!!

다른 왕자들도 이제야 실마리가 풀린다.

무안	지금 다들 난리던데. 그 배동인가 뭔가 큰형님 옆에서 같이 공부하는 그 시강원 뭐시기 한번 해보겠다고.
화령	나는! 꼭 그런 것은 아니다.
성남	(삐딱하게 앉아서) 궁금은 하신가 봅니다...?
화령	(못 참겠다. 본색 드러내며) 그래!!! 궁금해. 너희들 나갈 거야 안 나갈 거야?! 어?! 말해봐!
대군들	(움찔. 아니 왜 이러셔...)
화령	(태세 전환) 아니다. 빠짐없이 다 나가!!
신상궁	마마... (진정해. 워워~~)

화령	(단전에서부터 화가 치미는 걸 겨우 누르는데)
무안	아니, 어마마마~ 공지 못 들으셨습니까?
화령	(忍) 들었다...
계성	본인 의사가 있어야 응시하는 것입니다.
화령	(忍忍) 안다.....
성남	어마마마. 전 나갈 생각 전혀 없습니다.
화령	(버럭) 왜?!
신상궁	(설득은 물 건너가는구나... 지그시 눈 감는)
무안	저도 평가가 너무 빡세서 안 나가고 싶습니다.
화령	(인상 팍!) 넌 또 왜?!! (하는데)
일영	어마마마~ (소매 쓱 올려 손목시계처럼 찬 앙부일구 보이며) 저도 지금~ 휴대용 앙부일구를 집중 연구하고 있어서~ 출전하긴 좀 그렇습니다.
화령	(못 참아!!) 너 이 자식들...!!! (하는데)
계성	제가 하겠습니다. 저희들 중에 누군가 나서야 한다면 제가 한번 도전해보겠습니다.
화령	(급 반색~) 그래볼래~? (저도 모르게 웃음이 비집고 나오고) 잘 생각했다~ 그리고 너희들도 다시 고민해봐.
성남	왜 다시 고민해야 합니까?
화령	(저 자식이!) 그럼 생각이라도 해봐!!! 내 너희들이 잘못하면 혼은 냈어도! 어!! 공부해라 뭐 해라 한 번이라도 부탁한 적이 있느냐?
대군들	(듣는데)
화령	근데, 적어도 말이다... 혼인하기 전에 기본 학문과 소양은 좀 갖추고 나서 출궁해야 하지 않겠느냐?
무안	(눈빛 반짝) 그럼 출궁하게 혼인부터 시켜주십시오~!!
일영	어마마마. 저두 혼인하고 싶습니다~~
화령	(더 이상은 못 참아!!!)

테이블 팍!!! 치며 그 반동과 함께 일어서는 화령.
손으로 대군들 막 짚기도 하며. 살짝 흥분 상태.

화령	애물단지! 성군의 옥의 티!! 실록에 흠집이나 내는 망나니들!!!
	사고뭉치 왕자들!!! 이 수식어가 뭔 줄 아느냐?
	궁 어딘가에서 수군대며 너희들을 가리키는 말들이야.
	창피하지도 않아? 낯이 안 뜨거워?

그런데, 대부분의 대군들 상처받은 얼굴이다.

일영	애물단지, 옥의 티, 망나니...들 때문에 꽤 창피하셨나 봅니다.
화령	지금 요점은 그것이 아니다!!
	너희들의 불명예를 뒤집자 이 말을 하는 것이질 않느냐... (이것들아!!)
무안	죄송합니다. 말귀도 못 알아들어서.
	우리가 그렇지요 뭐. 옥의 틴데.
화령	(이런 전개를 원한 것이 아닌데 뭐지 싶고) ....

점프, 화령과 신상궁만 남았고.
대군들은 저쪽으로 멀어지고 있다.
머리가 지끈거린다. 머리를 짚는 화령.

화령	세자가 이 위기를 넘지지 못하면, 적실왕자라는 이유만으로
	제거 대상이 될 텐데... (살짝 앓는 소리) 그것도 모르고 저것들은!!
신상궁	차라리 저하의 상태를 알리는 것은 어떻겠사옵니까?
화령	감정적이고 우애가 깊은 녀석들이야.
	아무리 조심하라 일러도 걱정에 근심에 동궁전을 수없이 들락거릴 거야.
	그럼 세자의 상태만 노출돼...
신상궁	(근심)
화령	지금으로선 가능성 있는 대군을 집중 육성하는 쪽이
	가장 최선의 방법일 것 같아.
신상궁	혹 염두에 두신 대군이 있으십니까?
화령	그나마 별다른 문제가 없는 적실왕자는 단 한 명뿐이야.
신상궁	계성대군 말이옵니까?

화령	(끄덕) 본인이 하겠다는 의지도 있으니
	지금으로선 계성대군이 유일한 희망일지도 모르겠다.
신상궁	마마. 민승윤 영감에게 대군들에 대한 객관적인 평가를 들어보는 것은
	어떻겠사옵니까?
화령	(눈빛 반짝) 직접 들어보자고?
신상궁	예~ 저희가 생각하는 것 이상으로 뛰어난 대군마마가 계실지도
	모르는 일입니다. 평가를 들어보고 한 분이라도 더 설득해
	참여시키는 것이 어떻겠사옵니까~?
화령	그래~! 배동 선발을 핑계 삼아서라도
	한 명이라도 더 서책을 안겨줘야지! (손 쓱 내밀면)
신상궁	(워워) 마마~ 오늘은 벌써 드셨사옵니다.
화령	(귀엽게 째리면)

움찔하는 신상궁, 복주머니처럼 생긴 염낭에서 공진단을 한 알 빼어 드는데
그걸 못 기다리고 쓱 가져가는 화령,
입에 쏙 넣더니 오독오독 씹으며 빠르게 걸어간다.

| 신상궁 | (협. 급히 따르는) 마마~ 같이 가시오소서. |
| | 공진단을 드셔서 그런가. 어찌 저리 빠르실꼬~ (거의 뛰는) 마마. 같이 좀. |

22   누각 근방 거리 (낮)

대군들이 앞장서 멀어지고
성남도 뒤따라 걸어가고 있는데, 어디선가 들려오는 소리.

| 의성군 | (E) 저 봐라. 아니 기품이라곤 있냐고... |

성남, 가던 길을 멈추고 소리 들리는 쪽으로 가서 보면
송내관을 옆에 세워두고, 누군가를 모욕하고 있는 의성군.
그 시선이 있는 곳엔 급히 이동하고 있는 화령이 보인다.

의성군	(비꼬는) 누가 보면 경공술 하는 줄 알겠네. 아마 궁에서 걸음이
	제일 빠를걸... 아니 무슨 중전이 저러냐고, 격 떨어지게...
성남	(뻐딱하게 서서) 의성군 형님.
의성군	(뭐야? 건방지게 뒤돌다가 흠칫!!)
성남	한 번 더 그딴 소리 지껄이시면
	죽여버릴 수도 있다고 분명 경고했을 텐데요.

살짝 겁먹는 의성군!! 급히 주변 둘러보면 곳곳에 보는 눈 많다.
이에 돌변하는 의성군, 멀리 서 있는 궁인들을 의식한다.

의성군	(음흉하게 웃으며 자극) 그럼 어디 한 대 쳐보든가...!
성남	(이게 미쳤나)
의성군	내 소린 안 들려도, 니 새끼 휘두르는 주먹은 보이거든 저것들한테.
성남	(거슬리는) 저것들이 아니라 궁인들입니다.
의성군	(깐족) 뭐 다 아랫것들인데 뭐라 부르던 뭔 상관~?
	아 쳐보라고! 경공술 하면서 날아오는 중전마마 좀 보게.
성남	(금방이라도 주먹 날리고 싶지만 참는)

대신 경고하듯 의성군에게 바짝 다가서는데,
금방이라도 뭔 일이 날 듯한 모습에 보고 있는 궁인들도 조마조마.

성남	국모십니다. 없는 곳에서도 예를 갖추십시오!!
의성군	성남대군... 너 그건 아냐? (뒤로 물러서며) 왕세자 자리 말야...
	그거 원랜 니 형이 아니라 내 자리였어 새꺄.
성남	(경고) 후회하지 말고 그만하십시오.
의성군	내가 만약에 말야... 용상에 앉게 되잖아.
	그럼 난 서인으로도 니 새끼들 안 살려둬.
	다 죽여버리지 병신 같은 새끼들. (낄낄)
성남	(확!!! 목을 움켜쥐는, 두 눈 충혈될 정도로 참다가) 잘 들어.
	용상엔 우리 형님이 앉으실 거다.

그리고 너같이 (삐) 같은 새끼가 임금이 되면.
그 나라 내가 무너뜨린다!!

확!!! 패대기치더니 가버리는 성남.
궁인들. "성남대군 또 왜 저래…" 수군대며 성남을 이상하게 보는 눈빛.

23   종학 내부 (낮)

매우 놀란 얼굴의 화령이 민승윤 앞에 서 있다.

화령   (잘못 들었나 싶고) 예? 방금 뭐라 하시었습니까?!
민승윤 (본인도 말하기 난감하고) 이런 말씀 드리기에는 좀 그렇지만…
       수준 미달이라 말씀드렸습니다.
화령   (혼이 빠져나가고)
민승윤 머리가 나쁘신 것이 아니라, 대부분 의지가 없으십니다.
       종부시에 이름이 올라가면, 계절 마지막 달에 전하께도 보고가 되며
       그 자리에서 불량생도로 평가되어 벌을 받게 되는데…
화령   (되는데…)
민승윤 지금 모든 대군들께서 위험하시고…
화령   (위험하고… 또 뭐가 있나 두려운)
민승윤 특히… (조심스럽게) 성남대군과, 계성대군께서는 몇 번만 더 빠지셔도
       출석 미달로 불량생도로 올라 종학에서 제명되실 겁니다.
화령   (충격!!!) 잠시만요. 성남대군은 이해가 됩니다만…
       계성대군이요?!

24   계성대군 처소 가는 길 (낮)

중문을 벌컥!!! 두 팔로 열어젖히며 나오는 화령.

화령	(아직도 믿을 수 없고) 불량생도라니!!
신상궁	뭔가 착오가 있는 게 아니겠습니까?
화령	몇 번이나 확인했어. 계성대군 맞아.
신상궁	불량생도가 돼서 종학에서 제명되면 그땐 어찌 되는 것입니까?
화령	자질이 부족함을 증명하는 꼴이 되겠지.
신상궁	마마께서 가장 믿고 계시던 대군 아니시옵니까...
화령	믿어. 아직 확정된 건 아무것도 없으니까.
	불량생도가 됐다는 게 아니라. 될 수 있다는 가능성만 언급한 거야.
	(내가 낳아서 그런 게 아니라) 계성대군은 크게 문제를 일으킬 아인
	절대 아니야.

그때 무언가를 본 신상궁 "어!!"

신상궁	마마.
화령	(못 듣고 긴박하게 걸어가는)
신상궁	(낮고 강하게) 마마...!!
화령	(그제야 멈춰서 보는데)
신상궁	저기. 계성대군 아니시옵니까?

화령, 그 말에 신상궁이 가리키는 쪽을 보면. 저 멀리 누군가의 뒷모습.

25   궐 곳곳 (낮)

궐 담장을 손끝으로 쓸고 가는 남자의 손. 검지에 낀 반지.
그 뒤를 쫓는 화령의 시선.
그가 슬쩍 옆을 보는데, 평소와 다른 눈빛의 계성이다!!
계성, 겹겹이 쌓인 구중궁궐 속으로, 속으로 아주 깊숙이 들어가면...

26   폐전각 앞 (낮)

계성의 눈앞에 버려진 전각이 나타난다.
주변을 살핀 뒤, 다소 흥분된 표정으로 폐전각 안으로 들어서는 계성.
시간 차를 둔 뒤... 조심스럽게 폐전각으로 다가서는 화령과 신상궁.
살짝 열린 틈으로 내부를 들여다보는데.
계성이 방금 들어간 그곳에... 아무도 없다. 계성이 흔적도 없이 사라졌다!!

27   폐전각 + 밀실 입구 (낮)

몹시 당황한 얼굴로 '어디 갔지??' 하듯 조심히 들어서는 화령과 신상궁.
스산하고 음침한 창고 내부엔
버려진 듯 놓여 있는 오래된 반닫이(3층장)도 눈에 띈다.

화령   (아주 낮게) 대체 어디로 사라진 거야..?

거미줄 가득한 그곳을 둘러보며 당황한 낯빛으로 서 있는 화령과 신상궁.
그때 어디선가 들려오는 바스락 소리.
!!! 화령 놀라서 돌아보면 소리 나는 쪽은 반닫이가 놓인 곳.
조심스럽게 다가서면, 반닫이로 가려진 곳에 밀실로 통하는 작은 구멍이
나타난다. 그 구멍을 통해 뭔가를 보는 화령, 두 눈을 의심하는 듯싶더니...
이내 경악하듯 굳어버리는 얼굴!!!

화령   허.......

받아들일 수 없다는 듯 고개를 저으며 뒷걸음질 치는 화령.
혼란과 충격에 휩싸인 얼굴!!!
화령, 갑자기 뒤돌아 도망치듯 그곳을 박차고 나가버린다.
신상궁, 급히 화령이 보던 구멍을 보는데
신상궁 또한 믿을 수 없다는 듯. 경악!! 충격에 휩싸인다!! 입까지 틀어막는데

28   궐 어딘가 (낮)

반쯤 정신 나간 모습으로 도망치듯 뛰어가는 화령.
한참을 내달리던 화령이 멈춰 서면.
궐 한가운데 홀로 서 있는 모습.
화령의 심리를 말해주듯 궐이 틀어지거나 빙빙 도는 현상.
호흡이 곤란할 정도로 숨도 안 쉬어지고.
당장 어디론가 숨어들고 싶은데 어디로 가야 할지 모르겠는 느낌.

29   몽타주 (낮)

- 폐전각 근방 통로에서 급히 뛰어나오는 신상궁.
충격에 정신은 혼미한데 화령의 모습이 어디에도 보이지 않는다.
- 연못가, 전각 뒤편 등을 찾아 헤매기 시작하는 신상궁의 모습.
"마마!"를 외치며 궁궐의 구석구석까지 찾아보지만 화령은 어디에도 없다.
그러다 어떤 생각에 다다랐는지 갑자기 멈춰 서는 신상궁.

ins 》 (**과거**) 아궁이 앞에 쭈그려 앉아 있는 어린화령의 뒷모습.
작은 어깨 들썩이는데.

현재 》!!! 신상궁, 갑자기 방향을 틀더니 어딘가로 마구 뛰어간다.

30   중궁전 앞 (낮)

중궁전 아래, 함실(函室) 아궁이로 들어가는 작은 아치형 판문이 보인다.
그 문을 열고 들어서는 신상궁.

31   함실 아궁이 (낮)

아궁이 앞에 쭈그려 앉아 있는 화령의 뒷모습이 보인다.
다가서는 신상궁의 눈에는
작은 어깨를 들썩이던 어린화령의 모습과 겹치고
신상궁, 숨을 고르며 아무 말 없이 다가서는데
아궁이 앞에서 소리도 못 내고 울음을 참고 있는 화령.

신상궁   (잠시 보다가) 한참을 찾았사옵니다.
          엄청 멀리 가시어 꼭꼭 숨어버리신 줄 알았사옵니다.
          (안쓰러운) 한데 겨우 숨으신 곳이 또 이곳이시옵니까..?
화령   (그제야 보는데, 신상궁 얼굴 보자 울음이 터지고 만다)
신상궁   (보는)
화령   아무리 찾아도 이 궐 안엔 내가 소리 내어 울 곳이 없어...
신상궁   하여 속 시원하게 우셨사옵니까?
화령   조금...
신상궁   (보는데)
화령   ...봤느냐?
신상궁   (끄덕인다)
화령   (무너진다) 내가 본 것이 헛것은 아니었구나...
          (두려움이 엄습해) 이제 어쩌지...?
          다른 사람한테 발각되면... 계성대군은 살아남기 힘들 텐데 어떡해...
신상궁   (보다가) 마마...
          제게 자꾸 이런 내밀한 말씀을 하시면...
화령   내가 이런 얘길 할 사람이.. 자네 말고 또 누가 있어.
          그 어린 나이에 궁에 들어와 의지할 사람 하나 없었는데...
          자네가 대비마마의 사람이건 누구의 사람이건 뭐가 중요해.
          그냥 내 옆에 있는 유일한 사람이 자넨데...
신상궁   (말없이 화령을 본다)
화령   (무너지듯) 이제... 어떡하면 좋으냐...
          환이 그 아일 어찌하면 좋아...

화려한 중궁의 복식을 입었지만,
초라하고 외로워 보이는 화령의 모습.

32   종학 내부 (오후)

저벅저벅 걸어와 민승윤 앞에 서는 누군가.
민승윤, 고개 들어 보면 무안이다.

민승윤   응시하시는 겁니까?
무안   음... 저기 스승님~
제가 어마마마께 혼날까 봐 여기까지 찾아온 건 절대 아니고~
(뜸 들이는) 살짝 선택의 기로에 서서 고민 중에 있는데 말입니다.
대군의 명예도 있고 해서 드리는 질문인데~
(진지) 시험 성적은 공개 안 하면 안 됩니까~?
민승윤   건의해보겠습니다.
무안   (그 말에 명패를 팍 내려놓는다) 그럼 저도 한번 응시해보겠습니다~!
민승윤   (웃는)

뒤이어 보검군, 의성군, 심소군, 계성대군도 명패를 제출한다.

33   성남대군 처소 (오후)

턱을 괸 채 명패를 요리조리 보고 있는 성남.

F.B 》21씬. 궐내 누각 (낮)

화령   내 너희들이 잘못하면 혼은 냈어도! 어!!
공부해라 뭐 해라 한 번이라도 부탁한 적이 있느냐?

잠시 고민하는 듯싶더니, 결국 서안 위로 명패를 던져버리는 성남.

34   종학 내부 (오후)

명패를 하나씩 확인하며 명단을 작성하는 민승윤.
그때 대전내관이 들어온다.

대전내관 명단은 마무리되셨습니까?
민승윤 거의 다 되어가네.
대전내관 (끄덕) 정리되시면 주십시오. 전하께 바로 전달할 것입니다.
민승윤 아직 한 식경(30분)이 남았으니, 우선 앉아서 기다리시게.
대전내관 지금까지 명패를 제출 안 했으면 의사가 없는 것이 아닙니까?
민승윤 그래도 원칙은 지켜야지.
　　　　　한 식경이 지난 뒤에 전달하겠네.
대전내관 (거, 사람 참 융통성 없기는) 예, 그리하시지요...

35   성남대군 처소 복도 (오후)

무예복으로 갈아입은 성남이 막 복도로 나서는데
윤내관이 급히 다가선다.

윤내관 대군마마. 세자저하께서 찾아 계신다 하옵니다.
성남 지금...?

36   동궁전 앞 (오후)

만삭의 세자빈 민휘빈 보이고, 장난스럽게 뛰어다니는 원손도 보인다.

활기 넘치는 귀여운 녀석인데
그 모습을 그윽하게 슬픈 듯 바라보는 세자.
그리고 그 옆에 나란히 서 있는 성남.

성남   (삼촌 미소) 언제 저렇게 큰 것입니까?
            벌써 강학청에 다닌다 들었습니다.

            [자막] 강학청(講學廳): 원자나 원손의 조기교육 임시 관서

세자   (웃는) 스승께서 고생 중이시지~
성남   예?
세자   말귀는 잘 알아듣는데, 말을 그렇게 안 듣는단다.
성남   (웃고)
세자   저 몸 쓰는 것 좀 봐라~ 나보다 널 더 닮은 듯싶다.
성남   (그 말에 원손 다시 보는. 뛰어다니는 녀석 귀엽기만 하고)
세자   (눈으로는 자식을 본다) 강아.
            서촌에서 생각나느냐? 난 너 보러 갈 때 그때가 제일 좋았다.
성남   저도 그때가 가끔 그립습니다.
세자   네가 서촌에서 궁으로 들어왔을 때 말이다...
            아우들에게 또 다른 형이 생긴 것 같아 그리 좋더라.
            내가 없더라도... 네가 있다 생각하니 든든했던 것 같다.
성남   (아직까진 대수롭지 않게 듣고. 시선은 원손에게)
세자   우리 원손에게도... 그리해주겠느냐?
            해야 하는 것에 매진하고 있는지
            하지 말아야 할 것에 혹하지는 않는지...
성남   (이상함을 감지하고. 세자를 본다)
세자   술을 마시거나 말썽을 부리면 혼도 좀 내주거라.
            네가 아비처럼 동무처럼... 그리해줬으면 좋겠다.
성남   (까칠해지고) 어디 가실 것처럼 왜 그런 말씀을 하십니까?
세자   (시선 돌려 성남을 보는)
성남   (불안한 마음이 든다)

세자	(미소) 네가 있어 든든해서 그래... 자식 낳아보면 알게 될 거다.
성남	형님께서 낳았으니 형님이 끝까지 책임지십시오.
	저는 제 자식 낳으면 어쩔 수 없이 더 챙길 겁니다.
세자	(보는)
성남	(보는)
세자	배동이 돼서 내 옆에 있어주면 안 되느냐?
	서촌에서 너와 함께했던... 그때가 그립다...

마주 보는 형제의 얼굴에서

37   몽타주 (형제의 과거)

움막촌, 성남의 집 마당 (낮)
평범한 민가.
더벅머리에 헐렁한 옷 입고 새총으로 새 잡는다고
이리저리 정신없이 뛰는 녀석 어린성남(9세).
장독 위에 새가 앉아 있다.
초 집중하며 새총을 조준하는 어린성남.
그때 어떤 인기척에 새 날아가버린다. "에이 씨!!"
하고 보면, 도령 옷을 입은 말끔하게 생긴 어린세자(11세) 서 있다.

어린성남	(까칠) 너 누군데 남의 집에 불쑥 들어와?! 누구야 너?
어린세자	니 형이래.
어린성남	누가?!
어린세자	내가.
어린성남	(나한테 가족이 있다니 기쁜!!) 그래~? 근데 왜 같이 안 살아?
어린세자	그것까진 나도 몰라. 근데 내가 니 형이래. 그게 중요한 거지. (미소)
어린성남	(다짜고짜) 형 싸움 잘해?
어린세자	(당황하지만) 잘할..걸...?

어느 집 앞 (낮)

손가락으로 어딘가를 가리키는 어린성남.

어린성남   형, 쟤네야!!
어린세자   그래? (비장하고 씩씩하게 걸어가는)

그런데 어린세자 점점 걸음이 느려지고
그 앞엔 엄~청 몸집 큰 애(12세 정도) 서 있다.
어린세자 긴장한 티 역력한데. 성남이 보고 있자 어깨 편다.
그때 몸집 큰 애 뒤에서 고개만 빼꼼 내미는 남동생(9세), 메롱.

어린성남   (그동안 설움 있었던 듯) 나두 형 있어~!!
            (형 믿고 깝죽) 넌 이제 죽었어! 우리 형 싸움 대따 잘하거든!!
어린세자   (당황 당황)

거리 (낮)

분한 듯 발로 바닥을 뻥! 차는 어린성남. 휙 고개 틀며 어린세자 쩨린다.
면목 없는 어린세자. 머리는 죄다 뜯겨 산발이고, 코엔 코피 흐른다.

어린성남   형 싸움 잘한대매!!!
어린세자   (머쓱하고. 코피 쓱 닦는데 계속 흐른다)
어린성남   근데 코피는 왜 안 멈춰?!
            (어우 분하다) 코피 나면 지는 건데. 우띠!!
어린세자   (결연한 주먹) 담엔 우리도 한 대는 때리자!!
어린성남   (비장한 끄덕임. 그래도 형이 있어 든든하다~!) --

성남의 집 마당 (낮)

마당 바닥에 나무 막대기로 글자를 쓰며 알려주는 어린세자.

어린세자   (해 그리며) 잘 봐~
            (그림 옆에 日 쓴다) 이건 해를 본떠서 만든

해 일이라는 글자야~~

(달 그리고 옆에 달 월[月] 쓴다) 그리고 이건~

달 모양을 본떠서 만든 달 월이라는 글자고~

어린성남   (신기한 듯 글자 보다가) 어? 이거 우리네~~

형아는 해~ 나는 달! (하다가 갑자기 시무룩)

어린세자   ??

어린성남   해와 달은 영영 못 만나잖아...

우리도 영영 같이 못 사는 거야...?

어린세자   (씩 웃으면서) 해와 달도 이렇게 같이 있을 수 있어.

(밝을 명[明] 쓰며) 해와 달이 만나면 밝을 명이 돼~

어린성남   그럼 우리도 같이 살 수 있어?

어린세자   (보다가 *끄덕끄덕*)

점프, 팽이가 돈다.

그런데 금방 픽 쓰러지는 어린세자의 팽이.

어린성남이 어떻게 쳐야 잘 쳐지는지 알려준다. "요래 요래 쳐야지~"

알려준 방법대로 하자 잘 도는 팽이. 어린세자 신기하고. "우와~!"

 # 들판 (다른 날, 낮)

막대기 들고 칼싸움하는 어린세자와 어린성남.

둘이 칼싸움하다가. 또 레슬링 같은 거 하다가.

들판에 구르며 옷도 엉망진창.

 # 성남 집 앞 거리 (낮)

꼬질꼬질한 어린세자.

별다를 거 없이 꼬질한 어린성남.

아쉬운 듯 인사하고 돌아서는 어린세자. 한참을 걸어가 멀어졌는데

어린성남   (외치는) 형!! 또 언제 와?

어린세자   (돌아보더니 외친다) 몰라.

어린성남   (실망)

어린세자	(외치고) 근데 최대한 빨리 올게~
어린성남	형...!!
	담에 오면 시전에도 가보자~!
어린세자	(자기들만의 수신호. 가슴 툭툭, 엄지 번쩍)

[자막] 콜!!

어린세자	(막 손을 저으며 인사한 뒤 돌아서면)
어린성남	(그렁그렁) 형... 빨리 와... (쓱 눈물 닦는)

38   종학 가는 길 (오후)

뛰고 있는 성남, 어딘가를 향해 전력을 다해 질주한다.

세자	(E) 나는 네가 궁으로 돌아와 같이 살게 되었을 때가 가장 기뻤다.

39   종학 내부 (오후)

지루한 대전내관, 재촉하듯 쳐다보는데
마치 누군가를 기다리는 것처럼, 문을 한 번씩 보는 민승윤.
둥둥둥둥. 시간을 알리는 소리에

대전내관	(잽싸게 일어나) 자, 시간이 되었으니 이제 명단을 넘겨주시지요.

명단을 건네려는 민승윤, 대전내관에게 넘어가기 직전이었는데
갑자기 다시 무르는 명단. 대전내관 뭐지 싶어 보면
내부로 뛰어 들어오는 성남.

성남	스승님... (헉헉) 마감했습니까?

민승윤	아직 마감 전입니다.
성남	그럼, 저도 한번 해보겠습니다. (서안 위로 명패 내려놓는다)
민승윤	오실 줄 알았습니다. (미소)
성남	(슬쩍 보더니 멋쩍게 웃는, 여전히 숨이 찬다)

40   중궁전 침전 (오후)

아직 충격에서 빠져나오지 못한 듯 누워 있는 화령.
그런 화령을 걱정스럽게 바라보는 신상궁.

화령	(각성. 갑자기 몸을 일으키며)
	아니다... 내가 이러고 있을 때가 아니야.
	(정신 차리려는 듯 머리와 옷매무새를 다잡는) 배동 선발도 얼마 안 남았는데 계성대군한테 좀 가봐야겠어.
신상궁	(우려스럽고) 마마... 계성대군을 계속 참여시킬 생각이시옵니까?
화령	그럼 어떡해? 다 알았다고. 넌 자격이 없다고 포기시킬까?
	걔 말고는 출전한다는 애도 없는데... 어떻게 포기해 내가.
신상궁	다른 대군들께서 응시하실 수도 있는 것 아니옵니까?
화령	그럼 고맙지. 근데 자네도 그날 봤잖아.
	배동 준비 좀 하겠더니, 출궁하게 혼인시켜달래던 거...!!
	(다시 생각하니 머리가 또 지끈거린다. 앓는 소리)
오상궁	(E) 중전마마! 오상궁이옵니다.
화령	(기운 없고) 들라...

문 열리며 뛰듯이 급히 드는 오상궁.

화령	(무슨 일인가 보는데)
오상궁	마마~ 모든 대군들께서 지원하셨답니다~~
화령	(!! 눈 커지는) 뭐? 우리 대군들이~ 전부 다?!
오상궁	예~ 마마.

화령	성남대군이랑 무안대군도 말이냐~?
오상궁	예~~ 모두 배동에 응시하셨다 하옵니다~!
화령	이것들이!!! (녀석들...) 아주 엄마를 놀래키는구나~
	(자세 바뀌며 생기가 돈다) 신상궁!! 우리도 빨리 준비하자~

41   편전 내부 (오후)

이호에게 명단을 건네는 대전내관.
민승윤도 함께 자리해 있다.

이호	(명단을 보더니 놀라는 눈빛) 이렇게나 배동에 관심이 많은지는 몰랐구나.
민승윤	배동을 시험으로 선발하시려는 이유가 있습니까?
이호	세자는 학문은 뛰어나지만 너무 올곧아.
	때로는 비틀고, 뒤집고, 깨뜨려보기도 했으면 좋겠다.
	해서, 난 세자와 다른 시각을 가진 왕자가 배동이 되었으면 하네.

42   도성 거리 (밤)

어둠 속, 주변을 경계하며 걸어가는 사내 세 명.

43   황원형 사가 앞 (밤)

사내들 멀쩡한 대문은 그대로 지나치고
뒤편 쪽문 앞에 다다라서야 멈춰 선다.
곧 은밀히 열리는 쪽문. 주변을 다시 한번 살피더니 들어서는 사내들.

44   황원형 사랑채 방 안 (밤)

상석은 비워져 있는데,
맞은편에 나란히 놓인 서안 3개. 그리고 한 자리씩 차지한 세 남자의 뒷모습.
곧, 평복을 갖춘 의성군이 문으로 들어서자
일어서며 극진히 예를 갖추는 세 남자.
그들은 윤수광과 이판 그리고 젊은 선비다.

의성군   (처음 보는 얼굴인 듯 선비를 쓱 보면)
선비   산술을 담당할 박치운입니다.
의성군   (건방진 눈빛으로 탐색하듯 선비를 훑는다)

점프, 마치 축소된 시강원처럼, 족집게 과외 느낌.
세 명의 스승이 한 명의 제자인 의성군을 가르치고 있는 모습.
서책들을 여러 권 펼쳐놓고, 일일이 세필(붉은색)로 체크해주는 윤수광.

윤수광   (서책 일부 짚으며) 이 부분은 보실 필요 없습니다.
         그리고 중용에선 21장 자성명장(自誠明章)만 중점적으로 보시면 됩니다.

45   황원형 사랑채 밖 (밤)

         마주 서 있는 황귀인과 황원형.

황원형   지난번 산술 담당이 흡족지 않다 하여 새롭게 뽑아 왔습니다.
황귀인   실력이 되는 자입니까?
황원형   산학 취재에 장원으로 합격한 인물로 산술에 매우 능한 자이지요.

         [자막] 산학 취재(算學 取才): 산술에 능통한 사람을 선발하는 시험

황귀인   초·복시에서 의성군을 반드시 각인시켜야 합니다 아버님...
황원형   그건 걱정 마세요. 문과 시제는 중용과 서경에서만 뽑을 것입니다.

그중에서도 출제될 내용만 콕 짚어줄 겁니다.

황귀인   아버님... 범위를 너무 제한하진 마세요.

황원형   준비 기간이 짧으니 별수 있겠습니까?
         (나만 믿어!!) 의성군이 훑은 곳에서만 출제할 겁니다.

황귀인   (그래도 불안하고) 결정은 전하께서 하시니 만약을 대비해야 합니다.

황원형   심려 마세요. 문제뿐 아니라 채점에도 다 생각이 있으니 말입니다...

         믿는 구석이 있는지 입꼬리 오르는 황원형.

46   중궁전 침전 (밤)

         신상궁의 지시 아래, 서안 위로 쌓이는 서책들.
         궁녀들이 우르르 나가면, 책더미를 살피는 화령.

화령   이것들이 전부야?

신상궁   예. 마마. 지시하신 대로 종학 교재와 시강원 교재들까지
         싹 다 준비하였나이다.

화령   수고했다.

         서안에 앉더니 본격적으로 서책을 보기 시작하는 화령.

신상궁   마마... 설마 이 서책들을 다 보실 작정이시옵니까?

화령   대군들 준비시키려면, 나도 뭐가 뭔지는 알아야지.

47   심소군 처소 (밤)

         졸고 있는 심소군의 어깨를 죽비로 팍!! 내리치는 고귀인.
         잠이 확 깨서 고개 팍 드는 심소군과
         놀라서 쳐다보는 내관 복장의 생도! 대학생 과외 느낌.

고귀인	(생도에게 양해 구하듯) 잠시만 시간을 좀 주시게~
생도	예 그러시지요.

고귀인, 잠이 덜 깬 심소군을 끌어다가 한쪽 구석으로 몬다.

고귀인	(낮게) 내가 너 졸고 있는 거나 구경시키려고 성균관에서 가장 뛰어난
	저 생도를 일대일로 붙여준 줄 아느냐?
심소군	(정말 피곤해 보이는데) 어머니 조금만... 조금만 자고 일어나
	다시 수업하면 안 되겠습니까?
고귀인	(무슨 소리!!) 지금 이게 시간당 얼만데?!
	저자를 설득하고 이 자리에 데려오기까지 얼마가 든 줄이나 알아?
	하나라도 더 보고, 더 캐내야, 하나라도 더 빼먹지...!!
	(이빨 꽉) 당장 돌아가 앉거라!
심소군	예...

심소군, 어쩔 수 없다는 듯 다시 자리로 돌아가 앉는다.
다시 1:1 과외를 이어가는 생도.
그때 서책 위로 뚝뚝 떨어지는 코피. !!! 놀라서 엄마를 보는 심소군.
무감정으로 화선지를 돌돌 말아 코에 꽂아주는 고귀인.

생도	(좀 놀란 얼굴)
고귀인	(생도 보며 상냥히) 계속하시게~
생도	아, 예...
고귀인	(매섭게 심소군 다그치는) 집중해!

48 보검군 처소 (밤)

조심히 열리는 문. 들어서는 까치발.
최대한 신경 안 쓰이게 서안에 내려놓는 다과상. 그녀, 태소용이다.

그러거나 말거나 자신의 페이스에 맞춰 서책 넘겨보는 보검군.
대단한 집중력으로 차분히 공부하는데
문워크처럼 뒷걸음질 치며 조심히 나가는 태소용.

49   중궁전 침전 (밤)

여기는 엄마가 열공 모드. 수험생처럼 서책에 집중한 화령.
옆에는 이미 읽은 뒤 쌓아둔 서책들도 보이는데
서책 사이로 인덱스처럼 부착된 종이들이 보인다.
그리고 지금 읽고 있는 서책에서도,
작은 종이에 [出題豫想]이라고 적더니 부착하는데.

[자막] 출제 예상

그 모습을 옆에서 지켜보는 신상궁.

신상궁   마마~ 시간이 늦었사옵니다.
화령   (집중) 이것만 더 보고.
신상궁   누가 보면 마마께서 배동에 출전하시는지 알겠사옵니다.
화령   후궁들은 왕자들한테 거벽 붙여서 과외시키고, 일대일 공부시킨다잖아.
신상궁   (헙!!) 거벽을요~?

[자막] 거벽(巨擘): 시험에서 대신 글을 써주거나 답을 알려주는 전문가
일명 코디네이터

화령   그래. 근데 중전 체면에 시강관이나 성균관 생도를 빼돌릴 수도 없고
별수 있어? 가정교학이라도 해야지~!

[자막] 가정교학: 홈스쿨링

결의에 찬 표정으로 공진단을 입에 쏙 넣더니 오독오독 씹는 화령,
더욱 열공 모드에 돌입하는데.

신상궁   (피식) 힘든 일이 있을 때마다 이리 공진단을 드시니
         덕분에 더 건강해지시겠사옵니다~
화령   (더욱 씹으며) 내가 기운을 내야지.
         내가 아니면 누가 내 새끼들 지키겠어~
신상궁   그래도 하루에 두 알만 드시옵소서~
화령   봐서! (서책을 쓱 넘기다가) 신상궁.
신상궁   예, 마마.
화령   내가 어떻게 간택된지 혹시 알아?
신상궁   (알고는 있으나. 말하긴 좀 난감하고)
화령   (서책에서 눈을 떼지 않고) 말하기 좀 그렇지~?
         알아 궁인들도 막 수군대더라. 외척을 견제한 선왕께서 한미한 집안이라
         날 간택했다고... 근데, 그거 아니야.
신상궁   (그게 아니라고? 보면)
화령   내가 걔네들 다 이겼어.
신상궁   !!!
화령   (고개 드는) 지면 잠을 못 자거든 내가~!!

         화령의 씩- 웃는 얼굴.

50   심소군 처소 앞 (새벽)

      새벽안개 낀 궁중.
      내관 복장의 생도를 은밀히 내보내고 있는 고귀인.

고귀인   다음에도 부탁드리겠네.
생도   (잠 한숨 못 잔 듯 퀭한) 예, 마마...
고귀인   눈에 띄기 전에 서둘러 가시게.

멀어지는 생도를 보자 안도하고 뒤도는데

그 앞에 불쑥 나타나는 형체!! 놀라는 고귀인.

보면 궁녀인 막려다.

| 고귀인 | (아이 씨!!) 깜짝 놀랐잖아!! |

고귀인   (아이 씨!!) 깜짝 놀랐잖아!!

막려   송구하옵니다.

고귀인   알아보란 일은 어찌 됐어? 알아냈느냐?

막려   예. 말씀처럼 계성대군도 은밀한 곳에 드나들고 계셨습니다.

고귀인   (그럼 그렇지) 그래. 겉으론 아닌 척해도 중전마마께서 가만히 계실 분이
         아니지. 거벽을 붙였더냐? 몇 명이나 되더냐?

막려   그것까지는 아직 알아내지 못했사옵니다.

고귀인   허면 뭘 알아냈다는 거야?

막려   접선 장소와 대군께서 드나드시는 시간은 알아냈사옵니다.

고귀인   (씩 웃고) 그래~? 중전께서 특별히 붙이신 거벽은 대체 누굴꼬...

51   중궁전 침전 (낮)

서안 위엔 읽고 있었던 듯 펼쳐진 서책. 바닥에도 책더미가 보이는데

놀란 얼굴로 고개 드는 화령!!

그 앞엔 권의관 앉아 있고, 주변엔 신상궁과 오상궁 서 있다.

화령   (말도 안 돼) 병상일지조차 없다는 게 말이 되는가?!

권의관   당시 태인세자와 관련된 자료는...
          혈허궐로 인해 돌아가셨다는 한 줄의 기록뿐이었사옵니다.

화령   한 나라의 국본이 병사했어.
          그런데 남아 있는 기록이 그것뿐이라니 그게 말이 돼...?!

권의관   당시 내의원 화재로 모든 기록이 소실됐사옵니다.

화령   화재...? (뭔지 싶지만 어쩔 수 없는 상황임을 수긍하고) 그럼 그때를
          기억하는 사람이라도 있을 것이 아닌가?

권의관	안 그래도 알아보았으나 당시를 기억하는 사람은 아무도 없었사옵니다.
화령	(잘못 들었나 싶고) 그게 무슨 말인가..?
권의관	(자신도 난감하고) 내의원 화재로 숨진 사람들도 있었고 그 이후에 다들 떠나서 궁중에 남아 있는 사람은 없다 하옵니다.
화령	(말도 안 돼...) 그럼 조국영 어의를 빼곤... 단 한 명도 없다는 것이냐?
권의관	그러하옵니다.
화령	화재가 난 것도 이상한데, 궁에 남은 자들까지 없다니 말이 돼?!
권의관	마마... 소신이 알아본 바로는 그러하였사옵니다.
화령	(권의관을 잡는다고 될 일이 아니고) 그럼 그때 태인세자를 담당했던 어의는 누군가?
권의관	유상욱 영감이었사옵니다.
화령	(시선 틀어 오상궁 본다) 자넨 그 유상욱이란 어의를 수소문해봐.
권의관	(고개 든다) 그 어의를 찾긴 쉽지 않을 것이옵니다. 행방이 묘연하다 들었사옵니다.
화령	친인척과 지인들을 탐문하면 뭐라도 나오겠지. 서두르거라.
오상궁	예, 마마. (숙인 뒤 급히 나가면)
화령	(바로 신상궁을 비장하게 본다) 지금 당장 대군들 집합시켜.

52   궐내 누각 (낮)

누각 위에 서 있던 대군들이 겁먹은 얼굴로 뒤로 물러선다!
보면, 화령과 궁녀들이 저돌적으로 우르르 몰려와
어마어마한 양의 서책을 대군들 앞에 내려놓는다.
대군들 좀 위협을 느끼는데...!!
화령의 시선이 계성에게 잠시 머물다가 의연하게 대군들을 본다.

무안	어마마마. 이 어마~어마한 서책들은 다 뭡니까?
화령	(손 탁탁 털며) 너희들이 봐야 할 교재들이다.
대군들	(놀라는 기색) !!!
화령	놀랄 거 없어.

예상 문제 뽑아놨으니까. 그것들부터 중점으로 보거라.

성남을 비롯한 대군들이 교재를 들어 넘겨보는데
화령이 인덱스처럼 체크해둔 부분들이 보인다.

계성	예상 문제는 누가 선별한 것입니까?
화령	내가.
대군들	(다들 못 미더운 표정인데) 에~~~
화령	날 못 믿는 것이냐?!
계성	어마마마를 못 믿는 것이 아니라, 안 믿겨서 그렇습니다~
화령	성균관 생도들이 재차 검토한 것이니 우선 그것들부터 공부하고 있어.
	교재 밖에서 출제될 예상 문제는 다시 뽑아 넘길 것이다.
성남	(서책 하나 들고 삐딱하게 서서, 삐딱한 말투) 어마마마. 원래 이렇게
	학구열이 불타는 분이셨습니까?
화령	어~ 나 승부욕 되게 강해.
	내일모레다. 우리 중에 누가 되든 배동 한번 해보자~!!
대군들	(의외의 모습이고)
무안	아~ 어마마마. 아시다시피. (계성 가리키며) 얘만 잘하면 돼요. 얘만~!!
화령	(잠시 계성에게 시선 머문다)
신상궁	(그런 화령 본다)
화령	(시선 틀고. 마음 다잡는) 한 번만 말할 테니 잘 듣거라. 집중!!!
대군들	(일동 집중)
화령	이번 성적 평가는 다섯 등급으로 매겨질 거야.

ins 》통(通), 약(略), 조(粗), 불(不), 방외(方外)
강경패가 차례로 보인다. 그 위로-

화령	(E) (화면에 通부터 보이며) 통은 우수하게 통과했음을 뜻하고,
	(略) 약은 보통, (粗) 조는 부족... (不) 불은 낙제를 뜻한다.
	그리고 마지막으로 (方外) 방외는...
	'성적을 매길 수 없다!!'라는 뜻이다.

무안	헉!! 최악의 점수네요.
화령	(끄덕) 그렇지.
일영	평소엔 저희가 공부 못해도 크게 별말씀 없으시더니...
무안	(한탄) 왕자라고 좋은 게 하나도 없다니깐... 제약만 많지.
화령	원하는 대로 다 하며 살 순 없어.
	적어도 이 궁 안에서는...!!
대군들	(엄마가 평소와 다름을 느끼고)
계성	(본다. 진중한) 어마마마.
	저희들 중에서 꼭 배동이 나와야 하는 것입니까?
화령	(한참이고 계성을 보다가) 그래. 그럼 안 돼?
계성	(말문이 막히는데)
무안	(엄마!! 정신 차려) 어마마마~ 저희들 성적 뒤에서 놀아요.
	종학 말도라고요~ 말또~~

[자막] 말도(末徒): 꼴찌에 드는 무리

무안	그러니까~ 안 될 것에 기대하지 마시고
	저희가 응시하는 데 의의를 두시는 것이 정신건강에도 좋고...
화령	(버럭) 해보긴 해봤어?! 안 되면 그건 그때 생각해!!
	(경고) 그리고 말 나온 김에 얘기해두는데... 이제부턴 종학에서도
	수준 미달이 아니라 적어도 기본 이상의 성적은 내야 할 것이다.
성남	변하셨습니다. 왜 갑자기 그런 생각이 드신 것입니까?

화령, 표정이 달라진다. 그리고 대군들을 본다.

화령	난 지고 싶지 않아!
	일개 후궁들도 종학에서 교육에 열을 올리는데.
	어미의 체면도 있질 않느냐. 내가 중전인데...!!
	그리고 곧 혼인하면 다들 출궁할 것이 아니냐?
무안	(슬쩍 떠보는) 어마마마. 그 말씀은~
	말만 잘 듣는다면 혼인도 빨라질 거란 말씀으로 들립니다만~~

화령	그래. 그러니까 출궁하기 전에 효도 한 번만 해!
무안, 일영	(마주 보며 화색. 열의가 생기고)
화령	(세자가 아픈 것을 말할 수는 없지만, 절박한 감정 담아)
	이 궁중은 언제 무슨 일이 벌어질지 모르는 곳이야...
	그래서 너희들에게도 희망을 걸어보고 싶다.
	그러니 제발... 출궁하기 전까지는 딴짓들 좀 하지 마!!
대군들	(진심인가 싶고)

그 말에 한참을 지켜보고 있던 성남이 반응한다.
성남, 저벅저벅 걸어가 화령의 앞에 바짝 다가서는데.

성남	(낮게) 저 따위는 상관없지만... 다른 아이들에게 헛된 희망을 품어
	상처 입게 하진 않으셨으면 좋겠습니다. 현실을 받아들이며 그에 맞게
	사는 것이 더 의미 있을 수도 있습니다.
화령	(보는)
성남	(그대로 지나쳐 가려는데)
화령	(손목 잡아 세우는. 낮게) 헛된 희망을 주려는 게 아니야.
	지금은 알릴 수 없지만 너희들을 지키기 위한 내 선택이다...!
성남	(보는)
화령	(보는)

53   종학 마당 (오후)

차양이 쳐지고, 자리가 만들어지는 등 시험장이 분주하게 준비되는 모습.
일각에 서서 그 모습을 지켜보고 있는 화령.

신상궁	(다가와 은밀하게) 저하께서 막 주강(畫講: 낮에 하는 시강원 수업)을
	끝내셨사옵니다.
화령	일정 소화는 무리 없어 보였고?
신상궁	예, 마마. 그리 보이시진 않았사옵니다.

화령	(잠시 생각하고) 그럼 당분간 시강원은 살피지 말거라.
	중궁전 사람이 자주 눈에 띄는 건 좋을 게 없어.
신상궁	예, 마마.

그런데, 시험장을 지켜보는 화령의 표정엔 또 다른 근심이 가득하다.

화령	(깊은숨) 초시에서도 대군들이 잘해줘야 될 텐데...
	계성대군은 지금 어찌하고 있어?
신상궁	처소 쪽으로 가시는 것까진 확인했사옵니다.
화령	(놀라) 무슨 소리야..? 들어가는 것까지 확인했어야지!
신상궁	(숙이며) 송구하옵니다 마마.
화령	(아무래도 염려되고, 안 되겠다) 처소에 좀 가봐야겠다!

긴박히 이동하는 화령의 긴장된 얼굴!!

54   폐전각 앞 (오후)

걸어와 멈춰 서는 계성.
그런데 그곳은 폐전각 앞이고!!
잠시 주변을 경계하는 듯싶더니, 이내 폐전각으로 들어서는 모습.
뒤이어 모습을 드러내는 고귀인.
'여기인가...?' 하고 주변을 두리번거린다.

고귀인	(어이없는 코웃음) 중전마마도 참~ 그리 관심 없는 척 자중하라더니
	이런 덴 또 어떻게 찾으셨대~?

하더니 계성이 들어간 폐전각으로 뒤따라 들어가는 고귀인.

55   밀실 + 폐전각 교차 (오후)

밀실
틈으로 새어드는 빛.
공중으로 날리는 하얀 분가루.
입술엔 연지가 찍히고
붓에 숯가루를 묻혀 가늘게 눈썹을 그린다.
언뜻 보이는 실루엣은 여인인데...

폐전각
헉!!! 너무 놀라서 경악하듯 입을 가리는 고귀인.
뒷걸음질 치다가 쿵!!! 반닫이를 건드리고 마는데...

밀실
그 소리에 쓱 돌아보는 누군가의 옆모습.
여인으로 분한 계성이다...!!
몽환적 아우라를 풍기는 계성의 눈빛에서 엔딩!

3부

1   밀실 + 폐전각 교차 (오후)

    # 밀실
    틈으로 새어드는 빛.
    공중으로 날리는 하얀 분가루.
    입술엔 연지가 찍히고
    붓에 숯가루를 묻혀 가늘게 눈썹을 그린다.
    언뜻 보이는 실루엣은 여인인데...

    # 폐전각
    헉!!! 너무 놀라서 경악하듯 입을 가리는 고귀인.
    뒷걸음질 치다가 쿵!!! 반닫이를 건드리고 마는데...

    # 밀실
    그 소리에 쓱 돌아보는 누군가의 옆모습.
    여인으로 분한 계성이다...!!
    몽환적 아우라를 풍기는 계성의 눈빛.

2   폐전각 근방 (오후)

경악한 채로 얼빠져 도망치듯 뛰어나오는 고귀인.
벽을 짚더니 웩웩거리며 헛구역질까지 하는데
고귀인 잠시 속을 다스리는가 싶더니

고귀인   (가만... 이거 기회일 수도 있잖아?!)

건수를 잡은 듯 이내 씨-익 오르는 입꼬리.

3   계성대군 처소 복도 + 내부 (오후)

긴박하게 복도를 걸어오는 화령과 신상궁.
곧 처소 문을 확 열어젖히는데... 아무도 없다!

신상궁   (심각) 아무래도 그곳에 가신 것 같습니다.
화령   (미칠 것 같고)
신상궁   없애야 하옵니다!
          밀실을 이대로 남겨두는 것은, 위험도 살려두는 것이옵니다.
화령   아직은 안 돼... 적어도 계성대군에게는.
신상궁   하오나 마마. 그곳이 발각되면 대군마마는 살아남기 힘드시옵니다!
화령   (혼잣말처럼) 없애야지.. 없애야지...
신상궁   마마.....
화령   설사 발각된다 해도 계성대군이 현장에 없으면 문제 될 거 없어.
          그 여인의 것들이 어느 궁녀의 것이라 하면, 알 게 뭐야?
          (눈빛 바뀌며 비장한) 시험이 끝날 때까진 거기 발도 못 들이게 해야 돼.
          무조건...!!

4   대비전 침전 (오후)

고귀인   (상석을 향해) 정말이옵니다!!

이 두 눈으로 똑똑히 보았사옵니다.

고귀인, 호소력 짙은 눈빛으로 누군가를 보는데
그 사람은 대비고!!

고귀인	(형형한 눈빛으로 내심 반응을 기대하는데)
대비	(갑자기 어이없다는 듯 피식)
고귀인	(예상치 못한 반응에. 뭐지?!)
대비	궁에선 말입니다.
	본 것은 기억하지 말고, 들은 것은 잊어버리라 하였습니다.
	왜일까요...?
고귀인	(보면)
대비	그 말이 사실이면 그 아이가 죽겠지만...
	아니라면 고귀인이 목숨을 내놓아야 하니 드리는 말씀입니다.
고귀인	(움찔하고)
대비	(쓱 보는) 그래도 똑똑히 보셨다 말씀하시겠습니까?
고귀인	(살짝 한발 물러서며) 확실하진 않지만...
	제가 보기엔 분명. 계성대군이었습니다.
대비	(서안을 팍 내리치며) 확실하지도 않은 걸 지금!!! 저에게 믿으라
	말씀하시는 겁니까?
	또 누구에게 그런 유언비어를 퍼뜨리셨습니까?
고귀인	(매우 당황) 아닙니다. 아닙니다. 대비마마께만 말씀드린 것입니다.
대비	(상당히 실망한) 이런 분이 모친이시니...
	심소군이 제대로 된 인성교육이나 받았겠습니까?
고귀인	(!!! 자식에게 화살이 돌아가자 난감한데)
대비	(서늘히 본다) 분명 확실하지 않다 하셨습니다?
고귀인	예?
대비	확실하지 않은 건. 아닌 겁니다.
	그 비슷한 얘기가 궁중에 돌면...
	아마도 고귀인께서 가벼운 입을 놀리신 것이 되겠네요?
고귀인	(두렵고)

대비	책값을 하고 싶다 하셨습니다.
고귀인	예....
대비	제게 하실 보답은 심소군을 잘 교육하고 관리하는 것입니다. 알아들으셨으면, 나가보세요.

이런 걸 원한 게 아닌데 낭패다 싶은 표정으로 나가는 고귀인.
고개를 곧추세우는 대비.
속내를 읽을 수 없는 표정으로 바뀌는데, 섬뜩할 정도로 차갑다.

5 계성대군 처소 복도 + 내부 (해 질 녘)

복도를 걸어오는 계성.
곧 문을 열면 보료에 앉아 있는 화령이 보인다!

계성	(예상치 못한 듯 다소 놀란 표정인데)
화령	(최대한 감정 누르며) 어디 다녀오는 것이냐?
계성	예.. 산책을 다녀오는 길이었사옵니다.
화령	(잠시 보다가 일어선다) 나와 좀 더 걷자.
계성	(본다)

6 궁 연못가 (밤)

어느새 어두워졌고, 신상궁의 손엔 등불이 들려 있다.
연못가를 거니는 화령과 계성.

화령	당분간 산책은 삼가거라.
계성	(멈춰 선다. '왜지?' 하고 보면)
화령	(단호히) 시험이 끝날 때까진 공부에만 집중해. 종학도 빠지지 말고, 딴짓도 말고.

계성	(본다) 종학은 빠지지 않겠습니다. 공부도 소홀히 하지 않겠습니다.
	하지만 산책만큼은 허락해주십시오.
	제겐, 유일하게 숨통을 틔울 수 있는 일입니다.
화령	(하고픈 말은 많지만) 시험 끝날 때까지만이라도 제발 엄마 말 좀 들어!
계성	제가 배동이 돼야 하는 이유라도 있는 것입니까?
화령	너는 배동이 하기 싫은 것이냐?
계성	(대답하지 않는데)
화령	그런 게 아니라면 한번 해봐.
	내 지난번에도 말했잖느냐. 이 궁중은 언제 무슨 일이 벌어질지 모르는
	곳이라고. 그래서 너희들에게도 희망을 걸어보고 싶다고.
계성	(본다)
화령	(절실하게 보며) 환아... 이번 한 번만 엄마 말 좀 들어주면 안 돼...?
계성	(그런 엄마를 보는데)
화령	(시선 틀지 않고, 의지를 밝히는 표정)

7 종학 마당, 시험장 (낮)

종학 마당 전경.
과거시험장같이 꾸려진 시험장으로 하나둘 모여드는 왕자들.
그들 사이엔 건방진 표정의 의성군과
저벅저벅 시험장으로 걸어오는 성남도 보인다.

[자막] 배동 선발 1차 시험 [초시(初試)]

8 종학 입구 (낮)

코치가 선수를 케어 하듯
왕자들의 컨디션도 살피고, 어깨도 주물러주는 사모들의 모습.
그 극성 속에 홀로 딴 세상에 있듯 품위 있게 걸어가는 계성.

그런 계성을 소름 끼친다는 표정으로 쓱 보는 고귀인.

고귀인 (저런 정신병자 같은 자식이 점잖은 척 궁을 활보하다니) ...!!

딴 사람한테 티는 못 내지만 혐오스러운 고귀인인데...
그래도 지금은 내 자식 일이 우선이고, 곧 시선 틀며 심소군 본다.
자식 입에 환을 쏙 넣어주는 고귀인.

고귀인 꼭꼭 씹거라~
심소군 (환을 꼭꼭 씹으면)
고귀인 총명탕 재료에 사향, 비파엽.. 다른 약재들까지 추가해서 효능을
        높였다~ 단시간에 집중력을 확 끌어올릴 수 있대~ (씩 웃는)

그 사이를 지나는 무안과 일영.
무안은 극성 엄마들 보며 '어휴, 뭘 저렇게까지~' 고개 절레절레하지만
혹시나 싶어 두리번거리는 일영.

일영 어마마만 못 오셨겠지요~?
무안 조선에서 제일 바쁘시잖냐~
        (머리 두드리며) 늘 상기시켜. 울 엄만. 국모시다~~ 하고.

그러면서도 슬쩍 눈으론 엄마 찾아보는 무안.

9   궐내 거리 (낮)

그 엄마 화령, 심각한 얼굴로 매우 다급하게 어딘가로 이동하는데
그 모습을 어느 정도 거리에서 지켜보고 있는 대비.
'뭐지?!' 눈을 가늘게 뜨는데, 그 옆엔 황귀인도 서 있다.
대비가 사인 보내듯 남상궁을 슬쩍 보면,
행렬에서 은밀히 벗어나 화령의 뒤를 쫓는 남상궁.

대비   (시선은 멀어지는 화령에게) 준비는 되셨습니까?

황귀인   예, 마마.

대비   (쓱 보는) 꽤 자신 있어 보이십니다...

황귀인   (미소)

대비   (흡족하게 웃고 슬슬 걷기 시작하는) 짧은 시간, 급히 준비하시느라
         부족함은 없으셨는지 모르겠습니다.

황귀인   태어나 들어본 적 없사옵니다.

대비   ?

황귀인   부족하다는 말, 말입니다. (기품 있는 미소)

대비   황귀인을 보면 말입니다. 꼭 내 젊었을 때가 생각나요... (미소로 보다가)

고개 돌리면, 싹 웃음기 사라지고 묘한 표정이 되는 대비.

10   동궁전 침전 (낮)

문 발칵 열리며, 급히 뛰어드는 화령.
권의관도 있는데 심각한 표정이고. 누워 있는 세자는 창백하다.
살짝 울먹이는 동궁내관도 보인다.

화령   (다급히 세자부터 살피는) 어찌 된 일인가?

동궁내관   오침을 하신다기에 주무시는 줄만 알았사옵니다...
         (울먹) 금방 일어나실 줄 알았는데
         아무리 시간이 지나도 의식이 돌아오지 않습니다...

화령   세자! 눈 좀 떠보거라!!
         (권의관 본다) 갑자기 왜 이리 상태가 안 좋아진 것인가?
         내가 아침 문안 때도 살폈네. 그때까지 우리 세자 괜찮았어...!

권의관   (심각) 병증이 더욱 악화되고 있사옵니다.

화령   (믿을 수 없다는 듯 고개 젓는데)

그 모습을 보던 동궁내관, 더 이상 숨길 수 없다는 듯
품에서 병상일지를 꺼내 화령에게 건넨다.

화령   (받아 드는) 이게 뭔가?
동궁내관   저하께서 기록하신 지난 일 년간의 일지이옵니다.
화령   (!! 일지를 넘겨보기 시작한다) 이걸... 세자가 기록했단 말이냐?
동궁내관   예 마마... 쓰러지신 날짜, 의식을 잃은 시간
          그리고 치료법까지 꼼꼼히 작성해두셨사옵니다.
권의관   (병상일지의 존재를 몰랐던 표정)
동궁내관   예전엔 그나마도 보름에 한 번 정도 졸도하셨으나
          최근엔 삼사 일에 한 번입니다...
화령   (!!) 쓰러지는 빈도가 그리 잦아졌단 말인가?!
권의관   더 큰 문제는 의식이 없는 시간 또한 늘어나고 있다는 것이옵니다.
화령   (두려운 눈빛으로 세자를 다시 보는데)

          신상궁이 급히 들어선다!

신상궁   (보고하는) 마마.
          저하께서 위중하시다는 소문이 궁중에 돌고 있사옵니다.
화령   조강만 빠졌는데도 그리한단 말이냐?!
신상궁   처음 있는 일이니 그런 것 같사옵니다.
          동궁전을 기웃대는 자들까지 있사옵니다.
화령   (하... 미치겠고)
동궁내관   저하께서 주강 때까지 못 일어나시면 그땐 어찌하옵니까...?
권의관   마마. 지금처럼 일상생활을 하시는 것은 무리인 줄 아옵니다.
          치료에 전념해야 그나마도 호전될 것이옵니다.
화령   (그 말에 눈빛 변하고, 결단) 홍내관, 세자의 모든 일정을 중단하거라...!!
동궁내관   (우려) 하오나 마마. 당장의 일정은 소인이 어찌해보겠으나
          이후엔 어찌하옵니까? 전하와 시강관들껜 뭐라 말씀드려야...
화령   그건 내가 알아서 해.

11   시험장 (낮)

넓은 시험장에 모든 응시생들이 자리 잡았다. 약 12명 정도.
시험장으로 이호가 위용 있게 모습을 드러내자
모두 일제히 고개를 숙이며 이호를 맞이한다.
한쪽엔 시험관들도 참관. (황원형, 윤수광, 여기영, 민승윤, 우의정, 이판,
형조참판)
곧이어 시험을 시작하는 북소리가 둥둥둥둥 울려 퍼지면

이호   (쭉 둘러보며) 금일 치르는 초시에서는
상위 고득점자를 선발하여, 2차 시험 자격을 줄 것이다.
(무게감 있게) 오늘의 시제를 공개하라!

시험장 앞에 있는 시제가 주르륵. 주르륵 열린다.

무안   (헙!!) 시제가 두 개나 돼?
심소군   그런가 봅니다.

왕자들. 웅성웅성.

[산학 시제]

今有欲爲築堤, 上廣六尺四寸, 下廣一丈五尺六寸, 高六尺, 長三里七十四步.
若只云每人功積三百六十四尺, 除出土功四分之一. 問：用徒幾何？

* 출처: 『묵사집산법(默思集算法)』 중 예제 변환

민승윤   윗너비가 6자 4치, 아랫너비가 1길 5자 6치, 높이가 6자,
길이가 3리 74보인 둑을 쌓으려고 한다.

민승윤의 대사가 시작되면 화면에 그려지는 그림.

민승윤   1인당 1일 작업량이 364자의 3승인데
흙을 구덩이 밖으로 나르는 작업 비율인 사분지 일을 빼야 한다.
이 작업에 필요한 인부의 수는 몇 명인가?

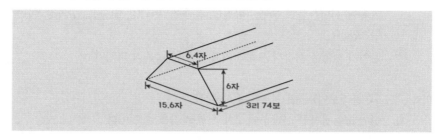

[자막] 사분지 일: 1/4

민승윤   (왕자들 보며) 답을 내되, 그 밑에 풀이 과정을 기재하셔야 합니다.
그 또한 평가 대상이 될 것입니다.

'만만치 않구나...' 하는 왕자들의 표정.

이호   평소 산학계몽, 상명산법 등
산술서를 익혔다면 어렵지 않게 풀 수 있을 것이다.

[자막] 산학계몽(算學啓蒙): 조선시대 수학의 정석
        상명산법(詳明算法): 수학 교과서

민승윤   다음은 제술(製述) 시제입니다.

[제술 시제]

有. 失. 身

민승윤   유(有). 실(失). 신(身)... 이 한자들을 조합해
　　　　　 인생의 정곡을 짚을 줄 아는 군자의 처신에 대해 논하라.

　　　　　 본격적인 시험이 시작됐구나 싶은 왕자들.
　　　　　 성남과 계성도 붓을 들어 작성을 시작하려는데...

이호　　 다음 시제도 공개하라!!
왕자들　 (술렁이고)
일영　　 시제가 또 있단 말입니까?
무안　　 (헛웃음. 붓 놓는다) 이건 뭐 과거시험보다 더하네~!!

12　　　시험장 근방 (낮)

　　　　　 마치 수능 당일 바깥 풍경처럼.
　　　　　 기도 올리고, 엿 몰래 붙이고 하는 사모들의 모습.
　　　　　 황귀인을 제외한 태소용, 고귀인, 옥숙원, 숙의, 소의, 문소원.
　　　　　 두 손 모아 간절히 기원하는 절절한 엄마들.

13　　　동궁전 침전 (낮)

　　　　　 그리고 간절한 또 한 명의 엄마 화령.
　　　　　 파리한 세자의 손을 꽉 붙잡고 있는데... 막 눈을 뜨는 세자.

화령　　 (감정 누르며, 최대한 평소처럼) 좀 어때? 어지러운 건 괜찮고?
세자　　 (걱정할까 웃어주며) 예... 괜찮습니다.
화령　　 그래~ 좀 더 쉬거라.
세자　　 아닙니다. 삼시강을 마무리하지 못했습니다. (일어나 앉는다)
화령　　 당분간 공식 석상에 나설 필요 없어.

치료에만 전념할 것이다.

세자   그럴 순 없사옵니다... (하더니 부축하라는 듯 동궁내관을 보면)

동궁내관이 어쩔 수 없이 부축해 세자를 일으킨다.
세자 밖으로 나가려는데, 막아서듯 문 앞에 서는 화령. 화내진 않고.

화령   무리하게 일상생활을 하다가 이리된 것을 잊었느냐?
세자   하오나 어마마마. 제겐 국본의 소임이 있사옵니다.
화령   (단호하게) 그것도 건강해야 할 수 있는 것이다!

화령이 병상일지를 들어 세자에게 보인다.

세자   (!! 동궁내관을 쳐다본다)
동궁내관 (자신은 어쩔 수 없었다는 듯 숙이며 시선 튼다)
세자   (호소력 짙게) 어마마마. 제가 시강원에 모습을 보이지 않으면
        궁중이 혼란스러워질 것이옵니다.
화령   그럼 나가서 갑자기 쓰러지지 않을 자신 있느냐?
        널 통제할 자신 있어?
세자   (대답하지 못한다. 본인도 괴롭고)
화령   (부탁에 가까운 말투로) 그러니 치료부터 하고 정상생활을 하자는 것이다.
        단 보름만이라도 제발... 치료에만 전념해보자는 것이야.
세자   (화령을 본다)
화령   (간절히 보면)
세자   (뜻을 받아들이며 결국 돌아선다)

세자, 자리로 돌아가 자신의 몸을 권의관에게 맡기는데
화령, 안쓰럽지만 어쩔 수 없고.
그때 문 열리며 들어서는 신상궁. "마마..."

14   동궁전 복도 (낮)

화령에게 보고하고 있는 신상궁.

신상궁   막 시험이 시작됐습니다.

화령   (진중한) 과목은?

신상궁   산학과 제술 시험이온데... 기존의 시제와는 좀 다른 형식이라
        왕자들도 당황하는 눈치라 하옵니다.

화령   (역시 쉽지 않구나...)

신상궁   그리고, 전하께서 굉장히 엉뚱한 문제도 하나 내셨습니다.

화령   엉뚱한 문제?

15   시험장 (낮)

골머리를 싸매거나, 머리를 쥐어뜯는 왕자들.

11씬 이어지며-

이호   마지막 시제를 공개하라!

도형 시제가 주르륵 열린다.

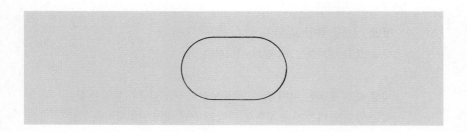

웬 뚱딴지 같은 도형에 당황하는 왕자들.
한쪽에 참관한 시험관들도 술렁인다.

이호	선을 하나 그어서.
	두 개의 반달을 만들어보거라.
왕자들	(당황) 반달? 두 개?
이호	(그 모습에 웃는) 너무 어렵게 생각할 필요 없다.
	서책에 있는 것만 보고, 시험에 나오는 것만 공부하다 보니
	정작 살아가는 이치에 대해서는 소홀한 것 같아 내본 문제다.
	틀을 깨면, 거기에 답은 있을 것이다.

선을 이리저리 그어보지만 반달은 영 나오지 않는 왕자들.
그렸다가 구겨버리기를 반복하는데...

보검군, 한참 동안 도형을 바라보더니 종이를 접기 시작한다.

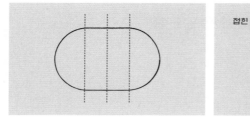 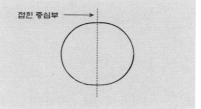

점선대로 접어. 보름달 형태로 만들더니.
접힌 중심부에 붓으로 선을 찍 긋는 보검군.

성남, 시제를 한참 보더니...
붓을 들고 뭔가를 그려 넣기 시작한다.

계성, 도형 문제는 이미 풀어 옆에 두었고 (*보검군과 동일한 답)
제술 답안도 다부진 표정으로 막힘없이 써 내려가며 활약하는데

16   밀실 (낮)

나뭇가지로 계성의 물건들을 툭툭 건드리는 누군가.
밀실에 서 있는... 대비다!!
서늘한 눈빛으로 나뭇가지를 버리더니
불결한 걸 씻어내듯 천으로 손까지 쓱 닦아낸다.

17   시험장, 제출대 앞 (낮)

        - 둥둥둥둥. 북 치는 소리에
        하나둘 답안지를 제출하는 왕자들. 계성도 보이고.
        유독 자신 있는 모습으로 답안지를 제출하는 보검군을 제외하곤
        정말 쉽지 않았다 입을 모으는 모습들.
        - 성남도 답안지를 제출하고 돌아서는데, 딱 마주치는 의성군.
        주변 의식하더니 살짝 목례하는 의성군.
        시크하게 잠시 보더니, 그대로 지나쳐버리는 성남.

의성군   (획 돌아보며 아주 낮게. 이빨 꽉) 새끼 저거...

        한편, 맨 뒷줄에 서 있는 무안과 심소군.

무안   잘 봤냐~? 아까 보니까 진짜 열심히 풀더라.
심소군   (소심히 웃고)
무안   (머리 막 손으로 비비는) 수고했다.
        꼭 상위권에 들어서 복시까지 치러~
심소군   정말 그랬으면 좋겠습니다...
        기대가 크시니... 어머니께 실망을 안겨드리고 싶진 않습니다.

18   종학 일각 (오후)

황원형과 윤수광이 은밀하게 대화한다.

황원형   (놀라) 저하께서 주강까지 불참하셨단 말입니까?!
윤수광   예. 아무래도 고뿔에 걸린 게 아닌가 싶습니다.
황원형   (눈 가늘게 뜨는) 아닙니다...
         고뿔 정도가 아니라 훨씬 심각한 일이 생긴 거겠지요.
윤수광   (무슨 소린가 싶어 보면)
황원형   세자저하가 어떤 분이십니까?!
         고열로 쓰러진 날에도 시강원 수업만은 빠지지 않던 분이십니다.
윤수광   (그러고 보니) 예... 의관을 대동해서라도 삼시강은 필히 참석하시는
         분이지요...
황원형   (되짚듯) 한데, 조강과 주강에 아무 말도 없이 안 오셨다...?
윤수광   (분명 무슨 일이 있구나 확신하는 표정!!)
황원형   (의미심장) 어쩌면 이번 선발전은...
         단순한 배동 선발로 끝나지 않을 수도 있겠습니다.

19   채점장 (오후)

      왕자들의 답안지가 놓여 있고, 분주히 점수를 매기는 시험관들.
      윤수광, 도형 문제 답안지를 보고 있는데
      탐탁지 않은지 고개를 내저으며 옆으로 휙휙 넘겨버린다.
      대부분 선을 긋긴 했지만, 완성하지 못한 반달 형태.

윤수광   문제가 요상하니, 답안들도 하나같이...!! (탄식)

      성남의 답안 보더니 어이없는 표정.

윤수광   (답안지 흔들며) 이게 뭐야 이게!!!

      그 모습에 윤수광 주위로 모여드는 시험관들.

여기영	(답안 본 뒤) 답이 맞질 않습니까?
황원형	뭐가 맞습니까 이게?!

ins 》15씬. 시험장 (낮)

시제를 한참 보더니, 붓을 드는 성남.
그런데 갑자기 붓을 옆으로 눕힌다.
그러더니 굵은 선으로 찍 긋는데
붓을 떼어내면, 두 개의 반달 형태 만들어졌다.

다시, 채점장 》

여기영	선을 하나 그어서 두 개의 반달을 만들어냈으니 시제와 부합합니다.
민승윤	예, 굵은 선도 하나의 선이니 맞다 생각됩니다.
	전하의 말씀처럼 틀을 깬 것이 아닙니까?
황원형	(저 둘도 맘에 안 들고!)

그 옆에 있는 보검군과 계성의 답안을 드는 황원형.

황원형	차라리 이것들이 답에 가깝습니다.
여기영	(들어보며) 예, 접어서 보름달 형태를 만든 뒤 둘로 나눈 것이니...
	이것들 또한 훌륭합니다.
이호	둘 다 맞습니다.

시험관들 돌아보면 이호가 들어선다.

이호   그 문제의 정해진 답은 처음부터 없었습니다.
       만들어낼 수 있다면 그게 다 답이지요. 어디 보자....

       다가와 성남의 답안과 보검군의 답안지를 들어 보는 이호.

이호   (보검군 답안 보며) 흠... 내가 고심해 얻어낸 답도 이쪽인데...
       (성남 답안 보며 혼잣말) 이런 생각은 해보질 못했구나. 훗 재밌네.
황원형   (여전히 못마땅하지만, 감정 숨기고)

20   종학 마당 (오후)

       결과를 보기 위해 종학 앞에 몰려든 왕자들과 사모들.
       내관과 몇몇 상궁들도 보이는데, 그중엔 신상궁도 있다.
       후궁들도 파벌끼리 모여 있는 모습.

태소용   (떨리고) 아~ 결과는 언제 나온답니까?
옥숙원   (입 삐죽) 어차피 결과야 뻔하지 않겠습니까~~
태소용   아니, 그게 무슨 소리십니까~?
옥숙원   (갑자기 쓱!! 붙더니 낮게) 다들 몰래 과외 시켰다잖아요~!
태소용   (화들짝!! 낮게) 과외를 시켰다고~?!
옥숙원   예-에. 뿐입니까? 거벽까지 됐대요~!!
태소용   (몰랐다... 엄청 충격!!)
옥숙원   종학관에, 성균관 생도에... 심지어 세자 시강관까지 싹~ 다 빼돌려서
       선생으로 붙였대요~!
태소용   어머~!! 누가, 누가, 누가?
옥숙원   누구긴요.
       (간택후궁 라인 보는) 다 저 간택후궁들이지!!
태소용   (충격. 내가 너무 안일했나 싶은데)
옥숙원   근데 사실 이거 반칙 아닙니까? 아니, 출발점부터가 다른 거잖아요~!

우리처럼 뒷배 없는 엄마들은 어쩌라구...

태소용   (밀려드는 불안감. 혼잣말) 이러다 우리 보검군 떨어지는 거 아니야~?!
(너무 분하다! 간택후궁 라인 확 쩨리는데!!)

그 따가운 시선 받는 간택후궁 라인.
그런데 여기도 나름 심각하긴 마찬가지...

숙의   (추측으로 분위기 잡는) 아무래도 금일 시험은...
인원수 줄이는 게 목적인 것 같습니다~
소의   (헙!!) 몇 명이나 떨어뜨릴까요?
고귀인   상위권에 든 거자들만 복시 참가 자격이
주어지니 나머진 다 떨어질 겁니다.
소의   어우~ 뭐가 그렇게 살벌해.
고귀인   그만큼 시강원 입성이 힘들다는 것 아니겠습니까...?
(입술까지 바짝 마르는) 우리 심소군은 꼭 상위권에 들어야 될 텐데...

사모들의 두 손 꼭 모으는 간절함.

21   동궁전 침전 (오후)

이쪽은 생명이 달린 절박함.
치료받고 있는 세자를 지켜보는 화령.

22   채점장 (오후)

누군가의 제술 답안지를 신중히 살피고 있는 황원형.
손으로 한자들을 확인하듯 쭉 이어가는데...

ins 》황원형 사랑채 방 안 (밤) (회상)

윤수광, 우의정, 이판이 바른 자세로 앉아 있고
상석엔 곰방대를 든 채 편한 자세로 앉아 있는 황원형 보인다.
그중 이판의 앞에는 붓과 화선지가 놓여 있다.

황원형	한 가지 공... 도울 조...
이판	(바로 받아 적는다. 共, 助)
황원형	'공조'의 뜻을 모르실 분은 없을 겝니다. (쓱 그들을 보면)
모두	(충성심 있게 본다)
황원형	표식입니다. 의성군의 답안이라는 약속된 글자지요.

그들을 보는 여유 있는 황원형의 모습에서.

현재 》한자를 확인하듯 쭉 이어지던 손이 共에서 멈춘다.
쭉 손가락이 이동하다가 助자도 확인한다.
황원형 확신한다. 의성군 답안이구나...!!
점수는 '通'과 '大通'이 대부분. 황원형 고개 들어 보면
우의정, 윤수광, 이판 등이 눈으로 사인을 보낸다. 황원형 흡족한데
간혹 섞여 있는 '略'의 점수가 거슬린다. 일그러지는 황원형!

황원형	(略 짚으며, E) 보통이라니...! 누가 감히 이딴 점수를!!

황원형, 고개 들어 여기영과 민승윤 등을 매섭게 보더니
과감히 붉은색으로 **대통(大通)**이란 점수를 적어 넣는다.
그때, 산학 답안을 탁자 위로 내려놓는 여기영.

황원형	(살짝 까칠) 뭡니까?
여기영	산학 문제의 답이니, 채점하는 데 참고하시면 되겠습니다.

ins 》一千四百十二　九十一之七十六人

[자막] 1,412 $\frac{76}{91}$ 명

황원형이 산학 답안을 들어 살피기 시작하는데
뭔가 아주 묘한 표정.
이내 '方外'를 휙 갈겨쓰더니, 윤수광에게 넘겨버리는 황원형!!
윤수광, 답안지 받아 잠시 읽더니 심상치 않은 표정.
바로 황원형을 본다!! 서로 눈으로 사인을 주고받는 두 사람.

윤수광 (곧 혀를 차며) 이게 무슨 산학 문제 답이라고...!
심지어 보십시오. 감히 출제위원들을 가르치려 들고 있습니다.

황원형 (슬쩍 거드는) 생각나는 대로 마구잡이로 적으면 답이 되는 줄 알았나
봅니다. 방외나 주고 넘기십시오.

[자막] 방외(方外): 성적을 매길 수 없다

윤수광, '方外' 적더니 옆으로 넘겨버린다.
그 답안지를 들어 보는 민승윤.

민승윤 (속으로 읽는, E) 시제에 제시된 작업량으로 답을 낸다면
둑을 쌓는 데 필요한 인부의 수는 1,413명에 가깝지만...

23   몽타주

시험장
산술 답을 작성하고 있는 성남의 모습.

성남 (E) 제시된 기준만으로
실제 필요한 인원을 측정하는 것에는 오류가 있다.

둑 쌓는 장소

둑을 쌓던 인부들, 금세 날이 어두워지자 일손을 놓고 떠나는 모습.

성남 (E) 계절에 따른 변수가 있기 때문이다.
낮 시간이 짧은 봄철의 경우,
작업량이 여름보다 적을 수밖에 없고.

논두렁
- 추수철 분주하게 수확하는 농민들의 모습.
관원의 부름에 일손을 놓고 이동하는 농민들. 이미 지친 상태.
발길이 떨어지지 않는지, 논밭을 돌아보며 안타까워하는 표정인데.

성남 (E) 가을의 경우엔 작업량의 변동이 더욱 극심한데
이는 인부의 대부분이 농민들이기 때문이다.
그러므로 추수철에는 농민들의 동원을 가급적 피해야 하며,
작업시간 또한 농작물 수확에 영향을 주지 않게 규정해야 할 것이다.

24 채점장 (오후)

민승윤 (E) 이렇듯 토목공사에 필요한 인부의 수를 산출할 때는
계절에 따른 변수와 백성이 처한 상황을 고려해야 한다.

다 읽고 나서 내려놓는 민승윤의 표정이 좀 남다르다.

25 종학 마당 (오후)

벽면에 초시 결과를 붙이는 관원.
합격자 명단은 義聖君(의성군), 寶茿君(보검군),
두 명의 이름까지만 보이고.
한편, 우르르 몰려드는 사람들.

옥숙원	역시 보검군은 명단에 있네요~
태소용	(좋아서 웃음 새어 나오고)
옥숙원	(부럽고 질투 나고) 태소용께서는 정말 좋으시겠습니다~
태소용	(명단에서 뭔가 발견) 어머~!!!!
	(눈 비비고 다시 보는) 근데 저 이름은 왜 저기 써 있답니까~?

놀란 건 무안과 일영도 마찬가지.

무안	헙!! 이게 뭔 일이냐~?!
일영	(얼떨떨) 그러게요.
무안	(보고도 안 믿겨) 와우~ 이런 이변이 있나~~

한편, 강한 실망감으로 심소군을 보는 고귀인!!

심소군	(주눅) 죄송합니다 어머니... 최선은 다하였는데...
고귀인	(낮게) 결과를 보고도 그런 말이 나와?
	종학 깔쩨도 오르고 (아주 낮게, 이빨 꼭) 저 정신병자 같은!! 계성대군도 올랐는데, 어디서 최선을 운운하고 앉았어?!
고귀인	(싸늘하게 보더니 가버리는)
심소군	(진짜 열심히 했는데... 본인도 속상. 움츠러드는 어깨)

신상궁도 결과 확인하더니, 매우 놀란 얼굴로 빠르게 이동하는데
비로소 명단이 완전히 보이면.
 義聖君, 寶芡君, 啓晟大君, 成枏大君.

[자막] 의성군, 보검군, 계성대군, 성남대군

26   채점장 (오후)

시험관들 앉아 있고, 그 중심에 무게감 있게 앉아 있는 이호.

이호   초시에 합격한 왕자들을 대상으로
              복시는 나흘 뒤에 치르겠소.
시험관들 예, 전하...

[자막] 복시(覆試): 응시자들이 거쳐야 할 2단계 시험

그때, 채점장으로 들어서는 화령과 동궁내관.

이호   (의외의 등장에 놀란) 중전... 여기까진 어인 일이십니까?
황원형   (동궁내관에게 시선 가고)
화령   드릴 말씀이 있어 심사가 끝나길 기다렸사옵니다.
이호   (심상치 않고) 무슨 일인데 그러십니까?
화령   세자의 일입니다.
이호   !!

'세자의 일'이라는 말에 시험관들의 표정이 바뀐다.
황원형, 윤수광은 서로 바라보는데.

이호   그럼 주위를 물리겠습니다.
화령   아니옵니다 전하.
이호   (보면!)
화령   여기 계신 대신들은 대부분 시강관을 겸임하고 계시니
              세자의 향후 일정을 함께 논의하는 것도 좋을 듯합니다.
이호   (눈빛 달라지고) 향후 일정이라 하셨습니까?
화령   예, 정확히 말하면 세자의 온천행을 허락받고자 왔습니다.
이호   (굳는) 세자의 피부병이 안 좋아지기라도 한 것입니까?

시험관들 "피부병?!" 하며 반응한다.

화령	(차분히) 아닙니다. 안 좋아지는 것을 예방하기 위함이옵니다.
황원형	(표정 묘해지고)
화령	의관에게 세자의 온천행을 건의받았사온데...
	배동 선발로 업무가 늘어나 대신들도 바쁘니, 세자가 피접을
	가야 한다면 지금이 적기일 듯싶어 말씀드리는 것이옵니다.
이호	(잠시 고민에 빠지는데)
여기영	전하. 배동 선발의 시험 출제와 심사까지 맡고 있으니
	아무래도 저하의 삼시강에 영향이 있는 것은 사실이옵니다.
황원형	(반격!!) 세자저하께서는 나라의 국본이시니
	학문 정진이 무엇보다 우선시되어야 합니다.
화령	(보는데)
황원형	하오나...
	(말에 가시 있는) 국본의 건강보다 더 중한 것이 어디 있겠사옵니까?

이호를 보는 황원형, 그런 황원형을 보는 화령.

27 동궁전 근방 (오후)

궁녀들의 시선이 한곳으로 향한다.
그곳엔 앞장선 화령. 세자가 그 뒤를 따르고 있는데
일산(日傘)으로 가려져 잘 보이지 않지만
복식도 모습도 세자가 맞는 것 같다!!
궁녀1도 고개 들이밀며 같이 보는데.
사인교에 오르는 세자. 곧 가마가 들리며 이동하는 가마 일행.
수군대는 궁녀들.

궁녀2	(궁녀1 툭 치며) 거봐 내가 뭐랬어~!
궁녀1	내가 뭐...
궁녀2	아깐 저하께 뭔 일 있는 것 같다며?
궁녀1	(억울하고) 아니 뭐 나만 그랬나?!

그리고 저리 피접까지 가시는데 뭘 일 있는 거 맞지 안 그래?

궁녀2 피부병이시라잖아~

아, 저하께서 피부 때문에 고생하신 게 어디 하루 이틀이야?

궁녀3 아~~ 나도 온양 한번 가보고 싶다. 온천에 몸 한번 담가보게.

그 궁녀들을 살짝 의식하는 화령.
멀어지는 가마.

28   궐 출입문 앞 (오후)

궁 밖으로 나가는 세자의 가마 행렬.
동궁내관이 가마를 호위하며 걸어가는데...

29   그 시각, 중궁전 침전 (오후)

빙 둘러싸고 있던 궁인들의 몸이 옆으로 비켜서면
이윽고 드러나는 세자의 모습!!
오상궁에게 부축받고 서 있는 파리한 세자.
권의관과 중궁전 궁인들, 그리고 신상궁이 세자를 맞이한다.

신상궁 (예를 갖추며) 금일부터는 중궁전에서 뫼시겠사옵니다.

30   황귀인 처소 (오후)

황원형과 황귀인이 독대한다.

황원형 세자가 피접을 갔습니다.
대비 말로는 세자의 병이 심상치 않은 느낌이었다면서요?

황귀인	예, 분명 위중함이 느껴졌습니다.
황원형	(날카로워지며) 그런데 중전은 분명... 피부병이라고 했단 말입니다.
	(하며 황귀인을 쓱 보면)
황귀인	(알아듣고) 중궁전에 수상한 움직임은 없는지 예의 주시하겠습니다.
황원형	(끄덕)
황귀인	한데, 초시 결과는 어찌 된 것입니까?
	만반의 준비를 했는데 의성군이 일등을 놓치다니요?!
황원형	(굳고) 갑자기 주상이 없던 문제를 내버렸습니다.
	그런 엉뚱한 문제가 나올지 예상이나 했겠습니까?
황귀인	(눈빛 냉정해지며) 오히려 잘됐습니다.
황원형	(본다)
황귀인	(본다) 이번에 알지 않았습니까?
	전하께서 언제든 돌발행동을 하실 수 있다는 걸 말입니다.
	알게 되었으니, 더 대비해서 복시를 준비해야지요.
황원형	(분을 겨우 삭이며) 예... 어차피 초시 등수는 의미 없습니다.
	진짜는 복시지요!! (다짐하듯) 이번엔 주상이 어떻게 나오든 만반의
	태세를 갖출 겁니다.
황귀인	(욕망 어린 눈빛) 그래야지요... 만일의 경우 배동이 되는 왕자가
	세자 자리를 차지할 수도 있을 테니까요.

31   궁궐 어딘가 (밤)

어딘가로 걸어가는 화령과 신상궁.
신상궁 손엔 등불이 들려 있다.
화령은 깊은 생각에 빠진 듯 아무 말 없이 걷는데.

신상궁	저하께서 피접을 가셨다는 소식에
	병에 대한 소문은 수그러들었습니다.
화령	(여전한 긴장감) 소문을 덮을 수 있는 건 소문뿐이다.
	하지만, 잠시 시간을 벌었을 뿐이야.

신상궁	(보면)
화령	그 전에 세자가 쾌차하여 반드시 강건한 모습으로 돌아와야 해.

32   폐전각 앞 (밤)

어느새 그들의 눈앞에, 폐전각의 모습이 드러난다.
한참 동안 그곳을 바라보는 화령.

화령	계성대군의 진짜 모습을... 마주해야겠구나...

신상궁의 손에 들린 등불을 받아 들고 폐전각으로 다가서는 화령.
신상궁은 따르지 않는다.

33   폐전각 내부 + 밀실 (밤)

– 등불이 어두운 내부를 비추며 화령이 들어선다.
그리고 반닫이 앞에 앉는 화령.
온 힘을 다해 쭉 밀더니, 그 뒤에 나타나는 구멍을 통해 밀실로 들어가는데...
– 호롱에 불을 붙이면 비로소 모습을 드러내는 밀실 내부.
아늑한 느낌이 드는 좁은 공간이다.
그곳엔 여인의 옷들이 걸려 있고, 경대와 머리꾸미개 등 물건들도 놓여 있다.
등불을 들어 그것들을 더 자세히 살펴보는 화령.
소중히 진열하고 관리한 느낌.
걸려 있는 옷도 스치듯 만져본다. 곱고 단아한 저고리에 치마들.
경대 위에 놓인 머리 장식 보라색 연봉뒤꽂이도 들어 본다.
뒤꽂이를 손에 쥔 화령의 미묘한 떨림.

34   궁궐 전경 (낮)

35 대비전 앞 (낮)

화창한 날씨. 신나서 총총총 걸어오는 태소용.
그런데 막상 도착하니 떨려서 입술이 마른다.
옷매무새도 다시 한번 살피는데
그때 갑자기 모습을 드러내는 남상궁. 극진히 맞는다.

남상궁	오셨사옵니까? 기다리고 계시옵니다. 드시지요.
태소용	(총총총 따라가며) 어우~ 승은받으러 갈 때보다 더 떨려...

36 대비전 침전 (낮)

마주 앉아 있는 대비와 태소용. 다과상이 차려져 있는데
태소용은 대비가 처소로 불러준 게 처음이라 영광이기도 하면서 얼떨떨하고
대비는 이 여자를 갖고 노는 느낌으로.

대비	대외비긴 하지만, 보검군이 초시에서 일등을 했다는군요.
	(툭 던져놓고 반응 보는데)
태소용	(폭발적 반응 흥분 + 주책) 어머~~ 정말이옵니까?!!
	저는 복시에 오른 것만으로도~ 너무 좋았는데~~
	일등이라니요. 어머~~ 일등!! (막 박수도 치다가 두 손 모으며)
대비	(피식)
태소용	어멋!! (순간 다소곳해지며) 제가... 대비마마 앞에서 너무 주책을
	떨었사옵니다~
대비	자식 일에 일희일비하지 않을 어미가 어디 있겠습니까.
	(부추기듯 슬쩍) 또 압니까...? 이러다가 보검군이 배동이 될지...
태소용	(감정 롤러코스터 타며) 어우~ 저야~ 사실 하면 좋지요~
	근데... 우리 보검군은... 중전인 엄마가 있는 것도 아니구~~

의성군처럼 잘나가는 외가가 있는 것도 아니구~

(시무룩) 소위 말해서 뒷배가 없잖아요...

간택후궁들처럼 과외를 시켜주지도 못했는데...

실력만으론 택도 없다는 거. 저도 그 정도는 압니다~ 마마.

대비 (쓱 보는) 그럼 제가 보검군에게 힘을 좀 실어주면

배동을 시킬 자신은 있으신 겝니까?

태소용 (그 말에 눈 동그래지는. 아직은 긴가민가한 표정인데)

대비 제겐 모친에 따라 달라질 게 없습니다. 다 귀한 손자니까요.

그래서 이 할미가 우리 손자 뒷배가 되어줄까 하는데... (어때?)

태소용 (감동 먹고 다시 흥분, 호들갑) 어머~!!

대비마마께서 힘만 실어주신다면야~ 못 할 것도 없긴 하지요~

사실~ 제 출신이 좀 그래서 그렇지~ 계급장 떼고 붙으면!!

우리 보검군이 복시에 오른 왕자들 중에 젤 배동감이긴 하지요~~

대비 (본다) 지난번 제게 하신 약속만 잊지 않고 계신다면,

자격을 갖춘 손자에게 그만한 자리를 만들어드릴까 하는데...

어떻습니까?

태소용 (약속...? 잠시 떠올리는)

F.B ≫ 1부 50씬. 대비전 침전 (오후) 이어지는-

태소용 (!!! 다가와 비책을 품는) 제게~ 제게 이것을 주시는 것입니까~?

대비 그럴까 하는데...

태소용은 제게 무엇을 주실 수 있겠습니까?

태소용 어떤 부탁을 제게 하시든 무조건 들어드릴 것이옵니다~!!

대비 설사 목숨을 내놓으라고 해도요...?

태소용 (순간 놀라지만. 비책을 더욱 꼭 품으며, *끄덕끄덕*)

현재 ≫ 태소용 기억났다!!

태소용 (깊게 숙이며) 그 약속을 잊을 리 있겠사옵니까~

마마께서 이리 챙겨주시는데~ 성심을 다할 것이옵니다~~

대비   (미소)

37   중궁전 곁방 (낮)

         마주 앉아 있는 또 다른 두 여자. 화령과 신상궁.
         고심하듯 골머리를 앓는 화령.

화령   (생각하고 생각하는) 계성대군을... 당분간 거기 못 가게 할 방법이
         뭐가 있지? 하... 어찌 발목을 잡아둔다...
신상궁   (같이 고민해보지만 답이 없고)
화령   (서안 팍 내리치며) 아 그래! 그러면 되겠구나~!!
신상궁   ???

38   계성대군 처소 (낮)

         좀 거리 둔 채 마주 앉은 두 왕자. 성남과 계성.
         각자의 서안에서 서책 보는데 상당히 어색한 기류.

성남   (어색함 못 참고 고개 드는) 어마마마는 대체 왜 이러시는 거냐?!
         아니!! 혼자 있어도 안 하는데, 붙여 놓는다고 우리가 더 하겠냐고?
계성   (무언의 동조)
성남   하~ 정말 최근에 너무 이상해지셨어... (고개 절레절레 흔드는데)
계성   (뭔가 궁금한 얼굴로 성남을 본다)
성남   (의식하고) 학문에 관한 질문이면 사절한다~!!
계성   형님, 저희들 몰래 공부 좀 하셨습니까~?
성남   공부는 무슨. 그냥 얼결에 된 거지.
         (에라~ 모르겠다. 바닥에 두 팔 베고 드러눕더니 다리 꼬고 까딱거리며)
         먹을 건 좀 없냐?

39   중궁전 곁방 (오후)

화령의 굳은 얼굴, 믿을 수 없다는 표정!

화령	죽었다고?!
신상궁	예, 유상욱 어의는 오래전 사망했다 하옵니다.
화령	대체 왜? 무슨 일로?
신상궁	궁을 떠난 뒤에, 한동안 강원도에 머물며 역병 치료에 전념했다 합니다...
화령	그런데?
신상궁	그런데, 얼마 지나지 않아 거처에 불이 나 아들과 함께 목숨을 잃었다 들었습니다.
화령	(본다!!) 또 화재라구? 죽은 사람이 유상욱 어의 맞아?
신상궁	예. 유상욱 어의의 불에 탄 시신이 소지품과 함께 발견되었다 하옵니다.
화령	(급기야 헛웃음) 허... 그럼 그때의 일을 알고 있는 사람이 한 명도 남아 있질 않다는 거잖아? 기록도 사람도 화재로 다 사라져버렸어...

'정말 이게 다 우연이라고...?' 화령, 혼란스러운 듯 머리를 짚는데
그 모습을 보는 신상궁의 알 수 없는 눈빛.

40   대비전 침전 (오후)

무게감 있게 앉아 있는 대비.

대비	중전께서... 주상까지 속이며 세자를 중궁전에 숨기셨다?!

그 앞에 서 있는 남상궁과 신상궁!!

신상궁   예... 그러하옵니다.

대비   세자가 이제는 거동조차 어려운 것이냐?

신상궁   (잠시 보는) 아니옵니다.
       일정을 잠시 중단하고, 치료에 전념하면
       적어도 보름이면 완쾌될 수 있다 하여 피접으로 위장한 것입니다.

대비   (신상궁을 보는 눈에 의심의 감정도 섞였는데) 세자가...
       회복되고 있단 말이냐?

신상궁   (대답하려는 듯 고개 드는데)

41   그 시각, 중궁전 침전 (오후)

여전히 창백하고 입술 또한 파리한 세자.
탕약을 마시는 그 아이를 쓰리게 바라보는 화령의 모습.

42   대비전 침전 (오후)

신상궁   예, 마마. 회복되고 있사옵니다.

대비   (그 말에 서늘히 부르는) 신상궁...

신상궁   (묘한 긴장감으로 보는데)

대비   네 보기엔... 대군들 중에 누가 제일 총명하다 생각하느냐?

신상궁   (세자에 관한 질문이 아니자 내심 안도하며) 아무래도...
       계성대군 아니겠사옵니까?

대비   그래... 유년 시절부터 쭉 지켜봐왔을 텐데
       (보는) 자네 보기엔 그 아이가 어때?

신상궁   (생각하는) 가장 점잖으시고 성품 또한 바르시옵니다.

대비   신상궁...

신상궁   (보면)

대비   (떠보듯) 그 아이에 대한 흉측한 소문이 궁내에 돌고 있다는데
       혹시 들어본 적이 없느냐?

신상궁   예?! 흉측한 소문이요? (금시초문이라는 듯한 표정으로 본다)
대비   (뚫어지듯 보다가) ...됐다. 이만 나가보거라.

        깊이 숙인 뒤 밖으로 나가는 신상궁.
        둘만 남은 대비와 남상궁.

남상궁   세자저하께서 중궁전에 계신 것을 발설하는 걸 보면
        신상궁이 거짓을 고하진 않은 것 같사옵니다.
대비   (같은 생각이고)
남상궁   아무래도 중궁전에선 계성대군의 일을 모르는 것 같사온데...
        이제 어찌할까요?
대비   (의미심장) 자식의 일이니 아셔야겠지.
        중전도. 주상께서도...
남상궁   !!!

43   대비전 앞 (오후)

        대비전을 빠져나와 어딘가로 향하는 남상궁,
        그녀가 사라지면 일각에서 모습을 드러내는 신상궁.

        F.B 》42씬. 대비전 침전

대비   그 아이에 대한 흉측한 소문이 궁내에 돌고 있다는데
        혹시 들어본 적이 없느냐?

        현재 》불안한 눈빛의 신상궁! 남상궁의 뒤를 은밀히 따라가는데

44   몽타주 (오후)

- 연못가를 지나는 남상궁, 따르는 신상궁.
- 궐 깊숙이 들어가지만 뭔가 한참을 돌아가는 느낌.
남상궁이 지나가자 곧 나타나는 신상궁.
신상궁, '설마... 밀실에 가는 것인가?' 긴장하는데
- 남상궁이 목적한 곳에 도착하면
그곳은 계성의 밀실이 있는 폐전각이 맞다!
폐전각 앞에 서 있는 남상궁을 보고 있는 신상궁,
큰일이구나 싶어 급히 그곳을 빠져나가는데
신상궁을 향해 쓱 돌아보는 남상궁!!

45   중궁전 침전 (오후)

세자의 혈을 찌르는 권의관.
침이 꽂히는 것만으로도 고통스러워하는 세자인데, 안쓰러운 화령.

화령   치료를 하는데도, 왜 이리 차도가 없는 것인가?
권의관   (한계를 느끼는데) 혈허궐에 관련된 치료는 모두 해보고 있으나...
무엇이 문제인지 알 수가 없사옵니다.
화령   (세자를 보는 눈에 근심이 가득한데)

다급히 중궁전으로 들어서는 신상궁. 심각한 표정. "마마!!"
무슨 일이 있음을 직감하는 화령!

46   중궁전 복도 (오후)

문 앞에 서 있는 화령과 신상궁. 다급하고 낮은 말투로.

신상궁   큰일 났사옵니다.
아무래도 대비마마께서 계성대군의 일을 아신 듯하옵니다.

화령	(!!! 두려움과 혼란)
신상궁	이제 어찌해야 하옵니까?
화령	정말 아셨다면 확증을 잡으려들 거야.
	(시간이 없고!!) 계성대군이 밀실로 가게 둬선 안 돼.
	당장 처소부터 가봐야겠다.

바로 이동하는 화령과 신상궁.
두 사람 다급히 걸어가는데 복도 끝에서 쓱 나타나는 남상궁!

화령, 신상궁	!!!
남상궁	중전마마...
	(차분히 숙이며) 대비마마께서 급히 찾아 계시옵니다.
화령	(최대한 의연하게) 저녁에 찾아뵙겠다 전해주시게.
	연회 준비로 지금은 시간을 내기 힘들 것 같으니.

하고는. 그대로 지나쳐버리는 화령 일행.

남상궁	계성대군에 관한 것이라 하셨사옵니다.
화령	(!!! 멈춰 서는)
남상궁	(본다)
화령	(신상궁 본다) 자넨 가서 연회 준비가 제대로 되고 있는지 확인하게.
	문제가 있으면 즉시 알리고. (계성의 처소로 가야 한다...!!)
신상궁	(사인받고) 예. 그리하겠사옵니다!!

47   대비전 가는 길 (오후)

이동하던 화령이 뜻밖의 상황인 듯 멈춰 서면
이호와 함께 맞은편에서 걸어오고 있는 대비.

이호	(우연이라 생각) 중전, 어디 가시는 길이십니까?

화령	대비전에 가던 길이었사옵니다.
대비	(미소) 우리 중전이 이렇습니다...
	이 늙은이가 적적할까 이리 나를 챙겨요.
화령	(뭔가 걸려들었음을 직감하고) !!!
대비	마침 잘되었습니다. 중전...
	주상과 산책을 가던 길이었는데 함께 가시지요.
이호	(미소로 화령 보며) 예, 중전도 함께 가시면 좋을 듯합니다.
화령	...그리하시지요.
대비	(화령을 쓱 보며 이동) 이게 주상과 얼마 만의 산책인지 모르겠습니다.
	때로는 어미에게도 이리 시간을 내주세요~
이호	예, 어마마마. 저도 오랜만에 함께 걸으니 좋사옵니다.

잠시 서 있다가 따르는 화령. 초조하고 긴장되는데

48　계성대군 처소 앞 (오후)

숨이 차는 신상궁, 황내관과 대화를 나누고 있는데

황내관	안 계십니다. 산책을 가셔서요.
신상궁	(그곳에 가셨구나!!) 출발하신 지는 얼마나 되었는가?
황내관	방금 막 출발하셨으니 아마 근방에 계실 겁니다.
신상궁	알겠네. (막 이동하는데)
황내관	저기...!!

49　궁 연못가 근방 (오후)

연못가를 지나는 화령, 이호, 대비의 뒷모습이 저 멀리 보인다.
다급히 이동하는 신상궁, 그 위로-

| 황내관 | (E) 아니 근데... 대군마마께 무슨 일이 있는 것입니까? 방금, 대비전에서도 다녀가셨는데... |

날카로워진 표정으로 더욱 박차를 가하는 신상궁.

50   궁 연못가 (오후)

남상궁이 다가와 행렬에 합류한다.
대비가 남상궁을 쓱 돌아보면,
눈빛으로 준비됐다 확인시켜주는 남상궁.

대비	(유도하듯) 주상... 오늘은 전에 안 가본 곳을 가보시겠습니까?
이호	제가 이 궐에서 안 가본 곳도 있습니까?
대비	겹겹이 싸인 구중궁궐입니다. 저도 가끔 처음 가보는 곳이 있는걸요.
이호	그렇습니까?
신상궁	마마! 중전마마!!

막 도착하는 신상궁. 모두가 쳐다보는데

신상궁	(숨 고를 새도 없이) 연회 준비에 문제가 생겼사옵니다...!! 급히 가보셔야 할 것 같사옵니다.
화령	(!!! 이호, 대비 보며) 송구하옵니다. 저는 이만 가봐야겠습니다.
대비	연회는 내일인데, 급할 것이 있습니까?
화령	신위를 모시는 제향 예절 후에 치러지는 연회입니다. 어찌 소홀히 준비할 수 있겠습니까? (숙이며) 아직 부족함이 많아 실수가 있었으니 대비마마께서 함께 가시어 가르침을 주심은 어떻겠사옵니까?
대비	중궁의 자리에 있어본 적도 없는 이 늙은이가 같이 가서 뭐 합니까? 짐이나 되겠지요.
이호	(보다가 중재하듯) 중전은 이만 가보세요.

대비	(언짢은 듯 본다) 주상...
이호	(기분 풀어주듯) 어마마마는 소자가 직접 모시겠사옵니다.
대비	(어쩔 수 없고. 화령 보며) 재밌는 구경을 시켜드리려 했는데
	이거 아쉽게 됐네요 중전...
화령	(보는)
대비	(보는)
이호	이만 가시지요 어마마마.

대비와 이호가 돌아서 가면
바로 이동하는 화령과 신상궁. 다급하다!

51   궁궐 어딘가 (오후)

궐 담장을 손끝으로 쓸고 가는 계성의 손. 검지에 반지.
계성, 겹겹이 쌓인 구중궁궐 속으로, 속으로 아주 깊숙이 들어간다.
그리고 얼마 뒤, 계성이 지난 그 길을 걸어오는 대비와 이호 일행.
이호는 낯선 듯 주변을 돌아보는데 주변엔 폐전각들이 보인다.

이호	이곳은 처음입니다.
대비	그렇지요?
	저 위쪽으로 가면 은밀하고 비밀스러운 전각이 하나 있습니다.
이호	비밀스러운 전각이요?
대비	예. 뭘 숨겨뒀을지 궁금하지 않습니까?

웃으며 계성의 폐전각 쪽을 향해 가는 대비와 이호.

52   폐전각 근방 (오후)

가벼운 발걸음으로 걸어오던 계성의 표정이 굳으며 멈춰 선다.

계성   (헛것을 본 듯한 표정인데) 말도.. 안 돼....

보면, 폐전각이 활활 타오르고 있다!!
불길에 타오르는 폐전각을 향해 달려가는 계성.
그런데 한쪽에서 달려드는 멸화군들. 불을 끄기 시작한다.
자신의 진짜 모습이 타는 듯... 무너지듯 넋을 놓는 계성.
그런데 더 놀란 것은 이호를 이곳까지 이끌고 온 대비다!!
불길을 보며 사색이 되는 남상궁.
큰 동요 없이 불길을 보는 대비.
상황을 알아보기 위해 멸화군에게 가보는 대전내관.

대비   (중전...!! 감히 이렇게 나오시겠다?!)

멀리서 그 모습을 지켜보다 사라지는 화령.
내용을 파악한 대전내관이 이호에게 급히 다가온다.

대전내관   전하. 멸화군들 말로는 폐전각에서 난 불이라 인명피해는 없고,
곧 진화될 것이라 하옵니다. 별일 아니오니 걱정 마시옵소서.
이호   (끄덕. 다행이다 싶고) 아직은 불길이 거세니 이만 돌아가시지요.

활활 타오르는 폐전각을 바라보는 대비.
이호가 이동하자, 매서운 눈빛의 대비도 곧 돌아선다.

53   궐내 어느 창고 (오후)

화령의 지시하에 서너 명씩 무리를 지어 연회를 준비 중인 궁녀들.
분주히 식기를 닦거나 잣 끼우기, 산적 꿰기 등 마른 음식들을 준비하고 있다.
그곳으로 무게감 있게 들어서는 대비!! 서늘한 눈빛.
화령도 천천히 대비를 향해 돌아본다.

화령	(궁녀들을 향해) 다들 물러가 있거라.

궁녀들 모두 나가고
맞서듯 단둘만 남아 마주 서는 대비와 화령.

대비	덕분에 불구경 아주 잘 했습니다...!
화령	(의미심장하게) 궁중에 화재가 난 것이 아주 흔한 풍경은 아니지요.
대비	이번엔 이 늙은이가 한발 늦었지만
	다음엔 계성대군의 흉측함을 내 반드시 만천하에 공개할 겁니다.
화령	화재가 참 많은 것을 사라지게 하지 않습니까?
	이제 더 이상 그 어떤 증거도 남아 있지 않은데
	눈에 보이지 않는 것을 누가 믿어줄까요?
대비	(피식하더니) 중전, 중궁전에 숨겨둔 내 손자 반드시 살리셔야 될 겁니다.
	나머지 것들도 사람 좀 만들어보고.
	그러지 못한다면....
	저는 병약하고 그 흉측한 것들이 내 아들을 자꾸 흔들기 전에
	문제없는 것들로 모조리 싹 다 바꿔줄 겁니다.
화령	(허!) 정비의 자식을 꺾어, 후궁의 자식을 왕위에 올리는 것이
	대비마마의 특기신가 봅니다?!
대비	(치부, 숨겨진 열등감 건드림) 예!! 제 특기지요.
	한 번 해봤는데, 두 번은 못 하겠습니까?!

대치하듯 서로를 바라보는 두 여자.
단 한 발자국의 물러섬도, 눈 피함도 없는 맞섬.

54   밀실 (오후) → (밤)

화재로 훤히 드러난 밀실.
검게 그을린 내부를 바라보며 절망하는 계성.

아무것도 남지 않은 밀실에 그만 주저앉고 만다.
어느새 어두워진 밤이 됐는데.
여전히 그곳에 있는 계성, 무릎을 감싼 채 얼굴을 묻었는데.
문득 어떤 생각에 다다른 듯 고개를 드는 계성.

F.B 》1씬. 밀실 (오후)
바깥에서 들리는 "쿵!!" 하는 소리. 돌아보는 계성.

현재 》 '누군가 이곳을 알고 있구나!'
일어서더니 밖으로 뛰쳐나가는 계성.

55   수성금화사 (밤)

멸화군들이 쉬고 있거나, 장비를 살피고 있는데 계성이 뛰어 들어온다.

계성   물어볼 것이 있네. 금일 화재 진압을 누가 하였는가?
멸화군 저희가 했사옵니다.
계성   허면, 그 깊숙한 곳에서 불이 난 것을 어찌 알고
        그리 빨리 진화한 것인가?
멸화군 그야, 불이 난 것을 빨리 알게 돼 진화가 빨라진 것 아니겠사옵니까?
계성   누군가? 그곳의 화재를 제일 먼저 알린 자가?

56   중궁전 복도 (밤)

분노한 얼굴로 복도로 들어서는 계성의 모습. 그 위로-

멸화군 (E) 어느 상궁이었는데...
        사람들이 중궁전 상궁이라 한 것만 들었사옵니다...

다른 궁인들은 모두 물린 듯
곁방 앞에 홀로 서 있는 신상궁이 보인다.

57   중궁전 곁방 (밤)

문이 벌컥!! 열리며 들어서는 계성.
기다리고 있었다는 듯 앉아 있는 화령.
계성, 화령의 앞에 서더니 소리친다.

계성   어마마마십니까?
화령   그래. 내가 그랬다.
계성   (그 당당함에 울분을 토해내듯) 어찌 그러실 수 있습니까!!
        그곳을 알아내셨으면 (가슴을 치며) 진짜 제 모습도 알게 되셨을 텐데!
        어찌 그리 잔인하십니까, 제게...
화령   (더 없이 싸늘) 궁엔 듣는 귀와 보는 눈이 있으니 조용하거라...!!
계성   (그 반응에 더 상처받은 얼굴로 보는) 제 모든 것을 없애셨습니다.
화령   너를 살리고자 한 것이다!!
계성   어떻게 그게 저를 살리고자 한 것입니까?!
        창피하고 부끄러워 그리하셨습니까?
화령   부끄러워 숨은 것은 너다.
        제대로 숨지 못해 남들 눈에 띈 것도 너야!
계성   상관 말고 못 본 척하시지 그랬습니까?
        외면하고 무시하지 그러셨습니까?!
        그곳을 불태워 다 없애버리니 이제 속이 시원하십니까?!

벌떡 일어서는 화령, 계성을 본다.

화령   (한참을 보다가) 내가 왜 그곳을 불태웠는지 아느냐?
계성   (본다)
화령   (차갑게) 알려줄 테니 동문으로 나오거라.

나가버리는 화령.
냉정한 화령의 모습에 슬픔보다는 울분이 차오르는 계성.

58   궁궐 동문 (밤)

추적추적 내리는 비. 수문장들 보이고.
출입패를 보인 뒤 동문으로 나오는 계성.
계성, 주변을 둘러보면 저 멀리 우산을 쓴 화령이 보인다.
화령은 중전의 복식이 아닌 평상복으로 일각에 서 있는데-
좀 떨어진 곳에는 신상궁도 서 있다.
계성이 다가오자 그 아이를 향해 돌아보는 화령.
그냥 평범한 엄마의 모습 같은. 한 손엔 접힌 우산 들고 있다.

계성   (한마디 하려는데)
화령   (접힌 우산 턱 안기며 차갑게) 따르거라.

하더니 어딘가로 향해 가는 화령.
계성이 따르지 않고 그 자리에 서 있자 다시 뒤돌아 소리친다.

화령   어서!!

59   저잣거리 (밤)

붓과 우산 등을 파는 저잣거리를 지나
어딘가를 향해 계속 걸어가는 화령.
그리고 우산을 든 채 그 뒤를 따라 걷는 계성.
우산 위로 점점 굵어지며 떨어지는 빗방울.
보자기를 안아 들고 계성의 뒤를 따르는 신상궁.

60   화실 (밤)

풍경화, 초상화 등 여러 화폭들 사이에 홀로 서 있는 계성의 모습.
그때 신상궁이 다가와 계성에게 옷을 하나 건네준다.
계성 뭔가 하고 보면, 여인의 복식이다.
옷 위엔 밀실에 있던 연봉뒤꽂이도 함께 놓여 있는데. 놀라는 얼굴.
문으로 바람이 스쳐 들고,
걸려 있는 그림들과 계성의 머리칼도 움직인다.

점프, 유지 위에 유탄(숯)으로 윤곽을 그리고 있는 화공의 손.
그런데 화공의 앞에 앉은 것은 다름 아닌 여인의 모습으로
단정히 앉아 있는 계성이다. 선이 고운 아름다운 여인의 모습.
깊은 눈빛이 많은 생각을 하고 있는 것처럼 보인다.
초상화를 그리고 있는 화공.

61   화실 앞 (밤)

그 시각, 우산은 벽면에 세워져 있고.
처마 밑에 서서 비를 피하고 있는 화령의 모습.

62   화실 (밤)

여인의 모습인 계성의 초상화가 완성되어간다.
계성의 머리에 꽂힌 보라색 연봉뒤꽂이도 칠해지고
눈에, 동자를 그려 넣고 있는 화공의 손.

63   화실 앞 (밤)

더욱 깊어진 밤.
그 모습 그대로 그 자리에 서서 기다리고 있는 화령.
다가와 쓱 옆에 서는 신상궁.
한참을 말없이 서 있다가 입을 뗀다. 담담한 느낌.

신상궁   괜찮으시옵니까?
화령   괜찮겠어? 생떼 같은 아들을 하나 잃었는데.
　　　　배동은 또 어쩌고...?
신상궁   (한편으론 안쓰럽고)
화령   ...근데 말이다. 저 녀석 마음을 생각해봤어.
　　　　넘어서지 못하고 받아들여야 할 때 얼마나 무섭고 두려웠을까...
　　　　난... 외면할 순 없겠더라... 엄마니까.

두 사람 말없이 비 오는 처마 밑에 서 있다.

화령   자네는 이제
　　　　나에 대해서 모르는 게 없네. 조심해.
신상궁   (무표정으로 생색내듯) 아까 쇤네가 은밀한 지름길을 공유해드리지
　　　　않았다면, 때맞춰 불을 놓을 수나 있었겠사옵니까~?
　　　　그걸로 퉁 치시는 것은 어떻겠사옵니까 마마...
화령   (버럭) 누구 마음대로?!
신상궁   (정신 번쩍. 군기 바짝)
화령   (쓱 손 내민다)
신상궁   (얼른 염낭을 꺼내 드는데)
화령   (그 염낭을 아예 가져오더니 공진단 두 개를 꺼내 한 알은 신상궁 준다)
신상궁   (놀란 토끼 눈으로 보면)
화령   (한 알은 자기 입에 쏙) 먹어두시게.
　　　　근데 알지? 그거 먹으면 자네도 이제 빼도 박도 못 하는 거.
신상궁   (그 말에 입에 쏙 넣더니 씹는다)

화령   (결연하게 오독오독) 우리 이제 정신 똑바로 차려야 돼.
내일부턴 진짜 전쟁이니까.

신상궁   (비장하게 오독오독 씹는다)

64   화실 (밤)

어떠한 대화도 나누지 않고 작업을 이어가는 화공.
여인의 모습으로 앉아 있는 계성.

시간 경과.
남자의 모습으로 돌아온 계성의 뒷모습.
인기척에 돌아서는 계성.
챠라락, 화공이 화폭을 펼치면 완성된 계성의 초상화.
알 수 없는 깊은 눈으로 그 여인의 초상을 바라보는 계성.
마치 거울을 보듯 웃다가 눈물이 맺힌다.

65   화실 앞 (밤)

문지방을 넘어 밖으로 나오는 계성의 발.
그 앞에 비 맞아 버선이 다 젖은 화령의 발이 멈춰 선다.
그리고 그 아이를 꼭 안아 품어주는 화령.
소리 없이 눈물을 흘리는 계성,
품에는 돌돌 말린 초상화가 들려 있다.

화령   (안아준 그대로) 누구나 마음속엔 다른 걸 품기도 한다.
하지만 다 보이며 살 수는 없어...

안았던 손을 풀고, 눈을 맞추는 화령.

화령	언제든 진짜 네 모습이 보고 싶거든 그림을 펼쳐서 보거라...
계성	(한참을 보다가) 화는 안 나셨습니까?
화령	처음 알게 되었을 때... 잠시 방황은 했다. (웃는)
	하지만 화는 난 적 없어.
계성	(마음을 연 듯 엄마를 보는)
화령	(얼굴을 쓰다듬듯 만져주는) 네가 어떤 모습이든 넌 내 자식이야.

비녀를 하나 선물로 건네는 화령. 받는 계성.

화령	엄마가 가장 아끼는 비녀다. 어머님께 받은 것이지...
	내게도 딸이 생긴다면 주려던 것인데... 너에게 주마...
계성	(웃는데 눈물 머금은)

마주 보는 두 사람.

66   궁으로 가는 길 (밤)

비 오는 밤.
슈룹(우산)을 쓰고 가는 엄마와 아들.
한 우산 안에서 나란히 걷는 두 사람. 화령과 계성.
그림이 젖을세라 소중히 품고 가는 계성.
그 모습을 지켜보던 화령...
우산 든 손이 점차 자식 쪽으로 기운다.
화령의 어깨와 몸은 흠뻑 젖어드는데...
계성은 한 방울의 비도 맞지 않은 모습이다.
둘이 나란히 걸어가는 얼굴 위로-

화령	(E) 언젠간 말이다...
	남과 다른 걸 품고 사는 사람도, 숨지 않아도 될 때가 올 거야...

우산을 들고 걸어가는 엄마와 아들의 모습이
수묵화처럼 바뀌며 엄마와 딸의 뒷모습으로 엔딩!!

4부

1   폐전각 + 밀실 (밤)

    화재로 훤히 드러난 밀실.
    검게 그을린 내부를 살펴보는 성남, 그런데 발에 걸리는 무언가.
    성남, 들어 보면 깨진 호롱 파편이다. 자세히 살피는데-

2   폐전각 가는 길 (오후) (회상)

    하늘로 치솟는 검은 연기.
    그곳을 향해 전력으로 달리고 있는 성남.
    폐전각으로 가는 어떤 통로로 들어서는데
    스치듯 다른 쪽 통로에서 나오는 화령의 모습!!
    그녀를 본 듯, 다시 통로로 나와 서는 성남.
    멀어지는 엄마의 뒷모습을 본다. 의아한 표정.

성남   (E) 분명 그때...

3   폐전각 + 밀실 (밤)

성남   (E) 어마마마는 불이 난 전각 쪽에서 나오셨어.

날 선 표정의 성남, 이동한다.

4   중궁전 복도 + 동 침전 (밤)

성남이 복도를 걸어오자, 당황하는 기색을 보이는 중궁전 궁녀들.
어느새 문 앞까지 다가선 성남을 신상궁이 급히 맞는다.

성남   어마마마께 내가 왔다 아뢰어라.
신상궁   송구하오나.. 중전마마께선 자리에 안 계시옵니다.

문 사이로 새어 나오는 연기... 뭔가 이상한 낌새를 눈치채는 성남.

신상궁   마마께서 오시면, 드셨다 말씀드리겠사옵니다.

하는데 문을 열어버리는 성남!!
"대군마마...!" 못 들어가게 말리는 신상궁을, 손을 들어 제지하는 성남.
약을 달이며 피어오르는 연기로 뿌연 내부.
성남, 하얀 천으로 내려진 수렴을 지나면
모습을 드러내는 파리한 세자의 모습. 잠들어 있는데 창백하다.
치료 중이던 권의관은 사색이 되며 납작 엎드리고
성남, 눈앞의 상황이 믿기지 않는데...!!

성남   왜 세자저하께서 이곳에 계시는 것이냐?
신상궁   (차마 대답하지 못하고)
성남   무슨 치료를 하고 있던 것이야? (아무도 말 못 하자) 대답해보거라...!
화령   (E) 답은 내가 해주마.

성남 소리에 돌아서면, 문 앞에 화령 서 있다!!

5   중궁전 곁방 (밤)

마주 앉아 있는 화령과 성남. 서로 거리감 느껴지고.

성남   (따져 묻듯) 왜 온천에 있어야 할 형님이 중궁전에 있는 것입니까?
        분명, 피부병으로 피접을 갔다 들었습니다.

화령   공식적으론 그게 맞아.
        차도를 보이는 대로 전하께도 알릴 생각이야.

성남   (의혹과 불만 깃든) 아바마마께서도 모르신단 말입니까?
        대체 무슨 병이기에 이렇게까지 하면서 숨기시는 겁니까..?

화령   (잠시 고민하다가. 결심!!) 혈허궐이다. 태인세자와 같은 병이야.

성남   (무너지는 느낌) 형님께서 죽을 수도 있다는 말씀이십니까?

화령   그래. 네 말대로 태인세자는 혈허궐로 죽었어.
        모든 사람들이 그렇게 알고 있다.
        (의미심장하게 보는) 그런데... 태인세자의 모친께선 그 병으로
        죽은 게 아니래... 그렇게 믿고 싶으시겠지. 나도 그랬으니까.

성남   (혼란스러운데)

화령   그래서 내의원 기록을 찾아봤는데
        화재로 소실돼서 그 어떤 기록도 찾을 수 없었어. 뿐인 줄 아느냐?
        당시 관련자들조차 남아 있는 자가 없어...

성남   (의혹이 증폭되는 표정)

화령   그러니 섣불리 움직였다간, 세자를 오히려 위험에 빠뜨릴 수도
        있을 것 같다는 생각이 들었다. 그래서 얘기하지 못한 거야...

성남   (어느 정도 수긍은 하지만) 그래도 저리 됐다가 치료 시기를 놓쳐
        더 악화되면 어찌합니까?

화령   어느 부모가 자식이 잘못되는 일을 해...!!
        너한테 다 설명할 순 없지만,
        엄마한테는 형을 지키기 위한 최선의 선택이었어.

성남   (한참을 보다가) 그럼 오늘 궁에서 난 화재...

그 또한 계성대군을 지키기 위한 선택이셨습니까?

화령   (정말 놀라서 보는데...!!)

성남   그 선택이 어머님의 최선이었는지 묻는 것입니다!

화령   (마음을 다잡고, 진심을 다해) 그래. 최선이었다...!!

성남   (그 말에 힘겹게 입을 뗀다) 그럼 제가 어렸을 때
        사가에서 홀로 자라게 된 것도...
        (미세하게 흔들리는 눈빛) 어머님께서 저를 위해 하신 선택이셨습니까?

화령   (잠시 대답을 못 하다가) 낳자마자 핏덩이를 뺏겼다.
        그땐 나도 너무 어려서.. 널 살리기 위해선 그 방법밖엔 없는 줄 알았어.

성남   (한참을 보다가) 알겠습니다. 그건 때가 되면 얘기해주세요.
        지금은 형님 치료만 신경 써주십시오.

화령   (한참을 보다가) 그래.

6   계성대군 처소 (밤)

        여러 감정이 담긴 눈으로
        초상화 속 여인의 모습인 자신을 바라보는 계성.
        그러나 곧 마음을 다잡더니, 초상화를 문갑 깊숙이 넣어버린다. 허한데...
        드르륵!! 문이 열리며 들어서는 성남. 손엔 술병도 하나 들려 있다.

성남   (술병 들어 보이며, 시크하게) 한잔할래?

계성   (반색, 안 그래도 술이 필요했다)

        점프, 간단한 술상 앞에 마주 앉은 성남과 계성.
        성남은 삐딱하게 앉았고, 계성은 바르게 앉아 한 잔 쭉 마신다.

계성   (쓰다... 잔 내려놓고) 형님, 저 복시는 치르지 않기로 했습니다.
        고민 끝에 결정한 것이니, 이해해주셨으면 좋겠습니다.

성남   내 이해가 뭘 필요해. (빈 잔에 술 따라주는)
        그래도 어마마마께 허락은 받아. 널 제일 기대하셨잖아.

계성	(본다) 어마마마께서 먼저 그리하라 말씀하셨습니다.
성남	(의외고)
계성	제 몫까지 열심히 해주셨으면 좋겠습니다.
	이제 어마마마께서 믿을 분은 형님뿐입니다.
	어마마마 속 썩이는 자식은 저 하나면 충분하지 않겠습니까...?
	부담을 드려 죄송합니다...
성남	아무도 기대 안 하는데 부담은 무슨~! (씩 웃고)
	(술잔 꽉 부딪히며 건배하더니) 근데 어마마마랑 같이 있었던 거냐?
계성	그건 어마마마와 저만의 비밀이니 묻지 마십시오. (미소)
성남	(질색) 뭐래...!!

하다가 피식하는 성남. 계성이 상처 입지 않았음에 안도한다.

7   저잣거리 (이른 아침)

막 문을 여는 시전 상인들.
그 사이를 지나는 무예복 차림의 성남. 허리엔 환도(環刀) 찼다.

8   호황봉 마당 (이른 아침)

저잣거리 구석진 골목. 택호 형제가 운영하는 흥신소 호황봉(護黃逢).
몸집 큰 근육질의 택호 형과 깡마르고 날렵한 택호가 입으로 더 요란하게
무술을 선보이고 있는데, 누가 봐도 거친 왈패들!
그때 호황봉 마당으로 들어서는 성남.

택호 형	(무술 멈추며) 어떻게 오셨수?
성남	사람 좀 찾으러.
택호	(돈 좀 있나 성남 상태 쓱 훑고) 누구냐에 따라서 가격이 좀 다른데.
성남	(단도직입) 혈허궐이란 병이 있는데

그 병 잘 고치는 의원 하나 찾읍시다. (조건 걸듯) 이틀 안에.

택호 형 (귓구멍 파서 불며) 그건 약방을 찾아가셔야지~
아니 왜 여기서 의원을 찾으신대?

성남 (인상 팍!) 다 가봤는데도 안 되니까 당신들을 찾은 거 아닙니까?

택호 (본격적으로 작업 들어가듯) 뭐 우리야 돈만 맞으면, 나랏님 빼곤 다
찾아줄 수 있긴 한데~ 아 이거~ 우리가 이런 쪽으론.. (돈 더 처달라는 듯
손가락 비비며) 진행비가 좀 더 들 것 같아서~

성남 (재빠르게 검을 획 뽑아 드는!! 택호 목 겨누고)

택호 형 (헉!! 사람 잘못 건드렸구나)

택호 (쫄아) 아.. 아니, 눈퉁이 좀 쳤다고 칼을 이리 뽑으시면... (하는데)

칼집 뒤집는 성남, 칼집에서 구슬만 한 은덩이가 쏟아진다.

성남 (칼집에 검 다시 꽂으며) 이 정도면 되나?

택호 형제 (서로 마주 보며 희번덕!! 팔자 폈구나.)

택호 (태도 돌변 VIP 모시듯 공손히) 이틀 안에만 찾으면 된다 하셨습니까~?

성남 (시크한 미소로 본다)

9   궁궐 전경 (낮)

수문장을 지나 막 궐 안으로 드는 조국영.
그리웠단 듯 궁중을 쭉 둘러보더니 강렬한 표정으로 궐을 향해 걸어간다.

10   계성대군 처소 (낮)

수능 끝낸 학생처럼, 뭘 해야 될지 몰라 두 팔 베고 멍하게 누워 있는 계성.
한편, 수험생처럼 서책에 집중한 성남.

계성 (문득) 근데 형님은... 왜 열 살 때까지 궁 밖에서 지내셨습니까?

성남	(서책 넘기다가 멈칫. 계성 본다) 너 그때 꽤 어렸는데, 그게 기억나나?
계성	기억하죠. 없던 형이 갑자기 나타났는데.
	(누워서 고개 돌려 성남 보는) 이유가 뭐였습니까?
성남	(다시 서책 본다. 답을 피하는 느낌도) 글쎄, 나도 잘 몰라.
계성	형님은 안 궁금하세요?
성남	(그 말에. 의연하게 받아치던 표정이 굳는다)

11 성남대군 처소 (밤) (과거)

어린성남의 눈높이에 맞춰 앉은 대비, 눈을 보며 나긋이 말한다.

대비	궁금해하지 마... 알려고도 하지 말거라.
어린성남	(할머니가 좀 무섭다. 누군가를 찾는) 김내관은 어디 있습니까?
대비	몰라도 될 일을 묻고 다닌다고 해서... 이 할미가 멀리 보냈다.
어린성남	(불안한 눈빛) 김내관이 옆에 없으면 잠이 안 옵니다.
	궁은 너무 넓고 밤엔 너무 무섭습니다...
대비	그러게... 왜 궁금해했어? 네 괜한 호기심이 그렇게 만들었잖아...
어린성남	(흔들리는 눈빛)
대비	이젠 궁에도 적응해야지. 네가 살 집인데.
	여기선 말이다...
	본 것은 눈감고, 들은 것은 잊고, 하고픈 말이 있거든 꾹 다물거라...!
어린성남	(금방이라도 울 것 같지만 꾹 참는다.)
대비	옳지...!! 참거라. 눈물이든 궁금증이든.
	(서늘하게) 소중한 걸 지키고 싶거든 말이다...

12 계성대군 처소 (낮) (현재)

성남	(감정을 꾹 참는...)
계성	(대답을 기다리는 듯 보이는데) 형님~ 정말 말 안 해주실 겁니까?

성남	(분위기 바꾸듯, 피식) 내 서사엔 관심 꺼. 궁금해하지도 말고.
계성	(입 살짝 삐죽. 궁금했는데...)

계성, 할 일도 없고. 따분하다. 졸음까지 몰려드는데 하품.

성남	이 팔자 좋은 새끼... (버럭) 야 너 일어나!!
계성	(갑자기...) 왜요?
성남	형은 배동 준비한다고 쌔가 빠지고 눈이 빠지게 서책 보는데 새끼가..
계성	(미안한지 일어나 앉는다) 아... 나가지도 못하고, 할 것도 없으니 따분해 그랬습니다.
성남	할 게 왜 없어? (보던 서책 획 던진다)
계성	(얼결에 날아오는 서책 받는데)
성남	중요한 부분만 좀 짚어서 읽어봐.
계성	(아...!!)
성남	(눈이 뻑뻑하다. 두 팔 베고 벌러덩 눕는다) 읽어라~~
계성	(서책 딱 펼치는데)

드르륵!!! 문 열리며 등장하는 화령.
누웠다가 깜짝 놀라서 벌떡 일어나는 성남과 고개 드는 계성!

화령	(내일모레가 시험인데 이 자식이!! 성남 쪽 째리면)
성남	(난 억울하다) 아 방금. 방금까지 서책 보다가 잠깐 누운 것입니다.
계성	정말이옵니다. 어마마마... (설명하려는데)
화령	(그 시선 계성에게 쓱) 너도 그래! 형이 말이야. (순간 멈칫했다가) 모레 복시 치르는데 같이 좀 봐주고 그래야지. (부르는) 신상궁!
신상궁	예, 마마.
화령	얘네들 서안 두 개 딱 붙여. (두 손가락으로 지켜보고 있다는 표시 하며. 다 보고 있다 내가...) 딴생각들 하지 말고!! (성남 향한 손가락질) 넌 공부하고 (계성 향한 손가락질) 넌 형.. (아니 아니) 강이 공부 도와줘. 알았어?!
계성	(엄마의 노력에 피식)

화령	(버럭) 대답해.
성남, 계성	(정신 바짝) 예. 어마마마.
화령	(혼잣말로) 이게 얼마나 중요한 시험인지도 모르고~!!

고개 꼿꼿이 들더니 나가는 화령.

신상궁	붙이시옵소서...
성남	(봉변당한 얼굴로 서안 드는데, 생각해보니 되게 억울하다)

13 내의원 마당 (낮)

긴장감이 감도는 내의원.
약재들도 정리하고, 먼지도 쓱쓱 닦고, 옷매무새까지 다잡는다.
곧 모두가 하던 일을 멈추고, 군기 바짝 든 모습으로 조국영을 맞는다.

14 내의원 집무실 (낮)

조국영이 회의를 주재하는 가운데, 권의관을 비롯한 의관들이 앉아 있다.
조국영 그간의 내의원 기록을 한 장씩 넘기며 신중히 살펴보는데...

조국영	(점검하듯) 전하께 천금누로탕(千金漏蘆湯)을 처방했는가?
의관1	(긴장) 예, 열증(熱症)이 있으시어 그리하였사옵니다.
조국영	그래...
	(다음 기록으로 넘어가더니, 권의관 저격) 자넨 왜 여기 있는가?!
권의관	(다소 당황) 예...?
조국영	(무게감 있고 매섭게) 저하께서 피부병으로 피접을 가셨다 들었는데,
	담당 의관이 왜 궁에 남아 있느냔 말일세!
권의관	(애써 침착하게) 아양 증상일 뿐이니 동궁내관만 동행하시겠다는
	저하의 명이 있으셨고, 주상전하께서도 윤허하셨습니다.

조국영	(의미심장하게 본다) 그래? 근데 내가 자릴 비운 동안 저하께 인삼양영탕을 처방한 기록이 있던데... 혹 혈허기약이라도 있으셨던 겐가?
권의관	...아니옵니다. 저하께서 두혼(어지럼증)과 빈혈 증세가 있으시어 처방하였고, 약을 복용하신 뒤로는 호전되셨사옵니다.
조국영	(음... 권의관을 한동안 보다가, 시선 틀어 의관들 카리스마 있게 본다) 보름 뒤면 빈궁마마의 해산일이니 금일부터는 날마다 교대로 직숙(直宿 : 숙직)해야 할 것이야.

15   중궁전 침전 (낮)

이전보다 더욱 창백해 보이는 세자.
차도가 없는 모습에 걱정이 깊어지는 화령인데, 다급히 들어서는 신상궁.

신상궁	(다가와 앉으며, 낮게) 마마. 조국영 어의가 돌아왔다고 합니다. 만나보시겠습니까?
화령	(위중한 세자를 본다. 그 모습에 결심 서고) 그래야지.
신상궁	(다급히 이동하려는데)
화령	(잠시 생각하다가 잡아 세우듯) 아니다! 그만두거라.
신상궁	왜 그러시옵니까 마마...?
화령	(생각하고 생각해본다) 그자도... 태인세자의 담당 어의 중 한 명이었질 않느냐? 근데 당상관의 품계까지 올랐어.
신상궁	(듣고 보니 그렇고.)
화령	다른 어의들은 귀양을 가거나 결국 목숨을 잃었는데 그자는 오히려 승승장구했다는 말이잖아... 이상하지 않아?
신상궁	(그렇긴 하지만) 하오나, 마마. 저하께서 전혀 차도를 보이지 않고 있질 않사옵니까? 조국영 어의를 통해 치료법을 찾아보시는 것이 현재로선 최선이옵니다.
화령	(아무리 생각해봐도) 그래도 그자는 안 되겠어.
오상궁	(E) 오상궁이옵니다. (급히 든다)
화령	(무슨 일인가 보면)

| 오상궁 | 마마, 전하께서 찾으신다 하옵니다. |
| 화령 | 전하께서...? ('왜 갑자기?' 의아한데) |

16 편전 내부 (낮)

마주 앉아 있는 이호와 화령.

화령	(당황한 낯빛) 세자의 피접을 끝내라는 말씀이십니까...?
이호	예. 조어의가 궁으로 돌아왔으니, 피부병 치료는 이제 그에게 맡기시지요. 곧 세자빈도 출산하니 서둘러 환궁하라 하세요.
화령	(예상치 못한 상황인데) 예, 전하. 그리하겠습니다...

17 중궁전 침전 (낮)

혈에 침이 꽂히자, 통증에 괴로워하는 세자!!
권의관, 땀을 닦으며 최선을 다해보지만 세자의 혈색은 안 좋고.
수렴 뒤에서 화령과 신상궁도 초조한 모습으로 지켜보는데

신상궁	아니 되옵니다 마마...!
	아직 공식 석상에 나설 수 있는 상태가 아니시옵니다.
화령	(미치겠고) 빈궁이 해산하면 어쩔 수 없이 모습을 드러내야 돼.
신상궁	산실청에 나타나지 않으셔도 문제지만
	(세자를 보며) 저 모습으로 공식 석상에 나서신다면... 국본의 위중함이 공개되는 것이옵니다. 그땐 무슨 일이 벌어질지 모르옵니다...
화령	(절박해지는) 유상욱 어의를 보조했거나 의녀로 있었던 이들이 분명 어딘가에 남아 있을 거야.
	당시 내의원과 관련된 어떤 사람이라도 좋으니까 좀 찾아봐. 한시가 급해!

18   편전 내부 (낮)

대소 신료들이 모두 모인 가운데, 용상에 앉아 있는 이호.
황원형의 양 날개처럼 윤수광과 우의정 서 있고, 이판도 보인다.
맞은편엔 여기영, 민승윤 나란히 서 있다.

이호   과인은 이번 복시 평가를, 경연(經筵) 형식인 토론으로 하고
         총점은 초·복시 점수를 합산해 산출하고자 하오.

황원형   ('누구 맘대로?' 하듯 보는데...)

여기영   그리하시는 것이 좋겠사옵니다. 전하.
         배동은 시강원의 수업을 따라 올 수 있는 인재여야 하오니,
         제술과 산학을 평가한 초시 점수가 포함되어야 할 것이옵니다.

황원형   (거칠 것 없는 말투) 전하. 복시에 오른 것이 이미 학문의 뛰어남을
         방증한 것이옵니다. 초시는 고득점자들을 추리는 데 목적이 있었사오니,
         복시 평가로만 최종 선발하는 것이 마땅하옵니다.

윤수광   (보태듯) 소신 또한 초시를 통해
         왕자들의 지식 수준은 충분히 증명되었다 생각하옵니다.

황원형   (흡족한 듯 그윽하게 윤수광 보면)

윤수광   하오나, 복시 평가방식이 토론이라면 객관적인 평가 기준으로
         삼기 어렵고, 시험관의 사사로운 감정이 영향을 미칠 수 있사오니...
         공정한 평가를 위해서 초시 점수를 합산하는 것이 옳은 줄 아옵니다.

황원형   (윤수광 다시 보고! 이호 쪽 본다) 전하.
         본래 초시 점수는 반영하지 않기로 했던 것이 아니옵니까?

대신들   (맞다. 그러기로 했었다. 술렁이는)

황원형   선발 과정과 전형은 신들과 의논하여 정하셔야 마땅하온데...

이호   마땅하옵니다! 마땅하옵니다!!! 고작 배동 하나 선발하는데,
         과인의 뜻대로 이런 사소한 것도 바꾸지 못한단 말인가!!

대신들   (일순 정적. 긴장감 감도는데)

이호   (위용 있게 쭉 둘러보는 시선) 논제는 경들이 상의하여 뽑아 올리거라.
         그중에서 하나를 택하여 내가 출제할 것이다.

황원형   (정말 많이 컸구나... 이호!!)

19 편전 앞 (낮)

우르르 편전에서 몰려나오는 대신들.
윤수광은 형조참판과 함께 걸어가는데 꽤 가까운 사이로 보인다.
황원형은 우의정, 이판과 회랑(回廊)에 멈춰 서 있다.

우의정   주상이 누구 덕에 용상에 앉았는지 점점 잊어가는 모양입니다.
이판   왜 아닙니까? 요즘 부쩍 본인의 의견이 많으십니다.
우의정   이러다 배동도 주상의 뜻대로 선발되는 것 아닙니까?
황원형   (무게감 있는 여유) 아무리 독단적으로 결정하신다 해도...
        결국 결정권은 우리에게 있습니다.
        배동이 누가 되느냐는 시강관들이 심사하는 것 아니겠습니까?
모두   (고개 끄덕이는데)
이판   (멀어지는 윤수광 주시하며) 한데, 병판이 딴맘을 품은 것 같습니다.
        최근 대비전이나 기웃대는 형조참판과 가까이 지내질 않습니까?
        어떡할까요?
황원형   (뭔가 생각이 있는지 오만한 표정으로 조소)

20 대비전 침전 (낮)

쪼르르 따라지는 차. 다 채워진 다기 잔을 드는 손, 황원형이다.
대비가 눈짓하면, 남상궁이 시중을 멈추고 물러난다.

대비   어쩐 일이십니까 영상께서...
황원형   지금 온 궁중이 배동 뽑는다고 난린데
        주상전하께선 고작 배동이라 하시더이다.
대비   (본다)
황원형   한데, 제 여식을 통해 마마께서 전하신 말을 듣자 하니 동궁에 문제가 생긴 것 같던데...
그럼 적어도 고작 배동은 아닌 것 같아서 말이옵니다.
제 생각이 맞는지 그걸 확인하러 왔습니다.

대비　　확인을 하러 오셨다...

황원형　(능글맞은 느낌도) 예전엔 마마의 의중을 딱 보면 알았는데...
지금은 너무 흐릿하여 더는 헤아릴 수가 없어서 말이옵니다.

대비　　나이가 들긴 드셨나 봅니다. 심안(心眼)도 침침해지시고...
고작 배동 때문에 이리 궐 구석까지 찾아오시니 말입니다.

황원형　얻고자 하면 궁의 여인이 야심한 밤에 사가로도 찾아드는데
제가 대비전에 못 들 이유는 없지요...

21　　　민가 거리 (밤) (과거)

눈발 날리는 거리를 걸어가는 대비(조귀인 시절).

22　　　황원형 사랑채 방 안 (밤) (과거)

황원형 앞에 앉아 있는 대비, 보통 여자가 아닌 느낌.

대비　　택현을 관철시켜주십시오...!

황원형　아직 세자저하께서 멀쩡히 살아 계신데
다음 세자를 뽑을 때를 벌써 염두에 두시오면...
(한 발 빼듯, 또 경고하듯) 이건 역모가 될 수 있습니다, 귀인마마...!!

대비　　(거칠 것 없는 눈빛) 역모가 성공하면 역사가 되기도 합니다.

황원형　(번개를 맞은 듯한 얼굴. 충격이지만 자극되고)

대비　　만약 왕세자에게 무슨 일이 생긴다면...
그땐 택현을 관철시켜주겠다 약조해주실 수 있겠습니까?

황원형　(살짝 달라진 눈빛) 택현이라... 그럼 전 뭘 얻지요?

대비　　만인지상인 영의정에 오르실 분이니,

국구는 되셔야 하지 않겠습니까?

[자막] 국구(國舅): 왕비의 아버지

23   대비전 침전 (낮) (현재)

황원형   그때 제가 왜 그 제안을 받아들인 줄 아십니까...?
대비   (보면)
황원형   강건한 조선을 바랐던 마마의 뜻과 제 뜻이 같았기 때문입니다.
              해서 묻고 싶습니다! 이번 선발전이 고작 배동 하나를 뽑기 위함이 아니라
              부국강병을 위한 과정인지 말이옵니다.
대비   (과거 황원형에게 갚아주듯) 영상... 지금 조금만 더 말씀하시면 역모가
              될 수도 있습니다!! 세자가 멀쩡히 살아 있음을 잊으신 겝니까?
황원형   (거칠 것 없는 눈빛) 역모가 아니라 역사를 만드는 거지요.
              대비마마와 주상께서 그것을 증명해주고 계시질 않습니까?
대비   (!!! 말해) 원하는 게 뭡니까?
황원형   그때 제가 힘을 보탰던 것처럼...
              이번엔 제게 그 힘을 보태주셔야겠습니다.
대비   (보다가. 그래... 그 정돈 해줄게) 어찌 보태드리면 되겠습니까?
황원형   의성군을 확실하게 밀어주셔야겠습니다.
              대비마마의 사람들을 움직여주십시오...!!

협력하듯 견제하듯 팽팽하게 서로를 마주 보는 대비와 황원형.

24   중궁전 침전 (밤)

눈을 뜨는 세자. 막 잠에서 깬 듯... 여전히 창백한 모습인데.
고개 돌려 보면 누운 시선에서 보이는 화령의 모습.
책과 종이 뭉치들을 쌓아둔 채 하나씩 살피고 있다.

화령은 세자가 자리에서 일어나 앉는데도 전혀 모를 만큼 집중한 상태.

세자	(앉아 있기도 버겁지만) 어마마마...
화령	(정신 차리며 보는) 왜 일어났어?
	불이 너무 밝았느냐? (호롱불부터 막 끄려는데)
세자	아닙니다... (그리곤 화령이 보던 책으로 시선 가는데)
	그건... 의서(醫書)가 아닙니까?
화령	내 그 우라질 병이 뭔지 좀 알아야겠어서 보고 있었다!
	뭔데 내 새끼 이렇게 괴롭히는지 제대로 파헤쳐야지.
	(책 흔들며) 근데 뭔 놈의 용어들이 이리 어려운지. 어우~
세자	저 또한 벽온방까지 보았으나... 별다른 해법은 찾지 못했습니다.
	지혈이 잘 안 되는 혈우(血友) 증세가 있는 경우는 더욱 희귀한 듯합니다.
화령	너도 의서를 찾아봤구나...
세자	(쓰게 웃는) 예, 벽온방엔 병을 쫓을 수 있는 주문까지 쓰여 있어
	심지어 그걸 따라 해본 적도 있사옵니다...
화령	(놀라면서도 가슴 아픈)
세자	어마마마. 금방 털고 일어나지 못해... 송구하옵니다.
	소자 매일 밤 불효를 저지르는 듯하여 마음이 쓰이니
	금일은 침소에 들어 편히 쉬셨으면 좋겠습니다...
화령	(너스레) 괜찮아~ 뭐가 힘들어 이게. 엄만 하나도 안 힘들어.
세자	(보다가) 어마마마... 저 너무 졸립니다.
화령	그래? (얼른 이부자리 봐주는데)
세자	(눕더니 벽을 향해 쓱 돌아눕는) 너무 밝습니다...
화령	(그 말에 급히 호롱불 꺼준다)
세자	(엄마를 향한 미안함과 병에 대한 걱정으로 눈을 감지 못하고)
화령	(세자의 등을 보면서 혼자서 얼마나 힘들까... 마음이 복잡하다)

어둠 속, 화령이 의서를 잠시 들어 보지만 보이지 않고. 서책은 결국 덮지만
그 자리 그대로 앉아 세자를 지켜보는 화령. 밤이 깊어간다.

25   보검군 처소 (밤)

조심히 열리는 문. 들어서는 태소용의 까치발.
그 뒤를 따르는 남성의 묵직한 발.
누가 들어온지도 모른 채, 대단한 집중력으로 공부에 임하는 보검군.

태소용   (낮게 부르는) 보검군~~

보검군, 그 소리에 고개 들어 보면
태소용 옆에 떡!! 하니 대령한 쓰개치마 두른 누군가 서 있다.
태소용, 선물 개봉하듯 쓰개치마 쓱 끌어 내리면 형조참판이 드러나는데...

태소용   (엄마 능력 봤지?) 인사드려~ 진짜 어렵게 모셨다~~
           너의 거벽이 되어주실 분이시니라~~ (씽긋)
형조참판   인사 올리옵니다. 배도훈이옵니다.
보검군   (고개 들어 자세히 본다)
태소용   (칭찬받을 생각에 흐뭇흐뭇)
보검군   형조참판께서는 세자 시강관을 겸임하시는 것으로 알고 있습니다.
           국본의 치도(治道)를 밝혀 교육하는 것이 시강관의 임무 아닙니까?
형조참판   예, 그러합니다...
보검군   한데 제게 부패한 치도를 알려주시려 이 밤중에 드신 것입니까?
형조참판   (당황) 예...?
태소용   (역시 당황) 어머~~ 어렵게 모셨는데 쟤가 왜 저래~?!
보검군   또한 형조참판께서는 배동 선발에 관여하는 시험관이 아니십니까?
           한데 저를 이리 사사롭게 접촉해도 괜찮으신 겁니까?
형조참판   (더욱 당황) 아니 그게 저...
보검군   지권부지경즉패(知權不知經則悖)
           임시변통만 알고 원칙을 모르면 일그러지는 것입니다.
           원칙에 어긋나는 반칙을 원치 않으니 이만 나가주시지요.
태소용   (야 왜 그래~) 보검군~~ 힘들게 모셨는데 뭐 그리 무례하게 구느냐~
           기왕 이리 오셨는데~ 오늘은 그냥 수업 좀 한번 받아보자~ 응?

보검군	야심한 시각에 (태소용 보며) 임금의 여인과 궁중 처소에 함께 드셨으니 왕실 법도대로 처리할까요?
형조참판	(!!! 얼른) 송구하옵니다. (하더니 사색이 되어 급히 나간다.)
태소용	(어떻게 만든 자린데 속상하고) 보검군~~~!!
보검군	다시는 이런 짓 마십시오.

전 배동이 되고자 하는 것이 아니라 제 학문과 실력을 확인하고
싶을 뿐입니다. 누구의 도움도 없이 저의 힘으로 말입니다.

태소용	네가 딴 왕자들처럼 뒷배가 있느냐? 뭐가 있느냐?

이 어미가 뭐라도 해주고 싶어서... 안 돌아가는 머리 굴려가며
겨우 만든 자린데... 이게 뭐야~?! (울컥)

보검군	(서책 본다) 집중 안 되니 어마마마도 나가주시지요.

태소용 입 삐죽거리더니 속상해 나가버린다.
전혀 흔들림 없이. 다시 페이스대로 서책을 넘겨 보는 보검군.

26 시강원 마당 (낮)

드디어 결전의 날!!
바람이 불어오고 치맛바람 날리며 모여드는 궁중 사모들(전부). 이들은 구경꾼.
진짜 주인공들인 출전자들과 그의 모친들도 곧 등장한다.
보검군 + 태소용, 의성군 + 황귀인.

[자막] 배동 선발 2차 시험 [복시(覆試)]

태소용	어머 어머~!! 저게 바로 그 시강원이냐~?

(두 손 모으며) 기분 탓인가? 전각 때깔부터가 종학이랑 다른 것 같구나~

보검군	(살짝 창피하고) 언성을 좀 낮추십시오.
태소용	아니 왜~~ 세자만 발 들일 수 있는 곳에 우리 아들이 들어간다니깐

내 신기해 그러지~~ 그렇다고 부담은 갖지 말구 응~?

보검군	(눈빛 다르고) 학문으로는 그 누구에게도 지고 싶진 않습니다.

그때, 모습을 드러내며 비장하게 걸어오는 화령과 성남.
모두가 집중한 듯 보는데, 계성대군이 안 보이자 낮게 수군대기 시작한다.

숙의	(뭐야 뭐야) 근데 계성대군은 왜 안 보인답니까...?
고귀인	못 들었습니까? 오늘 아침에 기권 의사를 밝혔다잖아요~

술렁임 속에 의연하게 대열에 합류하는 화령과 성남.

화령	부담 갖진 말고.
성남	전, 그런 거 잘 안 갖습니다. 어마마마께서도 큰 기댄 마십시오.
	(엄마 본다) 그래도 해볼 때까진 해보겠습니다.
화령	(미소 지어 보이지만, 그래도 긴장되는 얼굴인데- 그 위로)
일영	(난감, E) 이건 어떻게 쓰는 겁니까?

27   궁궐 담 앞 (낮)

흑립 들고 어떻게 쓰는지 몰라 우왕좌왕하는 일영.
이미 두루마기로 갈아입은 세 왕자. 무안, 일영, 심소군 있다.

무안	줘봐. (능숙하게 흑립 일영 머리에 씌워주는)
일영	(떨린다) 형님, 정말 궁 밖 시전에 가면 별게 다 있습니까?
무안	별천지지! 어여쁜 규수들까지 아주 그냥 바글바글하다~!!
심소군	저희 정말 이래도 되는 것입니까...?
무안	배동 탈락자들인데 뭔 상관이냐~~
심소군	(그래도 좀 무섭고) 이러다 걸리면 어쩝니까...

무안, 능숙하게 담 위로 훌쩍 뛰어오르더니
손 내밀어 아우들 한 명씩 끌어 올려준다.

무안	지금은 복시로 정신없어서 우리가 나가도 아무도 몰라~

담 위에 안착한 세 왕자, 동시에 담 밖으로 뛰어내린다!!
"어윽...!" 심소군의 단발 신음 후, 다다다 뛰는 소리.

28   시강원 내부 (낮)

- 중심엔 이호 있고, 측면엔 시험관들의 모습.
황원형, 윤수광, 여기영, 민승윤, 우의정, 형조참판, 이판 등(총 10명).
시험관들의 서안엔 명패 놓여 있다. 寶芠君, 義聖君, 成栩大君.
- 토론을 위해 마주 보고 앉은 왕자들.
- 이호의 서안 위로 족자 세 개가 놓여 있다.

이호	경들이 올린 논제를 검토했으나, 거기서 출제하진 않겠소.
시험관들	(살짝 술렁이는데)
이호	(민승윤 향해) 가져오라.

민승윤이 엄청난 양의 상소문을 가져와 옆에 선다.

이호	이 상소문들은 모두 신종역병과 움막촌에 관한 상소(上疏)들이오.
	과인은 최근 가장 큰 쟁점이 되고 있는 서촌 움막촌 문제를
	왕자들과 함께 토론해보고자 하오!
황원형	(이호를 보는 알 수 없는 표정에서...)

29   의성군 처소 (낮) (회상)

서안 위로 28씬과 동일한 족자들이 보인다.
모의를 하듯 모여 앉은 황원형과 의성군. 그리고 황귀인.

황원형	(족자 보며) 전하께 올린 것과 동일한 논제들입니다.
	이것들 중에 하나가 출제될 것이니...
	원고를 작성해 미리 입에 붙게 연습해두시지요.
의성군	예. 그리하겠습니다.
황원형	(그런데 또 하나의 족자를 의성군에게 건넨다)
의성군	(받고, 의아한 듯) 이건 또 무엇입니까?
황원형	전하께서 논제를 바꾸실 수도 있으니, 대비해야지요.
의성군	(반색. 그 말에 펼쳐서 보는데)
황원형	논제에 시의성이 높은 역병과 움막촌 문제는 포함시키지 않았습니다.
황귀인	일부러 올리지 않으셨단 말입니까?
황원형	우리 의성군께서 단독으로 빛을 보려면, 전적으로 유리해야지요...
	저 또한 혁제공행(문제 유출) 논란에서 비켜 갈 수 있을 것입니다.
황귀인	(거기까진 생각 못 했는데, 부친을 보는 미소)
황원형	(자료들을 서안에 내려놓고) 이건 그 해당 자료니, 잘 살펴보시지요.
의성군	(꽤 많은 양에 놀라는데)
황원형	부담 갖지 마십시오. (나만 믿어) 대비마마까지 우리 편에 섰으니
	큰 실수만 안 하면 배동은 의성군의 것입니다.

30   시강원 + 서촌 교차 (낮)

 # 시강원
- 여유로운 미소를 보이는 황원형. 입꼬리가 오르는 의성군.

이호	지금 서촌에선, 전염성이 강한 '신종역병'이 창궐했다.

 # 저잣거리
- 물건과 사람들로 넘쳐나는 세상 별천지!!
들뜨고 신난 일영과 심소군. 첫 출궁에 연신 감탄.
무안은 무한 출궁자답게 여유 있는데
거리 곳곳. 극소수의 사람들은 마스크처럼 복면을 착용했다.

이호	(E) 다행히 도성은...

이호   (E) 다행히 도성은...
역병의 초기 근원지인 움막촌을 봉쇄해 확산을 막을 수 있었다.

     # 움막촌, 경계 지역
     - 봉쇄된 입구. 삼엄한 경계를 서고 있는 보초병들, 복면 착용.

이호   (E) 이후 산발적으로 생긴 병자들은 움막촌에 격리한 상태며...

     # 움막촌 안
     - 높은 울타리로 막힌, 20호쯤 되는 민가들이 보이고.
     일부 민가엔 화재의 흔적이 고스란히 남아 있다.
     뛰어노는 아이들을 비롯, 경증환자로 보이는 사람들이 복면을 착용한 모습.

이호   (E) 움막촌은 역병이 종식될 때까지 잠정 봉쇄될 예정이다.

     - 일각, 치료센터 같은 임시민가도 보인다. 움막에서도 격리된 느낌.
     이곳은 상태가 심각한 중증환자들이 보인다.

     # 시강원
     - 서촌 얘기를 듣는 성남의 표정이 다른 왕자들과는 사뭇 다르다.

이호   이를 고려하여
신종역병의 확산을 막고 움막촌을 통제 관리할 방안에 대해 논해보라!

     - 성남은 눈치 안 보고 본인의 의견을 말하고,
     보검군은 차분하면서 강단 있게
     의성군은 자료를 미리 봤기에 전문적인 느낌으로.

보검군   움막촌을 어디까지 통제할 것이냐가 쟁점이 될 것입니다.
강경하게 격리하여 외부와의 단절은 유지하되 중증, 경증으로 환자들을

	분류해 관리하고, 완치된 백성들은 격리 해제해야 합니다.
의성군	안 됩니다. 역병 발생 초기에 뚜렷한 증상이 나타나지 않아
	다 나은 줄 알았으나 다시 병이 도져버린 사례가 서른두 건이나 있었습니다.

의성군	안 됩니다. 역병 발생 초기에 뚜렷한 증상이 나타나지 않아
　　　　다 나은 줄 알았으나 다시 병이 도져버린 사례가 서른두 건이나 있었습니다.
　　　　이렇듯 증상 없는 감염자가 격리 해제된다면
　　　　역병이 도성 전역으로 확산될 수 있습니다.

윤수광	(평가하듯) 의성군은 구체적인 사례로 주장을 뒷받침하고 있습니다.

황원형	(흡족하면서도 오만한 표정)

의성군	해서, 접촉을 최대한 막기 위해 구휼도 중단해야 합니다.

성남	(인상 팍!) 미쳤어?!! (하다가 감정 겨우 누르며)
　　　　그럼 그들은 굶어 죽으란 것입니까?!

시험관들	(술렁이고)

윤수광	(우려 섞인) 어허... 전하도 계신 경연에서 언행이 너무 거칩니다.

성남	(반응 신경 안 쓰고) 구휼이라도 있으니 그나마도 버틴 겁니다.
　　　　오히려 거기에 구료(救療: 의료 지원)까지 더해야 합니다!!
　　　　역병을 종식시키는 게 도성을 지키는 일이라면 역병을 잡아야지
　　　　백성은 왜 잡습니까?!

보검군	(차분히) 구휼은 허하고 구료가 불허된 것은
　　　　의료 지원시 밀접접촉이 불가피하기 때문입니다.
　　　　소수의 병자를 치료하기 위해 무리하게 역병 근원지에 출입한다면
　　　　감염의 전파 고리가 도성으로 이어질 것입니다.

시험관들	(보검군의 말에 대부분이 고개를 끄덕이는데)

의성군	이번 역병을 종식시킬 방법이 있습니다!!

이호를 포함한 모두가 의성군에게 주목한다.

의성군	부란병(腐爛病: 수목의 병해) 박멸을 접목하면 됩니다.
　　　　나무가 병충해를 입으면 회생 불가능한 가지를 과감하게 절단하고
　　　　소각해 버립니다. 그것이 그 나무를 살리는 유일한 방법입니다!!

성남	(눈빛 매섭게 변하고) 움막촌에 불이라도 놓자는 말입니까?!

의성군	예!! 불태워야 합니다.

성남	(미쳤구나!!) 거기 살고 있는 움막촌 백성들은 어쩌란 말입니까?!

의성군	어차피 그들 중 대부분은 출신성분도 알 수 없는 이주자들입니다.
	이번 역병은 바람과 물, 공기만으로도 전염된다 했습니다.
	병균 박멸을 위해선 역병의 근원을 불태워 없애야만 합니다.
성남	죄 없는 백성을 죽여가면서까지 불을 놨는데
	역병이 종식되지 않으면 어떡할 겁니까?
우의정	(여론몰이 하듯) 성남대군은 논리적이지 못하고 너무 감정적입니다...
성남	민가에선 이 역병을 비루수(飛淚水)라 부릅니다.
	마치 '안개 속 물방울처럼 바람에 날려 온다' 하여 붙여진 이름입니다.
	전염경로를 모르니... 바람으로도 물로도 심지어 눈에 보이지 않는
	공기로도 병에 걸린다 믿게 된 것입니다.
	(대신들 저격하듯) 역병에 대한 이런 거짓정보와 그 무지함이...!!

ins 》움막촌 근처

| 성남 | (E) 백성들의 공포와 불안을 낳는 것입니다. |
| | 그 불안이 극대화된 것이 바로 움막촌 방화 사건입니다...! |

　－ 복면 착용, 횃불을 들고 몰려드는 사람들. "저기가 비루수 진원집니다!!"
　분노보다 비루수에 대한 두려움이 더 큰 느낌으로

백성1	병균이 바람을 타고 날아오면... 우리도 다 죽는 거 아닙니까?
백성2	비가 오면, 움막촌 병균들이 도성으로 흘러나온다잖아요!
백성3	저것들 싹 다 태워버리면, 비루수도 다 타서 없어지는 거 아닙니까!
백성1	자, 갑시다!!

F.B 》1부 8씬. 서촌(西村), 움막촌 안 (낮)
　－ 횃불을 움막촌으로 집어 던지고, 담장 주변까지 불을 놓는 사람들.
　－ 활활 타오르는 불길에 아수라장이 되는 움막촌.
　사람들 사이에서 불길을 잡는 성남의 모습도 스친다.

| 성남 | (E) 그 불안과 공포가... |

움막촌에 대한 혐오와 차별로도 표출되고 있습니다.

저잣거리 국밥집
국밥을 상 위로 내려놓던 주모가 백성4를 보고 놀라 국밥을 쏟는다.

주모　(바퀴벌레라도 본 듯) 악!! 이 사람 움막촌 사람이잖아!!

－깍!! 국밥을 먹던 사람들이 모두 백성4를 피한다.

서촌 골목
－아낙이 공포에 질린 채 물러서지만, 곧 사람들에게 둘러싸여 폭행당한다.

백성1　니들이 병 옮겼지! 죽어!!

－두려움을 넘어 혐오와 분노로 가득 찬 그들의 얼굴에서－

성남　(E) 역병과 무관한 사람들에게까지
　　　무차별적인 폭력이 가해지고 있습니다.

다시 시강원 》

성남　병의 실체를 제대로 알지 못하는 두려움이 그렇게 만든 것입니다.
　　　확산을 막는 것도 필요하지만 이 병을 정확히 알아야 합니다.
보검군　맞습니다. 전염병 창궐을 '위험한 기회'로 삼아 다음을 대비해야 합니다.
의성군　(웃기고들 있네. 조소하는데)
성남　(저격하듯 의성군 보며) 역병이 창궐할 때마다 백성을 불태워 죽일 생각이
　　　아니라면...!! 구료와 함께 역학조사를 병행해야 합니다.
　　　그래야지만 이 불안과 혼란을 막을 수 있을 것입니다.

시간 경과.
투표함에 왕자들의 명패를 넣는 시험관들.

31   중궁전 침전 (오후)

막 들어서는 신상궁. 화령은 잠든 세자를 돌보고 있는데

신상궁   (다가와 서며) 마마, 복시가 막 끝났사옵니다.
화령   그래. 성남대군이 고생 많았겠구나~ 지금 어디 있어?
신상궁   (난감) 그것이... 처소에도 강무장에도 어디에도 보이질 않으시옵니다.
화령   (뭐지 싶은데) 혹시 아우들한테 갔나...?

32   몽타주 (오후)

일영대군 처소
드르륵. 문을 열어보지만 처소엔 아무도 없다.
바닥은 발명품들로 난장판인데 일영은 보이지 않는다.

화령   얜 또 어디 갔어?!

무안대군 처소 복도 + 침전
굳은 표정의 화령이 돌진하듯 다가서면!
잔뜩 긴장한 얼굴로 얼른 허리를 깊이 숙이는 문내관.
문을 두 손으로 열어젖히는 화령! 무안이도 없다!!

화령   (깊은 빡침, 버럭) 이 자식들 지금 어딨어!!!

33   저잣거리 공터 (오후)

입이 쩍!!! 눈도 휘둥그레진 일영과 심소군! 그리고 무안.

박수도 막 치며 버나, 살판, 어름 등의 사당패 공연을 보고 있는데
세상 신난 세 왕자 가락엿 하나씩 들거나, 빨고 있다.

무안   아우들아, 초시에 붙었어봐라~~ 이 구경을 어찌 했겠느냐?
심소군 떨어져서 속상했었는데... 기분이 싹 다 풀립니다.
무안   (심소군 머리 손으로 막 비비면)
심소군 (헤헤 활짝 웃는)
무안   (일영, 심소군 양팔로 감싸더니) 그럼, 니들은 구경 좀 더 하고 있어~
일영   어디 가시게요?
무안   (약간 허세, 너스레 떨며) 사내가 궁 밖을 나왔으면~
       여인의 향기는 한번 맡고 가야지~~
일영, 심소군 (두 눈 반짝. 형이 존경스럽다, 워너비 보듯) 와...

34   궁궐 담 바깥쪽 (오후)

      착!!! 안정적으로 착지하는 발. 카메라 몸 타고 올라가면 평상복 차림의 성남.
      빠르게 어딘가로 간다.

35   혜월각, 어느 방문 앞 + 마당 (오후)

      여인들과 아이들이 누군가를 구경하며 킥킥거린다.
      보면, 툇마루에 올라 문에 매달린 채 질척거리고 있는 무안이다.
      초월은 방문 안에 있고, 마당엔 팔짱 낀 채 지켜보는 택호 형도 있다.

무안   (애가 닳고) 초월아~ 문 좀 열어보거라.
초월   (E) 돌아가십시오. 다시는 만나지 않겠다 모친께 약조드렸습니다.
무안   그건~ 울 엄마랑 한 약속인데-에!
       내가 왜 그 약줄 지켜야 되느냐? 어?!
초월   (단호한, E) 또다시 찾아오시면, 이곳을 영 떠날 것입니다.

무안	(거의 몸부림) 초월아... 내 너와 벗인 줄 알았는데 아니야...
	(아 심장) 여기가 아파... 넌 나를 안 보고도 살 수 있느냐? 어?!
택호 형	아 거 도련님 그만 좀 해. (좋은 말 할 때) 그만하라고~오!!
무안	(뭐야?! 하고 보다가 택호 형 포스에 놀란 표정)
택호 형	(몸 풀며. 우둑 우두둑) 알 만한 도련님께서 말귀를 못 알아듣네?
무안	(약간 쫄아서) 자넨 누군가?!
택호 형	초월이가 내 계집이올시다!!
무안	(그 말을 완전히 믿진 않지만, 충격인데)
택호 형	그만 가라고! 아 싫다잖아!! (확 미는데!!)

뒤로 확 밀리며, 표정마저 차갑게 굳는 무안.
평소와 전혀 다른 표정으로 품에서 서찰 꺼내더니 툇마루 위에 놓는다.
결국 돌아서는 무안. 그렇게 멀어지는데
그제야 문이 서서히 열리며 모습을 드러내는 초월.
무안의 서찰을 들어 초월에게 건네는 택호 형. '나 잘했지?' 하듯 씩 웃는데-

초월	(갑자기 택호 형 따귀를 올려붙인다 짝!!) 누가 네놈의 계집이야?
	(무표정으로 반대쪽 거침없이 한 대 더 짝!!!)
택호 형	(벙쪄서. 이년이!!) 왜 또 때려?
초월	이건, 감히 그분의 몸에 손을 댄 값이라 여기거라.
택호 형	(얼얼한 양쪽 볼을 쥔 채, 분해서 가버리고)

초월, 정인의 마지막 길을 배웅하듯 무안이 멀어지는 모습을 끝까지 본다.

36   호황봉 마당 (오후)

살짝 눈치 보는 택호. 그 앞에 서 있는 성남.

| 택호 | 아니~ 그 혈허궐이라는 게. 흔한 병은 아니드만~ |
| 성남 | (인상 꽉) 못 찾았으면 변명 말고 선금부터 뱉어. |

택호	(만만치 않네) 어휴~ 못 찾긴요. 찾았지. 근데 진짜 힘들게 찾아서
	고생 좀 했다는 거지~ (슬쩍 눈썹 씰룩거리자)
성남	(품에서 돈주머니 던지며) 약속한 잔금.
택호	(얼른 들어 내용물 확인하며, 좋아서 히죽)
성남	(누군가 찾는) 그 의원은?
택호	(받을 거 다 받으니 태도 돌변) 도성을 이 잡듯이 싹 다 뒤져도
	딱 한 명 있더라고...
성남	(그래도 있다니 반색하는데)
택호	근데 못 만나. (돈주머니 토스하듯 휙 던지면)

막 들어서던 택호 형이 한 손으로 받는다!! 성남, 인상 쓰며 돌아보면
택호 형, 만반의 준비를 한 듯 허리엔 칼도 찼고, 도끼도 들었다.
오늘은 그냥 안 당하겠다는 강한 의지로 히죽대는 택호 형제.

성남	(돈 더 뜯어내려는 수작인가 싶어) 뭐야 니들?
	돈은 다 받아놓고 내빼시겠다...?!
택호	(약 올리듯) 아니~ 언제 우리가 만나게 해준댔나?
	찾아준다고 했지~ (뭐가 문제야? 하듯 어깨 씰룩하면)

눈빛 변하는 성남 순식간에 택호의 팔을 꺾더니 제압해버린다.
"감히 내 동생을 건드려?!" 열받은 택호 형 도끼 들고 달려드는데
성남이 날라차기로 도끼 저 멀리 날려버리고!! 칼은 직접 뽑아 던져버린다.
급기야 동시에 달려드는 형제의 팔을 뒤로 꺾으며, 한 번에 제압해버린다.
성남의 무술 실력에 깜짝 놀라는 택호 형제, 잘못 건드렸음을 깨닫고 깨갱.

택호	아.. 아파 놔줘. 놔주세..요.
택호 형	(손바닥으로 바닥 치며) 항복.. 합니다. 형님. 예? 형이라고 부를게.
성남	(됐고!) 시간 없으니까 빨리 말해. 그 의원 어딨어?!
택호	아 진짜 못 만난다니까..요. (성남이 팔 뒤로 더 꺾자 고통. 항복 항복)
	아, 진짜야 형님. 만날 수 없는 곳에 있어서 그래...
성남	어딘데 거기가?

37   움막촌 근방 일각 (오후)

비장한 표정으로 복면을 쓰고 있는 성남.
택호 형제는 끌려온 듯한 표정으로 서 있다.

택호   근데 형님~ 저긴 시체 뜯으러 까마귀 떼나 들어갔다 나오지.
         사람은 살아서 못 나온다니깐~!!
성남   (상관없다는 듯 복면 꽉 묶는) 서촌은 내 손바닥처럼 아는 데야. 들어가
         게만 해줘. 위험수당에 권역 할증까지 얹어서 줄 테니까. (어때? 콜?!)
택호 형   (어쩐지 친근하고) 거, 우리 동생 참 마음에 드네.

38   움막촌, 경계 지역 (오후)

보초병들이 지키는 입구로 수레를 끌고 오는 관원 복장의 택호 형제.
얼굴엔 복면 썼다.

택호   (보초병들 향해. 넉살 좋게) 아이고~~ 수고들 많으십니다~~
보초병1   뭔가?
택호   구휼입니다~
보초병1   이 시간에?
택호 형   윗전에서 시키면 시키는 대로 하는 거지, 저희가 별수 있나요.
보초병2   (수상한데? 하는 표정)

보초병1, 2가 수레를 자세히 살피기 시작한다.
자루를 열어보면 진짜 쌀이 맞는데...
갑자기 보초병들에게 돈 찔러주는 택호 형제.
'넣어둬~ 넣어둬' 하듯 찡긋하면, 못 이기는 척 쓱 챙기는 보초병들.
대충 기본적인 수색만 하더니, 캐묻지 않고 바로 통과시켜준다.

보초병1   수레만 밀어 넣고 바로 나오시오!!

끼-익!! 정문이 열리면 '휴~ 다행이다' 싶은 택호 형제.

39   움막촌 안, 정문 앞 (오후)

구석에 수레를 놓고 나가는 택호 형제.
잠시 뒤, 수레 밑으로 굴러서 나오는 성남!!
주변 쓱 둘러보더니 바로 이동한다.

40   동 격리 민가 (오후)

신음하는 사람들. 그곳으로 들어서는 성남의 모습.
의녀 같은 여인들이 사람들을 돌보고 있고
숨이 넘어가는 사람들 사이를 누비고 다니는 백발의 남자도 보인다.
옷은 누더기고, 얼굴에 곰보 자국이 있는 괴짜 느낌의 토지선생(60대).

택호   (E) 토지선생이란 사람인데~ 얼굴에 곰보 자국이 있다니까
알아보긴 쉬울 겁니다~

그임을 직감하는 성남!! 환자를 치료 중인 토지선생에게 다가선다.

성남   토지선생님이십니까?
토지선생 (쓱 본다. 건강한 놈이네, 바로 무시)
성남   의원님!! 의원님께서 혈허궐을 고치셨다 들었습니다.
저희 형이 그 병증으로 지금 많이 안 좋습니다. 의원님... (하는데)
토지선생 (버럭) 어쩌라고?! 그렇게 급하면 등에 업고 오지 그랬어?
근데 니 눈깔엔 지금 더 급한 사람들은 안 보이냐?

바빠 죽겠는데... 시끄럽게 지랄이여. (투덜거리며 이동)

성남 　(살짝 당황하지만 막 따라가는) 의원님. 혈허궐 치료법이라도 좀 알려주시면
　　　안 되겠습니까?

토지선생 　(어우 시끄러워!!) 가만, 첨 보는 얼굴인데... 너 설마 바깥에서 왔어?!!

성남 　예.

토지선생 　이거 완전 정신 나간 새끼구만. 여기가 어디라고 기어들어와?!
　　　형보다 네가 먼저 뒈지기 싫으면, 얼른 다시 나가.
　　　(도리질) 어우 정신 나간 새끼... (문득 혼잣말) 어떻게 들어온 거야?

토지선생 이동하는데, 계속 따라붙는 성남.
그때 통증을 견디다 못한 환자1이 평상에서 쿵!! 떨어진다.
놀란 토지선생이 끄엉차 올려보려는데 꿈쩍도 안 한다.

토지선생 　야, 거기 건강한 새끼!!! 뭘 멀뚱히 서 있어? 일루 와!!

성남 　(다가와 환자1을 같이 평상으로 올리면)

토지선생 　(환자2도 성남에게 토스, 방 가리키며) 저리로 옮겨!!

"예!" 뭐라도 얻기 위해 비위를 다 맞추는 성남, 환자2를 부축해 이동시킨다.
슬쩍 보는 토지선생. 잠시 뒤, 돌아온 성남.

토지선생 　(자연스럽게 침 달라고 손 내민다)

성남 　(아...! 침통에서 하나씩 건네주는)

토지선생 　(환자3 몸에 침 꽂으며) 어쩌고 있는데?

성남 　예?

토지선생 　아, 네 형!! 상태 어때?
　　　여기까지 왔으니 궐증은 빈번할 테고, 약은 어떤 거 쓰고 있어?

성남 　독삼탕과 귀비탕입니다.
　　　침 치료도 병행하는데 전혀 호전되질 않습니다.
　　　(품에서 종이 꺼내 건넨다) 증상과 상태를 적어본 것입니다.

토지선생 　(받아서 읽다가) 써 온 꼬락서니가 어디서 의학서
　　　좀 주워 읽었나 본데?! (새끼 정체가 뭐야, 하다가 종이 딱 접고)

혹시 네 형, 다쳐서 피 많이 쏟은 적 있어?

성남   그런 적은 없습니다.

단지 어린 시절부터 피가 한번 나면 지혈이 오래 걸렸는데,

지금은 그 증상이 더욱 악화됐습니다.

토지선생   (진지해지고) 실신할 정도로 몸이 허약한 사람한테 침 치료는 금기야.

특히 니 형처럼 피가 잘 멎지 않는 경우는 더 조심해야 돼.

사혈침 같은 거 쓰면... (목 긋는 시늉) 끝나는 거야.

[자막] 사혈침(瀉血鍼): 죽은 피를 빼내 기혈의 순환을 돕기 위한 침

성남   (!!) 그럼 어떻게 해야 합니까?

토지선생   뭘 어떡해. 침 꽂지 말아야지!!

혈자리가 제자리를 찾을 때까지 좀 기다리라고 해.

의원한테 몸을 보한 다음에 그때 침 치료하라고 꼭 말하라구.

알았어?!

점프, 종이 하나를 성남에게 건네주는 토지선생.

토지선생   처방전이야. (강조) 네 형 같은 경우엔, 혈을 건드리지 않는 것만으로도

호전될 수 있으니까 명심해. 그리고 약재는 죠기~~ 약방 있지?

그 시전 끄트머리? 거기 가야 있어.

성남   (정중히) 정말 감사합니다. (하고 급히 돌아서는데)

토지선생   (버럭) 어딜 그냥 가?!! 돈 내야지 돈!!!

처방도 해줬는데 그냥 가면 쓰나. 돈 있지?!

성남   아... (급히 소매에서 염낭 꺼낸다) 얼마면 되겠습니까?

토지선생   (염낭째로 쏙 가져가더니 자신의 바지춤에 넣는)

성남   (놀라) 약값 치를 돈은 남겨야 하는데 그걸 다 가져가시면...

토지선생   (처방전 가리키며) 그거 가져가서, 토지선생 소개로 왔다고 하면

약방 애들이 약 내줄 거야~ 나랑 계속 거래하는 애들이거든.

성남   (뭔가 좀 찝찝한데)

토지선생   (큰 항아리 가리킨다) 갈 때 손도 닦고 가. 청주야. 마시진 말고. 소독해.

(가다가 문득) 참 근데 어떻게 나갈려고 그르냐? (하고 돌아서는데 성남
은 이미 가고 없다. '뭐지?' 녀석 정체가 뭔가 싶고)

41   몽타주 (오후)

폐허가 된 어린성남의 집
성남이 아궁이를 막아놨던 나무판자를 쓱 옆으로 밀면, 거미줄이 가득한데
'아직 그대로 있구나!!' 반색하며 거미줄 휘휘 하더니 그 안으로 들어선다.

움막촌 비밀통로
한두 사람 지나갈 정도의 좁고 긴 통로.
흙을 판 땅굴 같은 느낌의 구멍을 지나는 성남의 모습.

움막촌, 경계 지역 근방
저 멀리 움막촌 울타리가 보이는 서낭당.
신목과 돌무더기가 보이고. 그 옆에 작은 신당(神堂)도 보이는데
그 신당에서 은밀히 빠져나와, 보초병들을 의식하며 급히 이동하는 성남.

42   저잣거리 (오후)

뛰는 성남.
앞서 걷던 청하와 몸종 두리를 추월해 그대로 지나친다.
청하, 장옷에 얼굴 가려졌지만 꽤 미인. 고고한 느낌.

43   약방 내부 (오후)

숨 몰아 내쉬는 성남, 약재상1, 2 앞에 서 있는데

약재상1 (받아 든 처방전 한번 봤다가, 성남 얼굴도 한번 봤다가 한다)
 이건 아무한테나 파는 거 아닌데... 누구 소개로 오셨수?

성남 (대답하려는데)

약재상1 (누군가 보고 깍듯이) 아이고~ 오셨습니까?

성남, 뒤돌아보면 청하 일행이 약방으로 들어선다.
약재상2, 약재들을 챙기며 청하를 상대하고
약재상1은 성남을 상대한다.

약재상1 (다시 성남 보는) 참. 누구 소개로 오셨다고요?

성남 토지선생 소개로 왔습니다.

약재상1 아~~ 토지선생. (돈 달라는 듯 손 내밀며) 열닷 냥 주슈.

성남 (당당) 약값은 그분께 미리 지불했습니다.

약재상1 쯧쯧. 이뤈 또 당하셨네!
 약값을 약방에 줘야지 왜 의원한테 준답니까?

성남 (살짝 당황하지만) 여기 오면 분명 약을 준다 했습니다.

약재상1 그니까~ 열닷 냥 주시라고.

성남 남은 돈이 없습니다.

약재상1 (표정 돌변) 돈 없으면 나가슈, 아 나가!!

성남 (이것들 한패 같고) 제가 왜 나갑니까? 약 주기 전엔 못 갑니다.

약재상1 댁이 나한테 돈 줬어? 돈 없으면 약은 못 주니깐, 그냥 가라고-오!

성남 전 지금 그 약이 꼭 필요하단 말입니다...!!

약재상1 아 그럼 내일 돈 갖고 와서 가져가시든지!!

성남 (절박한데) 한번 나오기가 쉽지 않아 그렇습니다. 값은 나중에 와서
 꼭 치를 테니 약을 지금 주시면 안 되겠습니까? 부탁드리겠습니다.

약재상1 당신 나 알아? 내가 뭘 믿고 당신한테 돈도 안 받고 약을 줘?!
 아, 담보라도 걸던가?

청하 제가 담보를 걸겠습니다.

그 말에. 놀란 얼굴의 성남이 청하를 본다.
붉은 장옷 쓱 내리며 얼굴을 드러내는 청하!! 엄청 미인.

청하가 옷에 걸린 노리개 형식의 장도를 손으로 뚝 끊어낸다. 놀라는 두리.
장도 건네는 청하, 약재상1 얼결에 받긴 받는데

청하　저자가 약값을 치르면, 다시 제게 돌려주시고
　　　그러지 못하면 그냥 팔아서 쓰세요. 은이라 꽤 값이 나갈 겁니다.

약재상1　둘이 아는 사이십니까? 아니 저자를 뭘 믿고...

청하　(성남 잠시 보는) 너무 간절해 보여서.

라는 말 남기고, 쓰개치마 다시 두르며 돌아서 가는 청하.

성남　고맙습니다...!!

청하　(살짝 돌아보는) 돌아와 갚으시면 됩니다.
　　　어머님께서 남기신 물건이니, 꼭 제게 돌려주십시오.

성남　(모친 거라는 말에) 열흘 뒤. 이 시간에 직접 찾아와 갚겠습니다.

목례하고 나가는 청하 일행. 성남, 멀어지는 그녀 본다.

44　　약방 앞 (오후)

청하가 약방을 나오는데
할 말이 많은지 그 뒤를 막 따르는 두리.

두리　(편한 사이) 와... 언제 그 장도가 유품이 됐습니까~?
　　　아니 어떻게 멀쩡히 살아 계신 마님을~!!

청하　누가 유품이랬나~? 어머님께서 남기셨다고 했지~
　　　그리구~ 대어를 낚으려면 미끼로 좋은 걸 써야지~ (씽긋)

두리　왜 그렇게까지...

청하　(명료) 잘생겨서~! 다시 한번 보고 싶어서 그랬어~

두리　어휴~! 남사스럽습니다 진짜.

청하　남자만 고백하란 법 있어~? 여자도 좋으면 쟁취하는 거지!

두리	(정말 진지하고) 저분이 만나주실까요? 저렇게 멀쩡한데?
	이미 매파들한테 아씨에 대한 소문 쫙 다 퍼졌다구요~!!
청하	(궁금) 뭔 소문~?
두리	병조판서 장녀는 보지도 않고 믿고 거른다!!!
청하	(뭐가 문제?) 저분은 나 누군지 모르잖아~ (씽긋)

45   약방 + 약재 창고 (오후)

귀가 살짝 간지럽고, 약방에선 성남이 기다리고 있는데
약재를 포장하고 있는 약재상2 보이고,
약재상1은 처방전 밑에 접힌 부분을 쓱 떼어내면 그 안에 작은 쪽지가 들어 있다.
펼쳐보면 깨알같이 적힌 글씨들. '金銀花, 連翹, 急'.

약재상1	(성남 의식하며, 아주 낮게) 야, 토지선생이 금은화랑 연교도
	보내라는데? 급하대. 약재가 부족한가 봐.
약재상2	(쯧쯧) 저 양반은, 움막촌 환자들 약값을 자기가 치른 줄도 모를 거야.

약재상2 약재를 챙기면, 약재상1은 성남에게 처방전을 돌려준다.

46   움막촌, 경계 지역 근방 (밤)

약재상1, 2가 삼엄한 경계를 피해 투포환 던지듯,
최대한 높이 멀리 약재를 담 너머로 집어 던진다. 약 던지기!!

47   움막촌 안, 임시 움막 근방 (밤)

땅으로 툭! 툭!! 툭!!! 연이어 떨어지는 약재들.
그 약재를 집어 들며 씩 웃는 사람. 토지선생이다. 익숙하게 챙겨가는 모습.

48   궁궐 담 안쪽 (밤)

무안이 완벽하게 착! 일영이 어설프게 착!!
심소군이 넘어지며 콰-당!!! 착지하는데.
순간 귀신이라도 본 듯 얼어붙는 왕자들. 사색.
보면, 그들 앞에 팔짱 낀 채 서 있는 화령!!

49   무안대군 처소 (밤)

획획!!! 종아리로 쳐지는 회초리.
심소군 세 대. 일영 세 대. 무안은 세 대를 넘어서는데...

무안	아, 저는 왜 더 때리십니까?
화령	맞아야지!!! 형이 돼서 아우들에게 모범을 보이긴 못할망정 다 끌고 나가서 궁 담을 넘어?! 심지어 저 순진한 심소군까지 꼬여내서! (일어나 등짝 스매싱) 궁내 망나니 수식어를 대군들만 쓰긴 아까웠냐?!
무안	아 진정하시고~
화령	진정해? 엄마 속도 모르고. 이것들이...! (진짜 속상하고)
무안	초시도 끝났고~ 저흰 복시 자격도 없었질 않습니까~~
화령	(말 끊고. 싸늘) 네가 얼마나 위험한 짓을 한지 아직도 모르겠어? 지금 때가 어느 땐데... 역병 때문에 한동안 난리였던 거 몰라? 무사히 돌아왔으니 망정이지 밖에서 무슨 일이라도 있었어봐. 네 그 유흥에 날아갈 목이 한둘인 줄 알아?!
무안	(잘못한 줄은 알고) 다시는... 안 그러겠습니다.
화령	(화 조금 가라앉히고) 심소군은 이만 가거라. 모친께는 무안대군이 꼬여서 어쩔 수 없었다 솔직히 말하고 용서를 빌어.
심소군	예... (가려다가 멈추며) 저기.. 중전마마.
화령	(보면)

심소군   (눈은 못 마주치고) 누가 시켜서가 아니라. 제가 하고 싶어 태어나
            처음으로 혼자 결정해본 것입니다. (손가락 만지작) 그런데...
            태어나 가장 재밌는 날이었습니다.

화령   (한참 보다가) 좋았으면 됐다.

심소군   (의외의 반응에 놀라 고개 든다.)

화령   모친께는 그럼 비밀로 해주마.

심소군   (눈 맞추고) 정말이십니까?

화령   (끄덕)

그때, 무안과 일영이 동시에 하품한다. 잘 놀아서 고단한 듯.
"다들 일찍 자!!" 무섭게 소리치더니, 눈으론 '녀석들...' 하고 나가는 화령.

50   중궁전 침전 (밤)

잠든 세자는 여전히 안색이 좋지 않고, 식은땀 흐른다.
좀 떨어진 곳에선, 처방전을 들고 어쩔 줄 몰라 하는 권의관과
약을 앞에 두고 설득하고 있는 성남이 보인다.

권의관   (처방전과 약을 무르며) 도저히 안 되겠습니다 대군마마...

성남   (물러서지 않고) 형님을 어떻게든 고쳐봐야 되는 것이 아닌가?

권의관   하오나 대군마마. 저하께 민가의 방법을 쓸 수는 없사옵니다.

성남   기존의 치료법이 차도가 없는데, 뭐라도 시도해봐야지?!

화령   (E) 무슨 일이야...?

성남과 권의관이 돌아보면 화령이 서 있다.

점프, 처방전을 들고 고심하는 화령.

권의관   (간곡하게) 중전마마...! 이미 소인은 주상전하의 눈을 피해
            저하를 치료하는 것만으로도 목숨이 위태롭사옵니다.

	한데 외부에서 들여온 처방과 약재를 썼다가 잘못되기라도 하는 날엔...
	소인에게 그 책임을 반드시 물을 것이옵니다.
화령	(맞는 말이다. 고민이 더 깊어지고.)
성남	권의관의 의술을 못 믿는 것이 아니라 혈허궐을 치료했던 의원의
	처방이니 시도는 해보는 것이 맞는 것이 아닙니까?
화령	(아무리 생각해도) 안 된다.
성남	(미치겠고) 어마마마...!!
화령	권의관 말대로 외부에서 들여온 약재와 처방을
	국본에게 함부로 쓸 순 없어.
성남	이것 말고 다른 방법이 있습니까?
	할 수 있는 치료는 다 해봤는데 차도가 없질 않습니까?
화령	그래도 안 돼. 검증되지 않은 처방을 세자에게 쓸 순 없다...!
성남	그럼 침 치료라도 잠시 중단해주십시오. 그 의원은 혈을 건드리지
	않는 것만으로도 차도를 보일 거라 했습니다!!
세자	그리해주십시오...

화령과 성남, 권의관이 놀라서 보면
힘겨운 모습의 세자가 눈을 뜨고 그들을 보고 있다.

세자	며칠만이라도... 그리해주십시오.
	일어서고 싶습니다. 뭐라도 해보고 싶습니다.

기력은 없지만, 눈빛만은 강한 의지를 보이는 세자.
그 모습에 잠시 눈을 감았다 뜨며 결심하는 화령.

화령	권의관. 당분간 침 치료를 중단하게.
권의관	중전마마....!
화령	그 처방전과는 무관한 것이 아닌가?
	문제가 된다면 내가 책임지겠네. (진중하고 비장한)

51 편전 내부 (낮)

- 이호와 대소 신료들이 모인 가운데, 투표함 앞에 서 있는 민승윤.

민승윤   개표를 시작하겠습니다.

- 투표함에 손을 넣어 명패를 뽑아 읽는 민승윤. "의성군", "보검군"...
여기영이 바를 정(正) 자로 체크한다.
- 개표가 한참 진행된 상황.
지금까지 보검군 三, 의성군 四, 성남대군 三이다.
다 됐구나... 회심의 미소 보이는 황원형.

민승윤   이제 마지막 명패입니다. (투표함에서 명패 뽑아 읽는) 보검군.
황원형   (충격) !!!
윤수광   (은근한 미소로 형조참판과 사인을 주고받는 눈빛)
여기영   (결과 읽는) 보검군 넷, 의성군 넷, 성남대군 셋.
민승윤   (점수 합산한 뒤 보고하듯) 이로써 초·복시 점수를 합산한 결과
        가장 높은 점수를 받으신 분은 보검군이십니다.
이호   (끄덕, 카리스마 있게 대신들 본다) 이 결과에 대해 반대 혹은 이의가
        있다면 지금 얘기하시오.
대신들   (공정하게 평가했으니 다들 아무 말 못 하고)
황원형   (눈에 핏발 서는. 결국은 이호가 원하는 대로 흘러갔구나)
이호   (공표하듯) 이로써 시강원 배동에는, 보검군이 최종 선발되었다...!!
황원형   (분해서 이를 꽉 문다. 그리고 윤수광을 노려본다!!)

52 대비전 침전 (낮)

문 열리며 황원형 저돌적으로 들어서고,
원하는 결과를 이끌어낸 대비는 장기를 두며 여유롭다.

황원형	(앉더니 서늘히 보는) 분명!! 의성군에게 힘을 실어주겠다 하시질 않으셨습니까?
대비	제가 힘을 좀 쓰긴 했지요.
	공정한 심사를 해라. 제일 잘하는 놈. 합당한 놈을 뽑으라 했습니다.
황원형	마마...!!
대비	대감의 부탁대로 의성군을 밀어줄 순 있습니다.
	하지만 공정함을 배제한 채 목표를 주었다면, 어찌 되었을 것 같습니까?
	의성군이 배동으로 선발됐다 한들 주상께서 받아들였을 것 같습니까?
	택도 없습니다...!
황원형	(이빨 꽉!)
대비	(잘 들으세요) 주상께선 이번 배동 선발을 통해 적통대군들보다
	후궁의 자식들이 더 뛰어나다는 걸 알게 되셨고...
황원형	(듣고 보니 상황이 나쁘지 않고)
대비	대감께선 대감의 힘만으로는 고작 배동조차 만들지 못하신다는 걸
	알게 되셨을 겁니다.
황원형	(화들짝 등골 오싹!! 거기까지 계산한 것이란 말인가?)
대비	(그러니 까불지 마세요...) 전 대감께서 그깟 배동 하나 만들려고
	절 찾아왔다 생각하진 않습니다. 그러니 차분히 때를 기다리세요.
황원형	(밀리지 않고. 나도 네 목줄 쥐고 있어...) 때는 기다리는 게 아니라
	만드는 것 아니겠습니까? 대비마마처럼 말입니다.
	그걸 가르쳐주신 분이 그런 말씀을 다 하십니다.
대비	(눈 가늘게 뜨며 팽팽히 보는데)
남상궁	(E) 마마. 중전마마 드셨사옵니다.
황원형	(일순 굳는. 중전을?! 왜 불렀지?)
대비	(눈은 황원형 보며. 넌 가세요...) 들라 하라.

53   대비전 복도 (낮)

문이 열리면, 화령 앞에 황원형의 모습이 드러난다.
대비전을 사이에 두고 마주 선 화령과 황원형!!

황원형이 잠시 예를 갖추더니, 스치듯 화령의 옆을 지나간다.
'저자가 왜 대비전에 있었지?!' 위기감을 느끼는 화령인데

54   대비전 침전 (낮)

마주 앉은 화령과 대비.

대비   실력으로 선발하니 대군들은 고작 배동조차 되지 못했네요.
        세자에게 변고가 생기면, 이젠 그 자리를 대군들이 차지하는 게
        당연하지 않게 되었습니다.
화령   그걸 확인시켜주시기 위해 저를 부르셨습니까?
대비   (아니!!) 국본의 상태를 묻기 위해 불렀습니다.
        세자에게 차도가 있습니까?
화령   차도가 없다면, 달라지는 것이 있습니까?
대비   달라져야지요. 많은 것이 달라질 겁니다.
화령   (뼈 있는) 세자에게 차도가 있길 바라긴 하십니까?!
대비   이 할미는 우리 세자가 발병하기 이전으로 돌아왔으면 좋겠습니다.
        진심입니다, 이건...
화령   (허...) 정말 진심이긴 하십니까?
대비   내 진심 따위가 중요한 게 아닙니다!
        방금도 보셨질 않습니까?! 그깟 배동 하나 가지고도 영의정이 대비전까지
        들쑤시는 거...!! 그런데 세자가 아프다는 사실까지 알려져보세요.
        저들이 가만히 있겠습니까?!
화령   (굳는데)
대비   그러니 빈궁의 해산일까지 세자가 강건한 모습으로 나타나야 합니다.
        그러지 못한다면 그땐... 보위(寶位)를 굳건히 하기 위해서라도 제가 움직일
        수밖에 없어요. (조여오듯 압박하는) 제가 움직이지 않으면
        저들이 먼저 나설 테니 말입니다...!
화령   (!!! 감당할 수 없는 두려움이 엄습해오는데)

55   중궁전 침전 (낮)

창백하고, 식은땀에 젖어 있는 세자의 모습. 위중해 보이는데
그 옆에 앉아 있는 화령, 신상궁과 조심스럽게 대화한다.

신상궁   (놀라) 설마 폐세자를 말씀하시는 것이옵니까?
화령   (심각) 세자가 위중하다는 게 알려지면 충분히 그럴 가능성이 있어.
신상궁   (두려움에 짚어보는) 만에 하나... 병을 구실로 저하께서 폐위되고
           대군들이 그 뒤를 잇지 못한다면...
화령   (OL) 그땐 다 죽을 수도 있겠지.
           그러니 이제는 달리 할 수 있는 방법이 없어.
           (세자 본다) 세자가 강건하다는 걸 반드시 보여줘야 돼...!
신상궁   (울 것같이) 하오나 마마, 빈궁마마의 해산이 닷새도 남질 않았사옵니다.
           어찌해야 하옵니까?
화령   (결단) 지금 당장 권의관을 불러라.

56   몽타주

빈궁전 산실 (오후)
바삐 움직이는 의녀들. 출산 준비로 분주하다.

내의원 탕약방 (오후)
탕약을 달이고 있는 권의관의 모습.
토지선생의 약봉지가 풀어져 있고, 그 옆에는 처방전도 놓여 있다.

화령   (E) 성남대군이 가져온 처방전과 약을 쓰거라...!!
           무슨 일이 있으면, 중전의 자리를 걸고서라도 내가 책임질 것이다.

빈궁전 산실 (오후)

사슴 가죽 고삐를 잡고 힘을 주며 산통하는 민휘빈의 모습.

중궁전 침전 (오후)
눈을 감고 있는 세자, 어떤 몸 상태인지는 알 수 없는데...
그 모습을 지켜보고 있는 화령.

빈궁전 근방 거리 (오후)
긴장감이 흐르는 가운데, 다급하게 걸어가는 화령!!
(E) 신생아 울음소리.
구리종을 치며, 아이의 탄생을 알리는 의녀.

57   빈궁전 전각 앞 (오후)

        쑥으로 꼰 새끼줄을 보며 모여 있는 사모들.

숙의   (궁금) 세자께선 입궁하셨겠지요~?
태소용   한달음에 달려왔겠지요~ 조산기 있다고 며칠 전부터 그리 난리였는데~
        설마 아직도 안 오셨을까~?

        그때 산실청에서 나와 서는 화령. 옆엔 신상궁만 보이는데
        세자가 보이지 않자 다소 놀라는 표정들! 다들 낮게 수군대는

숙의   어머!! 맞죠? 세자께서 없으신 거...!
소의   (어머! 맞네) 세자가 중한 병에 걸렸다는 소문이 사실인가 봅니다!
고귀인   그러니깐요... 아니, 빈궁 해산일에도 안 나타나신다는 게
        말이 되냔 말입니다~ 안 그래요?
황귀인   (미세하게 입꼬리 오르는데)

        그들의 뒤로 나타나는 대비와 이호.

대비	(여유 있게 둘러보며) 다들 오셨습니까?
사모들	감축드리옵니다.
이호	(주변 살피더니) 한데 중전... 세자는 아직도 돌아오지 않은 겁니까?
사모들	(그 말에 고개가 일제히 화령에게 향한다!!)
화령	(뭔가 말하려는데)
대비	피부병이 꽤 중한 게지요. 자식이 태어났는데도 아직 돌아오질 못하는 걸
	보면... (화령 보는) 아니면, 돌아오지 못할 상황에 있던가요.
화령	(대비 보는)
사모들	(표정들 묘하게 변하는데)
이호	세자...!!!

놀란 사모들이 돌아보며 길을 트면, 그 사이로 나타나는 강건한 세자!!
대비는 헛것을 본 듯하고, 황귀인 또한 다소 놀란 얼굴.
꼿꼿이 고개 세운 화령은 위엄 있는 표정.

세자	그동안 강녕하셨사옵니까?
이호	(매우 기쁜, 반갑고) 언제 온 것이냐?
세자	빈궁의 소식을 듣고 바로 출발하였으나
	오는 길이 여의치 않아 조금 늦어졌사옵니다.
이호	(호탕하게 웃으며, 눈빛도 자상한) 온양이 좋았나 보구나~
	이 아비가 보기엔 우리 세자가 더 건강해진 것 같다.
화령	세자, 빈궁이 기다릴 테니 이만 들어가 보거라.

산실청으로 향하는 세자. 그런 세자를 보는 이호의 눈빛이 그윽하다.
다른 왕자들을 보던 눈빛과는 확연히 다른데!! 범접할 수 없는 느낌.
그런 이호를 보는 대비와 황귀인. 그리고 사모들.
세자의 등장만으로도 화령에게 눈을 깔며, 움츠르드는 대부분의 후궁들.

58   중궁전 가는 길 (해 질 녘)

여유 있는 걸음 속도. 편안한 표정의 화령.
신상궁도 평소와 달리 들뜬 상태.

신상궁 마마~ 저만 느낀 것이옵니까?
    (농담처럼) 세자저하의 등장만으로도, 중전마마의 어깨는 봉긋해지고
    후궁마마들의 눈과 고개는 아래로 푹 숙여지는 것을 말이옵니다~
화령 (너스레) 나도 느꼈다~!!
신상궁 저하께서 저리 차도가 있으시니 쇤네가 다 살겠사옵니다.
화령 (조심스럽고) 그래도 아직은 안심하긴 일러.
신상궁 마마, 그 치료법을 쓴 뒤로는 나흘째 의식을 잃으신 적이 없질 않사옵니까?
    확실히 병마가 물러나고 있는 듯하옵니다.
화령 (그렇게 믿고 싶은 마음) 자네 보기에도 그렇지~?
신상궁 예~ 성남대군께서 받아 오신 처방전이 정말 큰 역할을 하였사옵니다.
화령 (그 말에 번뜩) 신상궁, 간만에 애들 좀 소집해봐.
    오늘 다 같이 밥이나 먹자~!! (매우 들뜬)
신상궁 예 마마~!!

59 중궁전 침전 (밤)

    상다리 부러지게 차려진 밥상.
    상 앞에 둘러 앉아 식사를 하는 화령, 세자, 성남, 무안, 계성, 일영.

일영 온천은 좋으셨습니까 형님? 다음엔 저희도 좀 데려가주십시오~
세자 (미소) 그러마.
계성 원손이 여동생을 바랐는데, 좋아하겠습니다~
세자 그 녀석만 좋겠느냐? 첫딸을 얻으니 내가 좋지. 엄청 예쁘다~!!
성남 (그런 형을 흐뭇하게 보는데)
화령 (세자 앞에 팥죽 놓아주며) 많이 먹거라. 제일 좋아하는 것이 아니냐~
무안 어마마마. 편애하십니까~?
화령 (아!! 팥죽 앞에 놓아주며) 너도 좀 먹어~

무안	전 팥죽 안 좋아합니다. (화령이 잡채 밀어주자) 잡채도 안 좋아합니다!!
	(불고기 밀어주자) 그것도 안 좋아...
성남	(하는데 무안 입에 불고기 쑥 넣어주는) 그냥 (처)먹어~!!

장난치고, 홀리고, 또 웃으며 맛있게 먹는 대군들.
그런 자식들을 한참이고 보는 화령. 이게 행복이지 싶은.

60 궁 연못가 (밤)

나란히 서 있는 세자와 성남.

세자	네가 약을 구하느라 애썼다 들었다.
성남	(살짝 투정 부리듯) 들으신 것보다 훨씬 더 고생했습니다.
	다신 그 짓 못 합니다. 그러니 다신 아프지 마십시오~!!
세자	누워만 있는 건 얼마나 곤욕인 줄 아느냐? 나도 다신 못 한다!! (웃는)
성남	(웃는)
세자	(숨 들이마시고 내뱉는) 하... 이리 나오니 정말 좋구나.
성남	(건강해 보이는 형을 본다. 애정 담긴 시선으로)
세자	(문득 돌아본다) 참, 강이 너 만나면 꼭 물어봐야 한 게 있었다.
	내가 서촌에 처음 갔을 때 말이다. 왜 묻질 않았어?
성남	뜬금없긴. (웃고) 뭘 말입니까~?
세자	형이 있다는 사실엔 놀랐으면서
	부모님에 대해선 단 한 번도 묻질 않았잖아.
	그 나이였으면... 울 엄만 어디 있냐? 그게 제일 궁금했을 것 같은데.
성남	(쓴웃음 뒤) 서촌 살 때 가끔 나타나서 울던 여자분이 계셨는데
	처음엔 무슨 사연이 있나 했더니. (피식) 그냥 나만 보면 울더라고요.
세자	(그러셨구나 싶은...)
성남	그런 형님은 제가 움막촌에 있는 걸 어떻게 알고 찾아오셨습니까?
세자	어마마마다.
성남	(?!)

세자	어마마마께서 날 데려가신 거야. 사연 있는 여인처럼 울다가 들키셨으니, 창피하셔서 날 대신 보내셨나 보다. (웃는)
성남	(날 버려뒀던 건 아니었구나, 엄마에 대한 오해가 좀 풀리는데)
세자	강아... 큰 고비를 넘고 보니 사는 것에 욕심이 생긴다. (삶에 강한 의지 보이며) 하고 싶은 게 너무 많아.
성남	다 하면 되질 않습니까?
세자	그래. 정말 다 해볼 거다!! (뒷짐 지더니 이동한다)
성남	갑자기 어디 가십니까?
세자	눈에 아른거리는 내 딸내미 보러 간다!
성남	(못 말려 하듯 고개 절레. 그러다 웃는다. 형이 돌아오니 좋다.)

61   시강원 전경 (낮)

62   시강원 내부 (낮)

시강관들과 마주 앉은 굳건한 세자의 모습.
그 옆엔 배동의 자격으로 참석한 보검군도 보인다.
상석엔 이호가 앉아 있고 양옆으로 화령과 태소용도 앉아 있다.
세자와 보검군의 대사 위로- 각각의 반응들.
시강원에서도 주눅 들지 않는 보검군을 보며 한껏 들뜬 태소용과
세자의 강건한 모습을 흐뭇하게 보는 화령과 이호.
세자와 보검군의 활약을 보며 점점 싸늘히 굳어가는 황원형.

세자	무릇 천하와 국가를 다스리는 데는 아홉 가지 변치 않는 도리가 있다 하였습니다. 어진 이를 높이는 것, 제후들을 대우하여 포용하는 것.
보검군	(차분하고 강단 있게) 자서민야(子庶民也) 백성들을 자식처럼 돌보고, 경대신야(敬大臣也) 대신들을 공경하며...
세자	(잘하고 있다고 보검군에게 미소 지어주며) 존현야(尊賢也)... 현명한 사람을 존경해야 합니다... (하는데)

왈칵!! 검붉은 핏물을 입에서 쏟아내는 세자!!!
모두가 사색이 되듯 놀라고!
믿기지 않는 듯 일어서는 이호. 세자를 향해 달려가는 화령. "세자!!"
세자가 끝내 정신을 잃고 쓰러진다... 쿵!! 엔딩.

5부

1 동궁전 침전 (오후)

피 묻은 화령의 손이 세자의 손을 꽉 붙들고 있는데
응급실처럼 긴박한 분위기 속.
다급히 세자의 맥을 짚는 조국영과 보조하는 어의들.
그리고 죄인처럼 납작 엎드린 권의관도 보인다.

이호 (서늘히 본다) 그러면 피접을 간 것이 아니었단 말이냐?
권의관 (위세에 얼어붙은) 그..러하옵니다.
이호 그럼 세자가 저 지경이 되도록 뭘 하고 있었느냐?
     날 속이고 대체 뭣들을 하고 있었냔 말이야?!!
화령 ……

그때. 맥을 짚던 조국영이 놀란 얼굴로 고개를 든다.

조국영 전하!! 혈허궐이옵니다.

충격에 잠시 자실하는 이호.

이호 지금… (두렵다) 혈허궐이라 했는가?
조국영 예 전하. 그 궐증이 분명하옵니다.

이호	(부정. 고개 젓는) 그럴 리가 없다. 다시 살펴라!
조국영	아뢰옵기 송구하오나, 이미 발병한 지 꽤 오래된 듯 보이옵니다.
	더욱이 저하께선... 매우 위태하고 만분위중한 상태이시옵니다.
이호	(착 가라앉아 서늘히 굳는) 조어의의 말이 사실인가?
	혈허궐이라는 걸 알고 있었느냔 말이다!!
권의관	(숙이며) 죽여주시옵소서...
이호	(그 분노의 시선이 결국엔 화령에게로 향한다)

2   몽타주 (오후)

시강원
- 바닥에 흥건한 세자의 선혈.
그 피를 보고 서 있는 보검군의 의미심장한 얼굴.
현장에 있던 대신들도 술렁이는데
우의정이 황원형 옆으로 쓱 다가와 선다.

우의정	(나직이) 물줄기가 바뀔지도 모르겠습니다...
황원형	(답은 않지만. 형형해지는 눈빛)

궁 후원
- 꽃구경하는 승은후궁들 사이로
사색이 된 태소용이 뛰어든다.

궁 연못가
- 고귀인의 속삭임에 간택후궁들 경악하듯 놀라는데.
연못을 바라보는 황귀인. 평정심 유지.

궁 곳곳
- 술렁이는 궁.
모여 있는 궁인들마다 세자가 쓰러졌다 수군대는 가운데

그 사이를 긴박히 걸어가는 대군들의 모습.

3   다시, 동궁전 침전 (오후)

세자의 입에서 계속 흘러내리는 선혈.
다급해지는 조국영!! 세자의 옷을 벗기더니 침을 꽂으려는데
놀란 화령이 급히 만류한다.

화령   시침은 안 되네!
조국영   한시가 급하옵니다, 마마.
화령   세자에겐 혈우란 기왕력(旣往歷)이 있질 않은가?!
          이미 큰 출혈이 있을 땐, 침 시술을 삼가야 한다 알고 있네.
이호   중전은... 세자에게서 떨어지십시오.
화령   전하...!!
이호   당장 물러서라 했습니다!!!
화령   ......
이호   지금부터... 상교(上敎: 왕의 명령)도 없이
          감히 국본의 예체를 상하게 한 죄인들의 책임을 물을 것이다.
          (고개 틀며 밖을 향해) 내금위장 있느냐?!

"예!!" 내금위장을 필두로 군관들이 들어서면

이호   권의관은 옥에 가두고 중전은 오늘부로 중궁전에 머물게 할 것이다.
          또한, 중전을 내명부 일을 포함한 모든 업무에서 배제시키겠다.
화령   (보면) !!
이호   (외면) 조어의는 영의정을 도제조로 세워 당장 시약청을 꾸리거라.
조국영   예, 전하!

[자막] 시약청(侍藥廳): 왕실의 병이 위중할 때 임시로 설치하던 기관

이호	그리고 앞으로 내 허락 없이는 그 어느 누구도...
	세자를 볼 수 없다! (화령을 똑바로 보며) 중전 또한, 예외가 아니다.
화령	(!!!) 전하, 어떤 하교를 내리셔도 따를 것이옵니다.
	어떤 벌이라도 달게 받을 것이니 제발... 세자만은,
	세자만은 볼 수 있게 해주십시오!!
이호	(매우 차갑게 시선 튼다)

4   동궁전 앞 (오후)

성남을 비롯한 대군들이 동궁전으로 다가서는데
그 앞을 가로막는 군관들!!

성남	(인상 팍) 비켜서거라.
군관1	돌아가십시오. 대군마마.
계성	무슨 연유로 이리 막아서는 것인가?
군관1	송구하오나, 아무나 들이지 말라는 어명이 있으셨사옵니다.
일영	(울컥) 아무나라니?!
무안	(무작정 뚫고 지나가려 악쓰는) 형님께서 쓰러지셨다는데-에!!
	어찌 얼굴도 못 본단 말이냐?!

무안과 일영, 막무가내로 밀어붙이는데

대비	이 대체 무슨 짓이야!!!

대비의 등장에 모두 놀라 숙이고, 성남의 얼굴 굳는.

대비	지금 주상의 뜻에 반기라도 들겠다는 것입니까?
대군들	(아무 말 못 하는데)
대비	돌아가시지요. (미동이 없자 매섭게 호통) 어서!!!

어쩔 수 없다는 듯 돌아서는 무안, 계성, 일영.
그러나 성남은 반항하듯 그대로 서 있다.

성남   형님께서 괜찮으신지 알고자 하는 것이
       아바마마께 반기를 드는 것입니까?
대비   (본다)
성남   (피하지 않고 본다) 알아야겠습니다.
       형님께선 어떤 상태십니까?
대비   (얘기해줄 듯이 다가온다...)
성남   (보는데)
대비   넌 참... 변화라는 게 없는 아이로구나.
       누누이 말했잖아. 참으라고...
성남   ......
대비   아직도 궁에 이리 적응을 못 해서야 되겠느냐?

대비, 서늘히 보더니 성남을 그대로 지나쳐 동궁전으로 들어가는데...

F.B 》4부 11씬. 성남대군 처소 (밤) (과거)

대비   여기선 말이다...
          본 것은 눈감고, 들은 것은 잊고, 하고픈 말이 있거든 꾹 다물거라...!
어린성남   (금방이라도 울 것 같지만 꾹 참는다.)
대비   옳지...!! 참거라. 눈물이든 궁금증이든.
          (서늘하게) 소중한 걸 지키고 싶거든 말이다...

현재 》 성남, 주먹을 꽉 움켜쥐며
멀어지는 대비의 뒷모습을 끝까지 지켜본다.

5   중궁전 전경 (오후)

건물이 봉쇄된 듯. 삼엄하게 전각을 둘러싼 군관들.

6   중궁전 침전 (오후)

빠른 속도로 필사 중인 화령.
주변엔 도덕경과 경전들이 어지럽게 쌓여 있고
그 모습을 걱정스럽게 지켜보는 신상궁, 오상궁 보인다.

오상궁   (속상하고) 저하의 일만으로도 힘드실 텐데
         징계로 도덕경과 경전 필사라니... 정말 너무하시옵니다.
신상궁   (걱정되는 마음에 다가서는) 마마, 급할 것이 없사옵니다...
         전하께서 닷새의 시간을 주셨으니 천천히 하시옵소서.

화령, 대답 없고.
졸음을 떨치려는 듯 공진단을 까서 오독오독 씹는다.
지독할 정도로 필사에 열중하는데.

7   태소용 처소 (오후)

다소 가벼운 느낌의 승은후궁들.
태소용, 옥숙원, 문소원, 얼마 전 승은을 받은 박씨도 껴 있다.
박씨는 쎈 언니들 사이에 앉아, 눈치 보며 다과만 집어 먹는데.

태소용   (눈물 흘린다. 진심으로 슬픈) 우리 중전마마 이제 어쩌시나~
         마음 아파 어쩌실꼬~~
문소원   태소용 마마. 진정 좀 하시고...
태소용   진정하게 생겼습니까 지금~?
         세자는 졸도하고 우리 마마는 갇혀 계시는데... (북받치는 감정)
옥숙원   누가 보면. 궁중에 상이라도 난 줄 알겠습니다...

태소용	(떽!) 말이라도 그런 소리 마세요~!!
	어릴 때부터 세자께서 얼마나 저를 잘 따랐는지 아십니까? (울컥하고)
박씨	(다과 먹으며 툭 던지듯) 아~ 중궁전 시녀로 계실 때 자주 보셨겠구나.
후궁들	아~~~
태소용	(순간 박씨 째리는. 쟤 뭐야?)
옥숙원	그나저나~ 이제 우리 위치가 눈물이나 짤 위칩니까?
	그래도 왕가의 여인들인데 나라의 앞날도 걱정하셔야지요~
태소용	(눈물 쏙. 넌 또 그게 무슨 소리~?)
옥숙원	(분위기 잡는) 세자가 걸린 병 말입니다...
	세상에 태인세자를 요절하게 만들었던 바로 그 병이랍니다.
태소용	(놀라 입 막으며) 그럼 세자도 죽는 겁니까~?

8   황귀인 처소 (오후)

품위 있는 자세로 앉아 차를 마시고 있는 간택후궁들.
황귀인, 고귀인, 숙의, 소의.

고귀인	허!! 피접을 간 줄 알았더니 세상에...
	아니 그동안 중궁전에 숨겨서 치료했을 줄은 또 누가 알았겠습니까?
소의	전하를 속이고 세자의 몸에 손까지 대셨으니...
고귀인	됐다 뿐입니까? (낮게) 저리 산송장을 만들어 놨지!
황귀인	(찻잔 내려놓으며) 그러니 유폐 정도로 끝날 일이 아닐지도 모르지요.

!!! 그 말에 눈빛이 형형해지는 후궁들.

숙의	(잘 보이려는 듯 황귀인의 빈 잔에 차를 따라주는) 격에 어울리지 않는
	자리에 있으니~ 결국 이리 티가 나는 것입니다~~
고귀인	(내 잔도 비었는데...)
숙의	(다관 그냥 내려놓는다) 한데 말입니다~
	전하께서는 적통도 아니신데 어떻게 국본이 되셨던 겁니까~?

황귀인   (차를 음미) 택현입니다.

9   다시, 태소용 처소 (오후)

문소원   택현이요? 그게 뭐랍니까~?
태소용   계급장 다 떼구~
           그냥. 딱!! (뇌 가리키듯 머리 톡톡) 요기만 보고 뽑는 거~~~
옥숙원   그럼!! 배동으로 뽑힌 보검군이 가장 가능성이 높은 거 아닙니까?
           학문으로 겨뤄서 의성군이랑 대군들까지 싹~ 다 제쳤었잖아요~
태소용   (내 새끼 칭찬에 붕~~ 뜨는데!!)
박씨   (툭) 그래도 계승서열은 적통들이 제일 높을 텐데.
태소용   (바닥으로 쏙!! 내려앉는)
박씨   국본은 당연히 대군들 중에서 책봉되는 거 아닌가요?
           (유과 아그작 씹으며) 아닌가? 원손이 더 높나?
태소용   자넨, 뭘 그리 잘 먹나~? (눈 가늘게 뜨며) 혹시 회임이신가~?!!
후궁들   (그 말에 일제히 박씨를 주시한다.)
박씨   (먹다가 체할 뻔!!)

10   중궁전 앞 (밤)

           어둑해진 밤. 군관 몇몇은 하품을 하거나 졸고 있다.
           걱정되는 눈빛으로 중궁전 쪽을 바라보고 있는 계성. 한동안 서 있는데.

11   중궁전 침전 (밤 → 아침)

           오상궁은 목이 앞으로 꺾인 채 잠들었고
           벼루에 먹을 갈아주던 신상궁마저도 꾸벅 조는데
           화령의 필사는 멈추지 않는다.

눈이 발갛게 충혈되고, 손목이 아픈지 흔들기도 하지만
독해 보일 정도로 멈추지 않고 써 내려가는 화령.

시간 경과.
어느새 날이 밝았지만 여전히 필사 중인 화령, 공진단을 씹고 있는데.
눈을 뜨는 신상궁. 그 모습에 깜짝 놀란다!!

신상궁	아니 마마... 한숨도 못 주무신 것이옵니까?
화령	(대답할 시간도 없다)
신상궁	대체 왜 이렇게까지 하시는 것이옵니까...?
화령	(드디어 멈추는 필사. 붓 놓자마자) 상선 오라 그래.
신상궁	예...?
화령	얼른!! 다 했으니까 빨리 필사본 가지러 오라고 전갈 넣어.
신상궁	예... 마마. (왜 그러나 싶고)

12 동궁전 앞 (낮)

경계가 삼엄한 동궁전.
그나마도 접근할 수 있는 건 탕약을 든 의관들뿐인데
그들은 다름 아닌 의복을 갖춘 무안과 일영이다!!

무안	(고개 한껏 숙인 채) 저하의 탕약을 가져왔습니다.

군관들 별 의심 없이 열어준다.
'앗싸!' 하듯 살짝 흥분한 무안과 일영, 막 이동하는데
동궁에서 나오던 황원형과 딱 마주친다!!
긴장감이 고조되고. 들킬세라 푹 숙이는 무안과 일영.
다행히 스치듯 지나는 황원형. 대군들 '휴...' 안도하는데

황원형	잠깐!

일영	(!!! 침 꼴깍)
무안	(몰래 조금씩 앞으로 가는데)
황원형	무슨 탕약인가?!!
무안, 일영	(일시 정지)
황원형	(대군들임을 알면서도. 호통) 대체 뭐 하는 놈들이야?!!
일영	(먼저 뒤돌며 '들켰어' 무안 툭 치면)
무안	(뒤돈다. 안 들킬 수 있었는데 분하고)
황원형	(나직이 위협적으로) 동궁전 출입을 시도하시는 것은
	어명을 거역하는 중죄임을 잊지 마시옵소서... 대군마마...

일영인 위세에 눌리는데, 무안은 삐딱하고.

황원형	대군이라 해서 예외가 아님을 명심하셔야 할 것이옵니다.
무안	(구시렁) 옵니다! 옵니다!! (어우 듣기 싫어 귀 파는)
황원형	(뭐 이런 것들도 대군이라고...)

잠시 보더니 카리스마 있게 가버리는 황원형.

무안	하여간 영감탱이 꼬장꼬장하긴! (발로 바닥 뻥! 우씌!!)

13   중궁전 침전 (낮)

놀란 얼굴의 대전내관!!
어마어마한 양의 필사본을 들고 있는데

대전내관	(말문 막힌) 아니... 언제 이걸 다...
화령	세자는 좀 어떤가?!
대전내관	(난감한데)
화령	자넨 늘 전하와 함께하니 보았을 것이 아닌가?
대전내관	마마... 함구하라는 명이 있으셨사옵니다.

화령	(버럭) 나한테까지 뭘 함구해?! 나 세자 엄마야...
	그러니 어떤 상탠지는 알아야 울부짖든 안도하든 천지신명께 빌든
	미쳐 날뛰든 뭐라도 할 것이 아닌가?
대전내관	마마... 소인은...
화령	(필사본 들어 움켜쥐며) 이딴 도리고 덕이고 윤리고 자비고 나발이고!!
	내 아들 살아 있느냐고?!!!
대전내관	(식은땀 줄줄) 살아.. 계시지요, 마마...
화령	의식은 돌아온 것인가?
대전내관	아직 돌아오지 않았사옵니다.
화령	(그 말에 눈빛 바뀐다) 상선. 잘 들으시게.
	조국영 어의와 세자, 그 둘만 따로 둬서는 안 돼.
신상궁	(문제 될까 싶어) 마마...
화령	(버럭) 가만있어!!
신상궁	(숙이고)
화령	그리고 전하께 꼭 전해주시게. 조어의뿐만이 아니라
	그 어떤 어의와도 단둘이 둬서는 안 된다고. 어?!
대전내관	제가 어찌 전하께...
화령	(갑자기 대전내관이 들고 있던 필사본 몇 장을 박박 찢는다)
대전내관	(당황) 어! 어!! 중전마마 왜 이러십니까?
화령	(찢은 종이 들며) 내가 착각했어. 몇 권의 경전이 누락됐네.
	곧 마무리하고 자넬 다시 부르겠네.
대전내관	(미치겠고) 마마...
화령	(간곡한 눈빛) 반드시 명심하게.
	그 누구도 세자와 단둘이 둬선 안 돼...!!
대전내관	(아무 말 못 하는데)

14   동궁전 침전 (낮)

세자에게 시침 중인 조국영이 보이고
적당한 거리에 서서 그들을 지켜보고 있는 대비!!

날카로운 침 끝이 세자의 혈을 막 찌르려는데...
드르륵. 탕약을 들고 안으로 들어서는 최어의.

조국영   (!! 순간 집중이 분산되고. 까칠) 무슨 일인가?
최어의   (위세에 눌려) 팔진탕이옵니다...
조국영   (어의를 향해) 두고 나가시게.
         그리고 집중이 흐트러지니, 시침이 끝날 때까진 아무도 들이지 말고.
         알아듣겠는가?!
최어의   예... (얼른 탕약을 두고 나가면)

         문이 닫힌 것을 확인하고. 다시 시침하는 조국영.
         그런 조국영을 지켜보는 대비의 모습.

15   중궁전 앞 (낮)

         확 튕겨 나가는 무안과 일영.
         그 앞엔 중궁전을 지키는 군관들 보이고. 철벽인데!!

무안   (기막혀) 와! 이거 정말 너무들 하네.
         아니, 어마마마 좀 뵙겠다는데-에!! 아 잠깐이면 된대두!!
군관들   (무표정. 안 들립니다)
일영   (소리치는) 어마마마! 저희가 왔습니다, 일영대군입니다!!!
군관들   (귀는 아프고)

         순간을 틈타 다시 돌진해보는 무안!!
         그러나 철벽 방어에 또다시 튕겨 나오는

무안   (어우 돌아버리겠네 증말!) 아니 형님께서 위중하신데
         어마마마도 형님도 못 뵙는다는 게 말이 되느냐고!!
일영   (울먹) 궁인들이...

다시는 못 일어나시는 거 아니냐고 수군거리는 것을 들었습니다.

무안 　누가 그딴 소릴 떠들어?
　　　 근처도 못 가서 어떤 상탠지도 모르는데! (어우 씨. 자기 머리 막 휘젓고)
일영 　(갑자기 겁이 난다) 이러다가 큰형님께 변고라도 생기면...
　　　 우리는 뵙지도 못하고 작별하게 되는 거 아닙니까?
성남 　(E) 말조심해!!

대군들 소리 나는 쪽을 보면, 성남과 계성이 걸어온다.

성남 　(매섭게 보는) 한 번만 더 형님에 대해 그딴 불길한 소리 하면
　　　 그게 너희들이라도 가만 안 둬...!!
일영 　죄송합니다... 그럴 의도는 정말 아니었는데...

차갑게 돌아서더니 그대로 가버리는 성남.

일영 　(자기 때문에 가는 줄 알고) 형님....
계성 　(어깨 잡으며) 너 때문이 아니야. 동궁전에 가시는 길일 거다.
일영 　(그 말에 고개 들며) 근데 아바마마는요?
계성 　만나 뵙지 못했다.
무안 　(탄식) 아바마마는 만나주지도 않으시고.
　　　 어마마마는 만나 뵙지도 못하고!! (머리 막 헝큰다)

일영, 무안, 계성 아무것도 할 수 없어서 마음이 더 무거운데.

16　　동궁전 근방 (낮)

성남, 미칠 것 같은 감정을 억누르며 걸어가는데
앞에서 걸어오던 의성군과 마주친다.

의성군 　동궁전 가는 길? 가봐야 들어가지도 못할 텐데.

성남, 상대할 가치도 여력도 없다. 무시하고 그대로 지나치는데

의성군	천궁과 작약을 처방했다네.
성남	(!! 멈춰 선다. 보는데)
의성군	(표정 읽고. 훗) 맞구나. 우리 대군마마 모르고 계셨던 거...
	하... 근데 보름은 넘길 수 있으려나 싶네.
성남	(의성군의 멱을 확 잡아 벽으로 몰아붙인다) 말조심거라!!
의성군	정중하셔야지요. 하나라도 더 알고 싶으시면.
	우리 대군마만 세자저하 상태가 별로 안 궁금한가 보구나...
	(하면서 성남의 손을 눈으로 쓱 보면)
성남	(이 새끼...... 어쩔 수 없이 움켜쥐었던 손을 확!! 놓아버리는데)
의성군	(흐트러진 옷 다잡으며) 가망이 없나 봐.
	그동안 치료를 어떻게 했는지는 모르겠지만
	토혈(吐血)에 핏덩어리들이 섞여 있었다지 아마.
성남	(!! 굳는데)
의성군	(거들먹) 참 너네 형 어떻게 되면... 혹시 네가 왕세자 될 거라고
	혼자 착각하고 있는 건 아니지? 표정 관리 잘해.
성남	(본인 얼굴 쓱 훑으며) 것도 관리해야 되나?
의성군	??

성남이 주먹을 날린다. 의성군의 얼굴을 스쳐 벽에 박히고.

의성군	(!! 순간 흠칫 놀란 얼굴)
성남	(시크하게) 형님도 표정 관리 잘해.
	국본이 아픈데 실실 쪼개고 다니지 말라고. 엄청 거슬리니까.

하더니 가버리는 성남. '저 새끼...!!' 분한 의성군.

17   황귀인 처소 (밤)

황귀인과 황원형이 마주 앉아 독대한다.

황귀인 더는 미룰 수 없습니다! 이제는 폐위를 공론화해야 합니다.
　　　　　세자가 낫기라도 하면
　　　　　다시는 이 판을 바꿀 기회가 오지 않을 수도 있어요.

황원형 (쓱 본다) 그러니 서둘러야지요. 가장 유력한 원손을 제외시키려면
　　　　　반드시 세자를 폐세자 신분으로 만들어야 합니다.

황귀인 하지만 쉽게 꺾일 주상이 아닙니다.

황원형 허니 나라를 걱정하는 선비들에게 붓을 들게 해야지요...
　　　　　뜻이 모여야 힘이 생기지 않겠습니까?

황귀인 예... 그리고 세자 폐위가 가능해지려면
　　　　　반드시 그분이 움직여주셔야 할 겁니다.

18　대비전 침전 (밤)

기물을 손에 쥔 채 판을 보고 있는 대비.

대비 영상대감이 곧 윤대감께 기별해올 겝니다...
　　　　(기물을 장기판에 놓으며) 끌려다니지 마시고 주도권을 잡으세요.
　　　　어디에 놓이느냐에 따라 그 가치도 달라지는 것이니
　　　　중심을 잘 잡으셔야 할 겁니다.

보면, 그 앞에 윤수광이 앉아 있다.

19　중궁전 앞 (밤)

경계를 서던 군관들, 뭔가를 잘못 본 듯 눈을 비빈다.

군관2	혹시 저거 불이야?!
군관3	에이 설마...

하며 다가서는데, 흙바닥에서 타고 있는 몇 개의 활들.
놀라는 군관들. 발로 화살의 불을 끄기 시작하는데.
그렇게 군관들의 정신이 팔린 사이.
휙!! 담을 뛰어넘어 중궁전으로 잠입하는 성남이 보인다.

20   중궁전 복도 (밤)

군관들이 걸어가면 천장 쪽에서 휙!! 뛰어내리는 성남.
다다다 이동해 코너를 돌아 침전 쪽 복도를 보면
내관 한 명이 침전 앞을 지키고 서 있다.
그의 눈을 피해 빠르게 곁방으로 숨어드는 성남.

21   중궁전 침전 + 곁방 교차 (밤)

필사하던 화령의 손이 멈춘다.
화령, 갑자기 병풍을 휙 넘어뜨리더니 벽에 바짝 붙는데!

신상궁	(의아해) 왜 그러시옵니까, 마마?
화령	(벽에 귀를 댄 채 쉿!)
성남	(E) 어마마마. 들리십니까?
화령	(놀랍고 반갑지만, 그보다) 여기가 어디라고 왔느냐?
	전하께서 아시면 너까지 유폐될 수 있어...!!
성남	꼭 확인해야 할 것이 있어 왔습니다.

장애물 같은 벽을 사이에 둔 모자. 교차.

성남　혹시 전에도 형님께서 어혈이 섞인 피를 토한 적이 있습니까?

[자막] 어혈(瘀血): 응어리진 피

화령　어혈? (기억을 되짚다가) 아니. 그런 적은 없었다.

성남　그럼 아무래도 제가 가지고 온 약재가
　　　　형님께 문제를 일으킨 것 같습니다

화령　(단호) 그건 아니야. 오히려 그 약을 먹고 호전됐었다. 분명 좋아졌었어.

성남　(혼란스러운데)

화령　(정신 바짝 차려!!) 강아 엄마 말 잘 들어.
　　　　네 탓이 아니야. 그러니까 절대 선불리 행동하지 마.
　　　　특히, 외부약재와 처방에 관한 건 그 누구에게도 발설해선 안 돼.
　　　　혹시 문제가 되더라도 엄마가 알아서 해. 알았지?!

성남　....... (끝까지 대답하지 않는다)

22   옥사 밖 (밤)

나졸1, 2가 서 있는데 저쪽에서 검은 그림자가 쓱 지나간다.
나졸1이 가본다. 그런데 코너를 돌아 사라지더니 감감무소식.
"왜 안 와?" 하며 가보던 나졸2 앞에 갑자기 성남이 나타나 목을 팍!! 친다.
바로 기절해버리는 나졸2.

성남　미안하네. 일각(15분)이 지나면 깰 거야.

하더니 옥사 안으로 침입한다.

23   옥사 독방 (밤)

초췌한 권의관, 그 앞에 서 있는 성남. 은밀히 대화한다.

권의관	그 약재 자체는 특별히 문제 될 것이 없었사옵니다.
성남	(안도의 숨 내쉬는데)
권의관	하오나... (조심스럽게) 그럴 가능성을 전혀 배제할 수는 없사옵니다.
성남	무슨 말인가?
권의관	같은 약재라도 약성이 다를 수 있기 때문이옵니다.
	반하라는 약재는 본디 담과 해수를 치료하는 데 쓰이는 것이지만,
	음력 4월이 되면 독성이 매우 강해져 병자를 사망케 하기도 합니다.
성남	(생각이 많아지는데)
권의관	하온데, 그 처방은 대체 누가 한 것이옵니까?
성남	민가의 떠도는 의원일세... (정도로만 공개하는데)

순간 무슨 생각인지 갑자기 바닥에 납작 엎드리는 권의관.

권의관	대군마마. 그 약이 원인이 아니더라도...
	세자저하를 외부약재로 치료한 것이 밝혀지면 전 죽사옵니다.
	소신은 그 약재에 관해서 절대 발설치 않을 것이옵니다.
	(간청) 건사해야 할 식솔이 여럿이오니. 부디 소신을 살려주시옵소서!!

잠시 권의관을 보던 성남이 비장한 표정으로 이동한다.
성남이 나가고 홀로 남은 권의관.
그런데 얼마 뒤, 다시 문이 열린다.

권의관	더 하실 말씀이 있으십니까?

하며 돌아서는데 휙!! 권의관 머리 위로 씌워지는 자루!

24   궁내 창고 (밤)

바닥에 팽개쳐지는 권의관. 머리엔 검은 자루가 씌워졌는데 곧 남자가 권의관의 목에 칼을 겨눈다!!

남자	누구의 사주를 받은 것이냐?!
권의관	(떨며) 사주를 받다니... 그 무슨 말씀입니까?
남자	성남대군이 자넬 찾아왔던데, 그 대군의 지시더냐?
권의관	(미치겠는) 대군께선 저하의 병환에 대해 물으신 것뿐입니다.

순간. 권의관의 복부에 칼끝이 살짝 박히고.
윽!! 피까지 새어 나오는데.

남자	지금부터 똑바로 얘기하지 않으면
	넌 쥐도 새도 모르게 죽은 채로 발견될 것이다.
권의관	살려..주십시오. 제발... 모든 걸 고하겠나이다!!
남자	말해. 누구의 명을 받고 있는 놈이냐?
권의관	...중전마마시옵니다.

놀라는 남자, 주인을 보듯 옆을 보면
그곳에 앉아 있는 사람은 대비다!!
창고와는 어울리지 않게 화려함의 극치. 입술까지 붉다. 섬뜩한 눈빛.

25   중궁전 침전 (밤)

필사본을 쥔 채 서 있는 대전내관. 상석의 화령.

대전내관	소신은 더 이상 알려드릴 수 없사옵니다.
화령	(물러서지 않는다!!) 토혈이 멈췄는지만이라도 말해주시게.
대전내관	(눈을 감아버리고) 모르옵니다...
화령	상선!!
대전내관	아뢰옵기 송구하오나...
	필사를 이제 더 이상은 하실 필요가 없다는 어명이 있으셨사옵니다.

화령	(모든 것이 막힌 기분!!) 왜 갑자기 중단하라는 것인가? 왜!!!
대전내관	전하의 뜻을 소신이 어찌 알겠사옵니까, 마마...
화령	아무리 큰 죄를 지었대두... 이러시는 법이 어디 있는가?
	지척에 아픈 새끼가 있는데
	멀쩡한 어미를 어찌 아무것도 못 하게 하시느냔 말일세!!
대전내관	마마...
화령	지금 난. (가슴을 마구 치다가 부여잡는다) 숨 쉬는 것도 죄스러워...
	그러니... 어떤 상탠지 말하란 말이다!!
대전내관	(엎드려 숙인다. 괴롭고) 소신은 모르옵니다.
화령	(울부짖듯) 상선!!!
대전내관	정말... 아무것도 모르옵니다.
화령	(참혹한 심정) 전하께서 내게... 가장 큰 형벌을 내리시는구나.

힘겹게 고개를 꼿꼿이 세우는 화령. 그리고 힘겹게 뱉어낸다.

| 화령 | 상선은 이만.. 나가보라. |

대전내관, 괴로운 얼굴로 숙인 뒤 나가면
화령이 경을 틀어 자신의 모습을 비춘다.

| 권의관 | (E) 중전마마께서 저하를... |

26   다시, 궁내 창고 (밤)

권의관	중궁전에 숨기셨고... 피접으로 위장해 제게 치료를 명하셨습니다.
	소인은 그것이 세자저하를 살리는 길이라 생각했사옵니다.
	그것뿐입니다.
남자	(한 방 먹은 얼굴! 칼을 더욱 깊이 꽂으며) 네놈이 명을 재촉하는구나.
	어디서 말장난을 하는 것이냐?!
권의관	(통증으로 괴롭고) 전 방서대로 혈허궐을 치료한 죄밖에는 없습니다.

정말입니다...

일어서는 대비, 고갯짓하면
능숙하게 칼을 돌리더니 칼등으로 권의관의 목을 쳐 기절시키는 남자.

남자   어떡할까요?
대비   한 가지는 확실히 알아냈다.
       누구든 이자의 입을 열기는 어려울 거야. 살려둬.

       유유히 나가는 대비!!

27   중궁전 침전 (밤)

다소 흐트러진 머리, 옷에 여전히 남겨진 선혈.
손을 보면 먹물과 세자의 피로 엉망인 화령.

화령   (고개 틀어 무게감 있게 신상궁을 본다)
신상궁   (뜻을 읽고, 명을 받들겠나이다. 고개를 숙인다)

       점프, 화령의 피 묻은 옷이 바닥으로 허물처럼 떨어지고.
       견장처럼 금실로 수 놓인 당의가 화령에게 입혀진다.
       왕비의 표식인 용잠이 화령의 머리에 꽂히면
       경대를 바라보는 화령. 꼿꼿이 고개 든다. 이전과는 확연히 다른 눈빛.

화령   궁중에 심어둔 내 사람들을 움직일 것이다...!!

28   몽타주

궁내, 빨래터 (오후)

쌓여 있는 옷더미 사이로 빨래를 하고 있는 세답방 궁녀가 보인다.
방망이질을 하면서 주변 경계, 대슘치마 끈 사이에 들어 있는
지시서를 꺼낸다.
두 개의 붉은 점이 찍혀 있다.

담벼락 (오후)
기왓장이 들리면 들어 있는 지시서.
그 지시서를 은밀히 가져가는 무수리.

수라간, 아궁이 앞 (오후)
다 읽은 지시서를 아궁이 불 속으로 던져 넣는 수라간 궁녀.

화령   (E) 가장 밑바닥에서...

동궁전 복도 + 동 침전 (오후)
- 출렁이는 대야를 들고 이동하는 세수간 궁녀

화령   (E) 가장 깊은 곳까지 접근할 수 있는 이들부터 움직일 것이다.

- 세수간 궁녀, 대야를 동궁내관에게 건네는데
대야 밑으로 붉은 점 지시서가 동궁내관에게 건네진다.
또한, 열린 문틈으로 보이는 세자의 모습.
내부를 보는 세수간 궁녀.
- 시침 중인 조국영. 집중하고 있는데
그 뒤에서 은밀히 지시서를 펼쳐보는 동궁내관.

화령   (E) 절대 세자 곁을 벗어나서는 안 될 것이다.
그 누구도 세자와 단둘이 둬서는 안 돼.
특히, 조국영 어의는 늘 주시하거라.
동궁내관 (지시서를 접는데 부스럭 소리가 나고)
조국영 (그 소리에 흠칫. 돌아본다) 집중이 흐트러지니 시침이 끝날 때까지만

잠시 나가 계시게.

동궁내관 안 됩니다. 금일부터는 시침 때도 침전에 머물겠습니다.

- 미간이 찌푸려지는 조국영.
잠시 동궁내관을 보다가 어쩔 수 없다는 듯 집중하며 시침하는데

대비전 마당 (해 질 녘)
- 대비전을 막 빠져나오는 윤수광.
- 마당을 쓸며 그를 주시하는 무수리.

궐 행랑 앞 (해 질 녘)
- 은밀히 접촉해 밀담을 나누는 윤수광과 황원형.
그들을 보다가 이동하는 무수리.

내의원 뒷마당 (밤)
- 우리고 남은 약재 찌꺼기를 버리는 의녀들.
- 그 찌꺼기를 주워 빨랫감 소쿠리에 넣는 세답방 궁녀.

중궁전 앞 (밤)
- 밥상을 들고 걸어오는 수라간 궁녀.
쓱 살피더니 그대로 통과시켜주는 군관들.

중궁전 침전 (밤)
- 밥상 앞에 앉은 화령, 그릇 뚜껑을 열면 들어 있는 약재 찌꺼기.
들어서 냄새를 맡아보는 화령, 은수저를 찔러 독반응도 확인한다.
- 창문 틈으로 들어오는 여러 개의 쪽지들.
모든 쪽지에는 붉은 점(표식) 하나가 찍혀 있다.
- 그 쪽지를 펼쳐서 하나씩 살펴보는 화령.

화령 토혈은 멈췄지만 여전히 의식이 없어. (심각해지고)

신상궁 더 큰 문제는 영상대감과 대비마마의 움직임이옵니다.

화령   (위기감) 그들이 뜻을 모은다면... 그 이유 하나뿐이겠지.

       – 종이를 확 펼치더니 서찰을 써 내려가기 시작하는 화령.

29   한성 밖 들판 (밤)

       넓은 들판을 질주하는 성남.
       비장한 얼굴로 "으랴!!" 더욱 속도에 박차를 가한다.

30   움막촌, 비밀통로 (밤)

       움막촌으로 들어가는 비밀통로를 걸어가는 성남.

31   움막촌 안 전경 (밤)

       경계가 완화됐고, 뛰어노는 아이들 몇몇은 복면을 벗고 있다.
       경증환자로 보이는 몇몇 사람들만 복면을 착용한 모습.
       일각, 격리 임시민가는 환자들이 확연히 줄었고, 중증환자로 보이는 사람도 없다.

32   동 격리 민가 근방 (밤)

       토지선생의 목에 겨눠진 칼날!!
       그리고 칼을 쥐고 있는 자는 성남이다. 복면 착용.

토지선생 (놀랐지만 괘씸함이 더하고) 요즘 것들은 은혜를 목 따는 걸로 갚냐?
성남   똑바로 말해. 당신 그 약재에 장난질했어?!
토지선생 내 약값엔 장난질 좀 쳤지만, 약재엔 그딴 짓 안 했다 이눔아!

	(억울한 듯) 아니 대체 네 형이 어찌 됐길래
	이 오밤중에 칼 들고 와서 지랄이여?!
성남	(칼을 더욱 깊이 들이댄다. 눈빛 달라지고) 잘 들거라.
	네 처방으로 예체가 상하였다.
토지선생	예체...? (놀라 굳는) 너 누구야?!!

[자막] 예체(睿體): 세자의 몸

성남	(복면을 벗는다. 그리고 본다) 내 형님이 국본이시다.
토지선생	(!! 그 말에 놀라면서도 서늘해지는 눈빛)
성남	그리고 지금 세자저하께선 사경을 헤매고 계신다.
토지선생	(무심히 내뱉듯. 낮게) 인과응보군...
성남	(들었고. 눈빛 변하며) 방금 뭐라 했느냐?!
토지선생	원인과 결과에는 반드시 그에 합당한 이유가 있으니...
	필시 과잉진료가 아닌지 말씀드리는 것이옵니다.
성남	(의심의 눈으로 칼을 더욱 깊이 들이대며) 세자저하께서 어혈이 섞인 피
	를 토하고 쓰러지셨다. 네가 약재에 장난질을 한 것이 아니라면 왜 그런
	증상이 일어난 것인지 그것부터 설명하거라.
토지선생	(담담하고. 당당한) 약재에 장난질이라니요?
	쇤네가 이리 굴러먹어도 의원의 존심(存心)은 지킵니다요.
	또한, 그 증상들이 사실이라면 칼을 이만 거두어주셔야 되겠습니다.
성남	이유는?
토지선생	제가 처방해드린 약재는 어혈을 풀어주는 약재이옵니다.
	또한 졸도 전에 피를 토하신 것으로 보아
	장내 출혈이 일어났을 가능성도 전혀 배제할 수는 없사옵니다.
	한데 쇤네는 감히 저하의 예체에 손을 댄 적도 없고
	시침 또한 한 일이 없사옵니다.
	오히려 시침을 중단하라 처방했던 것을 기억하지 않으시옵니까...?
성남	(이자를 믿어야 하는 것인가...)
토지선생	쇤네는 살리는 것에 재능이 있지 죽이는 것엔 영 소질이 없사옵니다.
	그 정도의 실력이면 궁 같은 곳에서 뽐내며 살겠지요.

(슬쩍) 한데... 세자저하를 담당했던 의관은 누굽니까?

성남　(본다) 그건 알 거 없다.

세자저하를 살려낼 방도를 알고 있다면 말하라.

토지선생　(차갑게) 이런 곳에서 굴러먹는 허접한 놈이 뭘 알겠사옵니까...?

33　황원형 사랑채 방 안 (밤)

마주 앉아 술을 마시고 있는 황원형과 윤수광.

황원형　세자 폐위를 공론화해야겠습니다.

윤대감께서 물꼬를 터주십시오.

그럼 택현의 흐름은 저희 쪽에서 만들겠습니다.

윤수광　병든 세자를 폐하고 나면요? 다음 세자는 누가 되는 겁니까?

대비마마께선 거기에 더 관심이 있으신 것 같던데요... (쓱 보면)

황원형　제가 설마 의성군을 그 자리에 앉히려고 하겠습니까?

(윤수광의 빈 잔에 술을 채워주며) 택현입니다.

현명한 국본을 공정하게 뽑는 것이 대비마마의 뜻이기도 하지 않습니까?

윤수광　(술잔 안 들고 손가락으로 톡. 톡. 톡 치는) 그럼 저한텐 뭘 주시겠습니까?

황원형　(의중 읽고 씩 웃는) 국본이 누가 되든 간에

세자빈의 자리는 병판의 여식이 되어야겠지요.

윤수광　(그제야 멈추는 손가락. 술잔을 든다.)

황원형　(술잔 들더니 마신다)

그렇게 뜻을 함께하듯 들이켜는 두 사람.

34　윤수광의 사가 마당 (밤)

대문이 열리며, 마당으로 들어서는 윤수광.

대청마루에서 수를 놓고 있던 둘째, 셋째 딸이 일어나 공손히 인사한다.

누가 봐도 명문가 규수 느낌의 고고한 딸들인데.

35   동 안채 (밤)

윤수광이 겉옷을 벗자, 부인 고씨가 받는다. 둘 다 앉는데

청하	(E) 어! 아버지 왔나 보네? 아버지!! 아버지!!!
고씨	(윤수광 눈치부터 살피는데)
청하	(문 발칵!! 열며 들어서는) 아버지 언제 왔어?
윤수광	(차갑게 굳는) 대체 내 몇 번을 말했더냐? 목소리는 낮추고, 존댓말을 쓰라 했거늘!!
고씨	그만하세요, 대감~
윤수광	부인께서 이리 감싸고 도시니, 저 지경이 되어 혼기가 꽉 차도록 혼인도 못 하고 있질 않습니까?!
청하	(아주 당당) 아버지. 언제 가느냐가 중요한 게 아닙니다~ 어떤 사람한테 가느냐가 더 중요하지~
고씨	(보십시오 대감~) 해서 존경할 만한 배우자를 찾고 있었던 게냐? 학식이 뛰어난 자?
청하	(반드시) 면상이 뛰어난 자요~! 내 자식의 외모를 판가름 낼 자~ 사내들 다 거기서 거긴데 얼굴이라도 뜯어먹고 살아야지요~~
윤수광	(눈을 감아버린다. 참는다... 꾸욱 참아본다.)
청하	(자세 바뀌며) 해서. 낼모레 멀쩡한 사내 하나 데리고 오려고 하는데~~
고씨	그리하거라~
윤수광	부인...!!!
청하	(예쓰!! 하더니 후다다닥 나가고)
윤수광	(단전에서부터 끓어오르는 깊은 분노!!!)
고씨	(왜 이러세요 대감~) 없는 자식이라 생각하며 살기로 하질 않았습니까... 살면 얼마나 더 살겠습니까?
윤수광	당장 내일모레 죽을 것 같아서 지 하고 싶은 거 다 하라고 저리 놔뒀더니 저리 건강하게 이십 년을 산 거 아닙니까?

단언컨대 쟤 환갑도 넘깁니다!!

고씨　스무 살을 넘겨준 것만도 감사해야 합니다.

윤수광　아니!! 국구(왕비의 부친)가 되겠다 이십 년을 공들이면 뭘 합니까?

고씨　우리에겐 여식이 둘이나 더 있습니다. 그러니 엄한 애 잡지 마세요~

윤수광　내 얼굴에 먹칠하는 건 그렇다 쳐도. 미안해 그럽니다, 미안해서!

우린 낳아서 업보라 치지만 그분들은 뭔 죄로 저 앨 감당하겠습니까?

고씨　누구 말입니까~?

윤수광　누구긴요. 청하의 시부모 자리 말입니다.

하... 누가 되실지... 이거야 원. (진정한 안쓰러움에 깊은 한숨)

36　　중궁전 침전 (밤)

화령이다. 접힌 서찰 위에 붉은 점 두 개를 찍는 모습.
곧 서찰을 신상궁에게 건네는 화령. 비장하다.

37　　정전 내부 (다른 날, 오후)

상소문을 읽고 있는 이호.
서안 위로 산더미처럼 쌓여 있는 상소문!!
황원형, 노회한 눈빛으로 감정을 엿보는데

이호　(상소문 내용 읽는) 국본이 흔들리면 종사(宗社)를 위태롭게 하니
전하께서는 대의로써 결단하시어, 세자를 폐하고 외방으로 내치는 것이...

움켜쥔 상소문을 내려놓으며 대신들을 주시하는 이호.

이호　(냉소 어린) 경들도 할 말이 있다면 지금 하시오.

황원형　(곁눈으로 윤수광 쪽 본다)

윤수광　(선뜻 입을 떼진 않고)

이호	나에게 정녕 할 말이 없는가?!
대신들	....
이호	(상소문 움켜쥔다) 이따위 종이 쪼가리에 숨지 말고 다들 얘기해보시지요. (분노로 씹어뱉듯) 국본은 임금의 후사이며 임금의 다음이다!! 세자저하께서 병약하시어 국위를 위태롭게 하시니 폐하여 조정을 바로 세우소서!!! (당신들 이 말이 하고 싶잖아!!)
황원형	(모르쇠)
윤수광	(결국 총대 메듯) 전하. 벌써 보름이 되도록 저하께서 의식을 찾지 못하시어 국본의 책무조차 수행하시지 못하고 있나이다.
형조참판	그러하옵니다, 전하. 국본을 바로 세우는 것은 곧 고금의 대의요. 문제 있는 후계를 마땅히 폐하는 것은 국가의 오랜 법식이옵니다. 부디 세자를 폐하시옵소서.
대신들	세자를 폐하시옵소서...!!
여기영	(말하려고 하는데) 아니 되...
황원형	(가로채며) 아니 되옵니다, 전하!!
윤수광	(!!! 뭐지? 예상치 못했고)
황원형	저하께서 와병 중이시긴 하오나 치료 중에 있으니 폐세자 논의는 아직 이르옵니다.
이호	(이것 봐라... 황원형을 주시하는)
황원형	설사 국본에게 변고가 생기더라도 원손이 있고, 이미 장성한 대군들도 있사오니. 서두를 것이 없사옵니다.
윤수광	(맞서듯) 서두를 것이 없다니요?! 나라의 근본이 흔들리니, 미리 대책을 세워 사직을 안정시켜야 합니다.
황원형	세자께서 졸도하신 지 며칠이나 되었다고 폐위를 운운하십니까?!

상소문이 쌓인 서안을 내리치는 이호!!

이호	그만들 하라. (단호) 과인은 경들의 청을 불허하니 더 이상 폐세자를 논하지 말라!!

38   궐 행랑 앞 (오후)

배신감에 치를 떠는 윤수광!! 황원형에게 소리친다.

윤수광   뭐 하자는 겁니까 지금?! 말이 다르질 않습니까!!
황원형   (씩 웃는) 이리 순진하셔서야.
윤수광   (발끈) 뭐라구요?!
황원형   전하의 반대를 더 명확하게 하려고 한 것입니다.
          제가 나서지 않았다면...
          그 자리에서 세자를 지명해버렸을지도 모를 일입니다.
윤수광   해서 어쩔 계획이십니까?
황원형   (본다) 진짜 싸움은 지금부텁니다 대감.
          주상을 세운 방법으로... 주상을 꺾어야지요.
대비   (E. 웃음소리)

39   대비전 침전 (오후)

윤수광, 대비 앞에 앉아 있는데.

대비   (하하하. 호탕하게 웃는)
윤수광   (뭐지 이 반응은?)
대비   그럼 병판께선, 우리 주상이 처음부터 받아들일 거라 생각했습니까?
          내 아들이 이젠... 대신들 맘대로 휘둘릴 상대가 아닙니다. (흡족한 미소)
          허나 주상께서 사사로운 감정으로
          대의를 읽지 못하시니 우리가 일깨워드려야겠습니다.
윤수광   (의도를 읽고) 예. 그럼 저희도 움직이겠사옵니다.

40   정전 앞뜰 (오후)

드넓은 궐 그 한가운데.
어도에 서서 어디로 갈지 몰라 그대로 멈춰 서 있는 이호.

대전내관   전하, 어디로 드시겠사옵니까..?
이호   (헛웃음) 그러게... 어디로 가야 하나...
대전내관   예?
이호   좀 쉬고 싶구나...

41   태소용 처소 (오후)

드르륵. 문이 열리며 이호의 모습이 드러난다.
심신이 지쳐 있는 모습.
"어머~ 전하!!" 반가움에 일어서는 태소용과
일어나 바르게 예를 갖추는 보검군도 보인다.

42   중궁전 침전 (오후)

의복을 벗고 있는 화령.
그 옷을 받아 들며 걱정스럽게 보는 신상궁와 오상궁.

신상궁   마마. 중궁전을 벗어나는 것은 위험할 수도 있사옵니다.
화령   딴 방법 있어?
신상궁, 오상궁   (고개 젓는데)
화령   (옷 꽉 여미며 비장하고) 반드시 확인해야 돼.
      아무래도 움직임이 심상치 않아.
신상궁   (정말 하루도 편할 날이 없고. 하...) 그럼 언제 나가실 작정이시옵니까?
화령   지금.

신상궁, 오상궁　예-에?

오상궁　지금은 너무 밝사옵니다.

43　중궁전 앞 (오후)

군관들 눈앞에 출입패를 보이는 상궁 복장의 화령.
설기(褻器 : 요강)를 옆에 끼고 서 있다. 고개 숙인 채.

화령　설기를 비우러 가는 길이옵니다.

군관들 얼굴 쓱 본 뒤 내보내준다.

화령　(E) 궁궐이 좋은 건...
　　　내 얼굴을 똑바로 보지 못한 사람들이 더 많다는 거야.
　　　대부분 복식으로 중전임을 확인하니까.

군관들 사이를 유유히 빠져나가는 화령. 걸음이 빨라진다.

44　다시, 태소용 처소 (오후)

상석엔 이호가 앉아 있다.
안주 없이 술병과 술잔이 놓여 있다.

태소용　(빈 잔 채워주며) 안주 없이 이리 술을 드시는 걸 보니~ 우리 전하 속상한
　　　일 있으셨나 봅니다~ 오늘은 그냥 푹 쉬다 가시옵소서~~
이호　(한 잔 마시고 내려놓으면)
태소용　(말없이 다시 따라준다)
이호　(본다)
태소용　(해맑음)

이호	태소용은 관심이 없는가...?
태소용	어머~!! 제가 왜 전하께 관심이 없겠사옵니까~?
	(심장 짚으며) 이 안엔 전하뿐이옵니다~~
이호	(어이없는 웃음. 위로받는) 궁궐 안이 죄다 그 얘기뿐인데
	이곳에 오니 정치 얘기도... 세자 얘기도 없어 좋구나... (한 잔 마시는)
보검군	(그런 이호를 본다)
이호	(술잔을 내려놓더니 보검군을 쓱 본다)
	세자를 폐위시키자는 얘기가 있는데 보검군은 어찌 생각하느냐?
태소용	(놀라서 눈이 동그래진다. 눈으로 '하지 마~!')
이호	괜찮으니 말해보거라.
보검군	(차분하면서도 소신 있게) 병약한 국본은 국위를 위태롭게 하니
	그들의 폐위 논의는 정당하다 생각됩니다.
태소용	(미쳤나 봐! 입 닫아) 보검군!!
이호	(손 들어 태소용 제지)
보검군	다만, 소자는 이 논의가 단순히 국본을 폐하려는 것이 아니라
	대신들이 아바마마를 견제하려는 힘 대결로 보이옵니다.
이호	(피식) 해서 누가 이길 것 같으냐?
보검군	이기든 지든 더 낫게 싸우소서 아바마마.
	지는 과정도 중요하지 않겠사옵니까?
이호	(본다)
보검군	그들의 뜻을 들어주더라도 조호이산(調虎離山) 당하지는 마시옵소서.
	범이 조롱당해 스스로 산에서 내려오게 하는 것이
	바로 그들이 원하는 바일 것이옵니다.
이호	(녀석의 범상치 않음을 느끼는 미소로) 우리 보검군은 세정(世情)에 대한
	통찰력이 있구나...
대전내관	(다급한, E) 전하!!!!

급히 안으로 드는 대전내관. 사색이 된 얼굴.

대전내관	전하! 큰일 났사옵니다.
이호	(보는데)

45   정전 앞뜰 (오후)

        엎드려 폐세자를 외치는 수십의 문무백관들이 보인다.
        황원형은 정전 앞에 우뚝 서 있다.
        엎드리지도 않고 청을 하지도 않는 모습. 담담히 서서 돌아가는 꼴을 지켜본다.

윤수광   전하!! 병약한 세자를 폐하고 나라의 근본을 바로 세우소서.
대신들   세자를 폐하고 조정을 바로 세우소서!!
우의정   결사의 심정으로 간하는 신들의 충정을 헤아려주시옵소서 전하...!
대신들   (외침이 더욱 거세지며) 세자를 폐하시옵소서...!!

        그 모습을 멀리서 지켜보고 있는 상궁 복장의 화령.
        주먹을 꽉 움켜쥐더니 곧 이동한다.

46   저잣거리, 약방 앞 (오후)

        한껏 차려입은 청하가 두리와 함께 서 있다.

두리   (다리 아프고) 아니~ 아씨. 약조한 시간도 한참 남았는데
        왜 벌써 나와서 이 생고생이래요.
청하   엇갈리면 어떡해!! (하다가 뭔가 보더니 표정 흥미롭다는 듯 바뀌며) 오~~
        저 여자 보여? 지체 높은 양반댁 같은데 (피식) 바람났네~ 눈빛 봐봐.

        보면, 쓰개치마를 두른 화령이 한 사내와 접선하듯 마주 선다.
        사내와 은밀한 눈빛을 주고받더니 이동하는 화령.

청하   (눈빛 반짝) 애들 서당 보내놓고, 남편 일 보내놓고~
        이 훤한 대낮에 오우~ 파격적!! 봐봐~~ 상대를 제압하는 저 눈빛!

이내 사내를 이끌고 앞서 걷는 화령.
슬쩍 뒤돌아보며 따라오라 리드하는 보스다운 느낌인데.

청하 봐~ 남자 안 따라가고 앞장서는 거~~
두리 (놀라) 한데, 미행이 붙은 모양입니다.

보면, 주위를 경계하며 화령의 뒤를 바짝 따르는 부요도 보인다.

청하 (손가락으로 아니 아니) 저 눈빛은 의심으로 따라붙는 미행이 아니라
지키고 싶은 흠모다~ (씽긋)
두리 (뭔 뚱딴지같은 소리) 예?!
청하 여튼. 와우 저 언니 진짜... (더 궁금해지고) 어느 댁 누구지?

화령에게서 시선을 떼지 못하는 청하. 왠지 맘에 쏙 드는데!!

47 기루 대문 앞 (오후)

'休'라고 쓰인 종이가 대문 앞에 붙여져 있다.

48 기방 복도 (오후)

싹 비워진 기방.
행수의 안내에 따라 기방 복도를 걸어가는 누군가.
소박한 옷차림이... 화려한 기방과는 대조적인데
한참을 걸어가던 행수가. 가장 끝 방에서 멈춰 서면
방문이 열리며 서서히 화령의 모습이 드러난다.

화령 (숙이진 않고) 누추한 곳까지 모셔서 죄송합니다.

윤왕후　　(모습 드러나고. 복도에 서서 화령을 본다. 성난 표정!!)

49　　기방 안 (오후)

마주 앉아 있는 화령과 윤왕후.

윤왕후　　납치하다시피 절 이곳까지 데려온 연유가 무엇입니까?
화령　　　그때 제게 알려주셨습니다.
　　　　　아직 기회가 있는 중궁이라면...
　　　　　치졸하고, 비겁하고, 비열하다 손가락질받더라도
　　　　　내 자식을 지키기 위해선 무슨 짓이든 하실 거라 말입니다.
윤왕후　　(굳는) 이리 무례한 방도를 알려드린 적은 없지만...
　　　　　무릎 꿇으시는 것보단 이게 낫네요
　　　　　(본다. 단도직입) 왜 절 부르셨습니까?
화령　　　그때 하신 말씀의 의미를... 꼭 확인해야 하기 때문입니다.

F.B 》2부 3씬. 윤왕후 처소 (밤)

윤왕후　　난 절대 혈허궐로 죽었다 생각하지 않습니다.

현재 》

화령　　　태인세자의 죽음에 다른 원인이 있다고 생각하시는 것이
　　　　　죽은 자식을 놓지 못하는 어미의 미련인 것입니까? 아니면
　　　　　달리 생각하시는 증좌라도 있는 것입니까?
윤왕후　　(서늘히 굳는) 죽은 자식의 일을 입 밖으로 내는 것도 힘겨운데
　　　　　왜 자꾸 제게 과거의 일을 묻는 것입니까?
화령　　　마마의 답이... 지금의 국본을 살릴 수도 죽일 수도 있기 때문입니다.
　　　　　혹시 태인세자도 졸도할 때 피를 토했습니까?
　　　　　(절박) 대답해주십시오, 마마...

윤왕후	제가 왜 대답해드려야 합니까?
화령	제게는 세자를 지킬 수 있는 마지막 기회가 될지도 모르기 때문입니다.
윤왕후	(보다가 갑자기 섬뜩하게 웃는다)
화령	(뭐지?)
윤왕후	(웃음기가 사라지고 서늘히 본다) 솔직히 말하면 난...
	당신 아들이 그냥 이대로 죽었으면 좋겠습니다.
화령	(믿을 수 없는) 마마...?
윤왕후	업보입니다.
	작금의 왕조는 내 자식들을 숙청해서 그 피로써 이룬 것입니다.
	성군이라 칭송받는 금상은 왕위를 찬탈한 피의 군주란 말입니다.
	왜요? 제 말이 틀렸습니까?!
화령	(눈빛 변한다. 물러서지 않고) 마마의 말씀처럼 업보라면
	겸허히 받아들일 수 있습니다. 하지만 또다시 하늘의 뜻이 아니라
	사람이 개입된 것이라면...!!
	중전으로서 할 수 있는 모든 걸 동원해서라도 알아낼 것이고.
	알아낸 다음엔 내 새끼 건드린 놈들 제가 다 죽여버릴 것입니다!!
윤왕후	(보다가 피식한다. 마음이 흔들린 느낌)
화령	그러니 대답해주실 순 없겠습니까?
윤왕후	대신 조건이 있습니다.
	실패한 중전이 아닌... 한 아이의 어미로서 말씀드리는 것입니다.
화령	...무엇입니까?
윤왕후	제가 나중에 청을 하나 하게 되면, 그 청은 무조건 들어주십시오.
화령	(눈빛으로 그 청이 뭡니까?)
윤왕후	(대답부터 해)
화령	(애는 살려야 되니. 잠시 고민 후) 알겠습니다.
윤왕후	태인세자는 피를 토한 적은 없습니다.
	다만, 몸에 원인을 알 수 없는 상처가 있었을 뿐이지요.
화령	그 말씀은...
윤왕후	지금의 세자는 내 아들과는 다릅니다.
	(한참을 보다가) 내 아들은. 분명 살해당했습니다.
	어떻게 죽였는지는 모르지만... 누가 죽였는지는 압니다.

내 아들을 죽인 범인이 나에게 직접 얘기했어요.

ins 》**옥사 (밤) (과거)**
옥사에 갇혀 있는 윤왕후에게 다가와 속삭이는 대비.

대비　　맞아. 내가 니 아들 죽였어. 근데 증거 있어?

현재 》충격적인 얼굴의 화령!!

화령　　그럼. 그때 택현은 누구의 뜻이었습니까?
윤왕후　(본다) 대신들의 뜻이었습니다.
　　　　떼로 몰려와 겁박하면, 결국 궁지에 몰리는 이는 임금 아니겠습니까?
화령　　(!!! 지금 하는 짓거리가?)

50　　기루 은밀한 일각 (오후)

마주 서 있는 화령과 행수. 적당한 거리에 검을 찬 부요도 보인다.

화령　　(맘이 급한) 눈에 띄지 않게 모셔다드리게.
행수　　예, 그리하겠사옵니다.
화령　　필요한 게 있거든 신상궁을 통해 기별하고.
　　　　요즘 궁에 일이 있어 한동안 신경을 쓰지 못했어.
행수　　이곳은 심려치 마십시오.
화령　　(끄덕하더니 긴박히 이동한다)
행수　　(가는 뒷모습을 보다가) 더한 어려움도 잘 이겨내셨으니...
화령　　(멈춰 선다)
행수　　(우여곡절을 함께 겪은 느낌으로) 이번에도 잘 이겨내실 겁니다.
화령　　(위로가 되고)

뒤돌아보지 않은 채 다시 걸음을 옮기는 화령. 그 뒤를 호위하듯 따르는 부요.

멀어지는 화령에게 깊이 숙이는 행수.

51   정전 앞뜰 (오후)

여전히 엎드려 외치는 문무백관들.

우의정   전하! 세자를 폐하고 조정을 바로 세우소서!!
대신들   세자를 폐하시옵소서...!!

52   정전 내부 (오후)

이호의 얼굴이 화면 가득 보인다!!

이호   정녕 과인의 뜻을 거스르려는 것인가?
        난 분명. 더 이상 폐세자에 대해 거론치 말라 했다...!!

지르는 이호!! 그러나 아무도 없이 텅 빈 정전.
밖에선 세자의 폐위를 외치는 소리가 거세게 들려오는데
화려한 용좌에 앉아 압박을 홀로 견디고 있는 외로운 이호...
그때 문이 열리며 빛이 들고, 긴 그림자와 함께 누군가 들어선다. 대비다.
넓은 정전에서 마주하는 대비와 이호.

대비   침묵을 택하신 겁니까?
이호   ......
대비   아무것도 안 하면 결국 저들의 뜻대로 될 것입니다.
        가서 저들의 청을 들어주든. 아니면 안 된다고 얘길 하든!!
        침묵을 깨고 입장 표명을 하세요
이호   (내지르는) 저는 세자의 폐위를 윤허할 수 없습니다!!!
대비   예. 뜻이 정 그렇다면 나가서 저들을 해산시키세요.

찍소리도 못하게 입을 막아버리란 말입니다.

이호 (그 말에 눈이 돈다. 일어선다.
저벅저벅 걸어가 문 앞에 서지만 차마 문을 열진 못하는데)

대비 (이미 예상한 듯 본다)

이호 (괴롭다)

대비 어차피 주상은 저들을 못 막습니다.

이호 (정곡을 찔린 듯 아프다) 나는... 저들의 임금입니다.

대비 저들이 만든 임금입니다.
저들이 정통성을 물고 늘어지면 언제든 무너질 수 있는
적통이 아닌 서자 출신의 임금이시지요.

이호 (심연의 두려움이, 그 콤플렉스가 건드려진다. 흔들리는 눈빛)

대비 주상께서 저들의 지지를 받지 못하시면 결코 지켜낼 수 없는 것이
(가리키며) 바로 저 용상입니다.
한데 세자 하나 지키자고 이리 저들과 힘을 겨루셔야 되겠습니까?
저들이 완전히 등을 돌리면 어쩌시려구요.
지금 그게 두려우신 거 아닙니까?!

이호 (맞다. 알고 있기에 더 괴롭고)

대비 이 나라 이 조정이 여기까지 온 게.
주상의 역량 하나로 이뤄낸 것인 줄 아십니까?
여기까지 오기 위해!!! 흘렸던 이 어미의 노고를 생각한다면
그 아이 하나로 이리 흔들리셔서는 안 되는 것입니다.

이호 아파 누운 아이가. 어마마마의 손자임을 정녕 잊으셨습니까?!!

대비 그런 주상께선 세자의 부친이기 이전에
이 나라의 임금임을 잊으셨습니까?!
용상을 지키고 싶거든
저들의 심기를 더 이상 건드리지 마시고 그만 그 뜻을 들어주세요.

이호 (왕좌의 무게를 느끼며 힘겨운데...)

그때, 황원형이 들어서며 바닥에 엎드린다.

황원형 전하...!

소신이 전하의 뜻을 헤아려 막기에는 물줄기가 너무 거세옵니다.
아뢰옵기 황공하오나 대신들의 뜻이 저리 완강하니
이제 결단을 내려주시옵소서!!

이호   (속내가 빤히 보이지만, 어쩔 수 없고 깊은숨)

53   정전 앞뜰 (오후)

문무백관을 향해 저돌적으로 걸어가는 화령. 중궁 복식.
다 죽여버릴 거야!! 하듯 용잠을 칼처럼 쥐고 걷다가
머리를 틀어 쓱 꽂는데... 싸우러 가는 느낌. 당당.

대신들   전하!! 세자를 폐하시옵소서.
화령   (버럭) 폐하긴 뭘 폐해?!!

"전하...!!"를 외치다가 별안간 화령의 호통에 술렁이는 대신들.

화령   지금 우리 세자가 죽기라도 바라는 것입니까?
대신들   (예상치 못한 상황에 놀라 정신을 못 차리는데)
화령   (한 명 한 명 짚으며. 저격) 우의정 대감!!
           폐세자 요구가 얼마나 무리하고 부당한 요구인지 아십니까?
           이판대감!! 세자가 그동안 단 한 번이라도 불의를 자행한 적이 있습니까?
           (윤수광 보며) 병판대감!!
           세자가 함부로 여색에 혹란(惑亂)하여 종사를 그르친 적이 있습니까?
           도대체!! 그 아이가 무슨 죄를 지었단 말입니까?
대신들   (당황하고, 또 틀린 말은 아니라 아무 말 못 하는데)
화령   죄가 있다면!!
           나라의 국본인 세자의 안위를 지키지 못한 (가슴 치고) 나나!!
           (삿대질) 그대들에게 죄가 있는 것이지!!
           우리 세자에게 무슨 죄가 있단 말입니까?!!
대신들   (보는데)

윤수광	(정치판도 모르고 까불고 있구나) 중전마마. 국본은 제2의 임금으로
	장차 종묘와 사직이, 민생의 책임이 그 일신에 달려 있사옵니다.
화령	(본다) 명분은 종묘와 사직이라고 하면서...
	지금 하는 짓거리를 보면!! 임금을 압박하여
	얻고자 하는 것을 강탈하려는 도적 떼로밖에는 보이지 않습니다.
윤수광	(말문이 막히고)
화령	아픈 세자를 일으켜 세우는 것!! 그것이... 종묘사직을 지키는 것입니다.
	지금 그 질서를 해치는 것이 바로 당신들이고요!!

황원형이 다가오며 소리친다.

황원형	(아녀자 주제에 어디) 중전마마...!!
화령	그 입 다무세요!!! 본인인 중궁의 말이 아직 끝나지 않았습니다.
황원형	(헙. 당황해 말을 삼키는데)
화령	지금 이 시간에도 세자를 일으켜 세우기 위해 노력해야 할 대신들이
	이리 개떼처럼 몰려와서 이 지랄을 하는 것은!!
	세자를 살리기 위함입니까, 아니면 죽이기 위함입니까?!!
대신들	(아이쿠. 정신이 혼미해지고)
화령	정녕 그대들이 원하는 게 뭐란 말입니까?!
황원형	(더 이상은 못 참아!!) 중전마마...!!
	마마께서는 지금 유폐 중이신 것으로 아는데
	어찌 어명을 어기고 이곳에 와서 이러시는 것이옵니까?!
이호	(E) 유폐는 내가 풀어줬다.

보면, 정전 앞에 우뚝 서 있는 이호!!
대비도 그 뒤로 다가서는데...

이호	또한, 중궁이 하는 말이 곧 나의 뜻이다.
대비	(그 말에 보는. 실망감에 눈빛 매서워지는데)
황원형	(이대로 물러설 수 없고) 전하!! 장차 종묘사직과....
이호	그 입 다물라!!

황원형	(놀라 입이 쩍... 입은 못 다물고)
이호	앞으로도 폐세자 논의는 없다.
대신들	전하... 통촉하여주시옵소서.
이호	경들은 듣거라!!
	아직 세자가 치료 중에 있음에도 국본을 바꿔 세우려 도모하고,
	어명을 어기며 국본의 폐위를 논하는 자는
	내 결단코 역모로 다스릴 것이다!!

!!! 모두 사색이 되고, 어쩔 수 없다는 듯 하나둘 일어나는 대신들.
정전 앞에서 화령을 보는 이호.
정전 뜰에서 이호를 올려보는 화령. 그렇게 서로를 바라보는데.
저 멀리서... 동궁내관이 울며 쓰러지며 오열하며 달려온다.
그 모습을 보는 화령과 이호의 얼굴!!

54   동궁전 가는 길, 궁 곳곳 (오후)

세자를 향해 정신없이 달려가는 화령. 그 위로-

동궁내관	(E) 저하께서 잠시 깨셨는데 중전마마를 찾으셨습니다.
	아무래도... (울먹이는) 시간이 얼마 남지 않은 듯싶사옵니다.
	꼭 중전마마께 해야 할 말이 있다 하셨습니다.
	꼭... 들어야 할 대답이 있다 하셨습니다...

미친 여자처럼 달려가는 화령...

F.B 》4부 24씬. 중궁전 침전 (밤) 이어지는-

세자	(등 돌린 그대로) 어마마마... 약속해주십시오...
	무너지지 않겠다고. 그래야 편히 눈을 감을 수 있을 것 같습니다.
	바람이 되어서라도 곁에 머물겠습니다.

그러니 원손과 아우들을... 지켜주십시오.

화령 (눈물 뚝. 감정을 참다가. 부러 매섭게 다그치는) 난 그딴 약속은 못 해...!!
빨리 털고 일어날 생각이나 하거라.

현재 》대답해주기 위해 온 힘을 다해 뛰어가는 화령.

화령 (E) 조금만 버텨주거라... 조금만... 엄마 대답 듣고 가야지!!

55 동궁전 복도 + 침전 (오후)

달려 들어오는 화령. 그런데 "저하! 저하!!" 오열하는 소리.
반쯤 정신 나간 모습으로 문을 여는데... 세자는 이미 숨을 거뒀다.
오열하는 궁인들과 어의들 사이에
너무도 하얗고 예쁜 모습으로 누워 있는 세자.

화령 (부정하듯) 아니야... 아니야...

화령, 정신을 잃듯 풀썩 주저앉아 오열하고 마는데
뒤이어 달려오는 이호. 자식의 죽음 앞에 넋을 놓는다. 무너진다.
마치 잠든 아이처럼 누워 있는 세자. 그 위로-

세자 (E) 어마마마... 약속해주십시오...

F.B 》1부 29씬. 궐내 일각 (오후)
화기애애. 웃으며 다정히 걸어가는 화령과 세자.

세자 (E) 무너지지 않겠다고. 그래야 편히 눈을 감을 수 있을 것 같습니다.

현재 》화령이 갑자기 고개를 든다!!!
눈물을 마구 닦더니 세자에게 기어간다. 궁인들이 놀라서 화령을 말리면.

화령	(뿌리치는) 놓거라!!
	세자에게 할 말이 있어! 대답해줘야 할 것이 있다...!!!
궁인들	(그 말에 화령을 놓는다)

화령의 떨려오는 손. 세자의 얼굴을 쓰다듬는다.

| 화령 | 아가....... |
| | 약속..하겠다... 걱정되어 헤매지 말고 편히 가거라.... |

그리고 망자가 된 자식을 안는 화령.

| 화령 | (마음의 소리, E) 약속하마... 무너지지 않겠다고. |
| | 네가 남긴 자식도, 내게 남겨진 자식들도 지킬 것이다...!! |

56 궐내 거리 (오후)

민휘빈과 궁인들이 오열하는 가운데
아비를 잃은지도 모르고 천진하게 뛰어노는 어린 원손, 해맑게 웃는다.

57 궐 전각 지붕 위 (밤)

동궁내관이 지붕 마룻대 위를 밟고 선 채
세자가 입던 흑색 곤룡포를 흔들며 왕세자복(王世子復)을 외친다.

동궁내관	(슬피 울며) 왕세자복!
	왕세자복!
	왕세자복!!

58   동궁전 침전 (밤)

죽은 자식을 품에 안은 화령의 모습에서. 엔딩!!

6부

1   동궁전 침전 (밤)

먼지가 뿌옇게 내려앉은 세자익선관.
덩그러니 걸린 왕세자복.
폐쇄된 듯, 출입문 창호엔 쇄금(鎖金) 그림자가 비친다.

2   중궁전 침전 (밤)

흰색 상복을 입은 화령.
잠들지 못한 채 멍하니 앉아 있는데.

3   중궁전 마당 (밤)

멀찍이 서서, 전각을 바라보는 이호의 뒷모습.
오상궁과 대화를 나눈 대전내관이 빠르게 다가온다. 모두 상복 차림.

대전내관   전하... 지금 막 침소에 드셨다 하옵니다.
이호   (미동 없고)

침소를 밝히던 불이 꺼진다. 이호, 그제야 발길을 돌리는데
자리끼를 들고 걸어오던 신상궁이 그 모습을 본다.

신상궁   전하께서 오늘도 와보신 겐가?
오상궁   예, 장례 후엔 하루도 빠짐없이 저리 잠든 것을 확인하고 가시니
          전하도 참 대단하십니다...
신상궁   (그 말에 멀어지는 이호의 뒷모습을 본다)

4   추국장 (밤)

고신으로 만신창이가 된 권의관에게 물이 뿌려진다.
강압적인 말투로 신문하는 황원형.

황원형   분명 죽기 전 피를 토하셨다. 대체 저하께 무슨 짓을 한 것이냐?
권의관   제대로 치료하지 못한 죄는 크지만.. 난 절대 아닙니다...
황원형   (원하는 답을 유도하듯) 내가 언제 너라고 했느냐?
          네가 아니면 배후를 밝히라는 게다...
권의관   대체... 무슨 모략을 꾸미시는 겁니까?
황원형   (나졸에게 눈짓하면)

달궈진 인두가 권의관의 몸에 지져진다. 으 괴로운 신음.

황원형   (코앞까지 다가와 낮게) 어서. 배후를 불거라...

5   궁궐 전경 (낮)

지나는 궁인들의 의복, 일상복으로 돌아온 모습.

6 편전 내부 (낮)

대소 신료들이 편전을 가득 메운 가운데
어좌에 앉아 용 문양 손잡이를 꽉 움켜쥔 이호.

윤수광	전하!! 오늘은 기필코 결정이 내려져야 물러갈 것이옵니다.
황원형	이제는 결단을 내리시어 세자를 책봉하시옵소서...!!
이호	(약간 조소 섞인) 나라의 위태로움이 이와 같은데 경들은 누구를 세울 만하다고 생각하시오?
윤수광	국법을 따른다면 원손에게 계승되는 것이 원칙이오나 원손은 어리고 아직 학문도 성취하지 못하였습니다.
이호	(굳는)
우의정	전하께는 열 분이 넘는 왕자들이 계시오니 그중에 택현하는 것은 어떻겠사옵니까?
여기영	원손과 장성한 대군들이 있는데 택현이라니요...!!
윤수광	적통과 서자를 가릴 것 없이 가장 현명한 후계를 정하자는 것입니다.
황원형	(기회를 엿보다 쓱) 전하께서 왕세자로 책봉되셨을 때처럼 말입니다....
이호	(황원형!!)
황원형	(치켜세우듯) 주상전하께서 즉위하신 이후 이리 태평성세를 이루고 있으니 택현 또한 검증된 방법이 아니겠사옵니까?
다수 대신들	그러하옵니다, 전하!
민승윤	아니 되옵니다, 전하!! 적통을 책립해 왕조의 정통성을 세우시옵소서.
황원형	도승지의 그 말씀은 마치 전하의 정통성에 시비를 거는 듯한 발언으로 들립니다...?!
민승윤	시비라니요? 영상이 국법의 질서를 해하려 하니 드린 말씀입니다!!
이호	(쾅!!! 서안을 내리치며) 그만들 하시오!! (황원형 본다) 세자 죽음에 대한 조사는 왜 그리 오래 걸리는 것인가?
황원형	아뢰옵기 황공하오나 독살 의혹이 있어 아직 조사 중이옵니다.
이호	(소스라치게 놀라) 독살?
대신들	(마구 술렁이는데)
이호	(흥분과 분노) 검시 때 독에 대한 반응은 없다 하지 않았소?

어느 누가 감히 세자를 살해한단 말이오?!

황원형 (쓱 본다) 혈허궐에 의한 죽음이... 궁중에 처음은 아니질 않사옵니까?

이호 (!!! 순간적으로 흔들리는 눈빛)

황원형 당시엔 병사로 결론 났으나
이번엔 그 양상이 달라 명확히 규명하려는 것입니다.

이호 (주시하다가) 그렇다면 영상은 그 어떤 의혹도 남지 않도록
세자의 사인을 명명백백 조사해 소상히 밝히시오...!!
지금은 국본을 세우는 것보다 그것이 더 중요하니 말이오.

황원형 하오나 전하! 더 이상 동궁을 비워둘 수는 없사옵니다!

이호 아니!! 세자의 사인이 명백해질 때까지 국본의 자린 공석으로 둘 것이오.

황원형 (전혀 예상치 못한 얼굴)

7　　궐내 집무실 (낮)

작당 모의하듯 날 선 표정으로 앉아 있는 황원형, 우의정, 이판.

이판 독살이라는 소문만으로 중전을 몰아갈 수 있겠습니까?

황원형 모두가 그렇게 믿으면 진실이 되는 겁니다.
끔찍한 소문일수록 더 빨리, 더 멀리 퍼지게 마련이지요.
아픈 세자가 폐위되면 원손 승계가 어려워질 수도 있으니
미리 숨통을 끊어버렸다... 이렇게 몰아붙이면 됩니다.

우의정 중전은 독살로 밀어붙인다 쳐도
대비가 주상 쪽에 선다면 택현은 물 건너갈 수도 있습니다.

8　　중궁전 침전 (낮)

중전 복식을 갖춰 입던 화령이 뒤돈다!!
그 앞에 여분의 옷을 든 신상궁도 서 있고.

화령	뭐 택현?! 꼴값들 떨고 있네.
신상궁	(!! 눈 동그래지지만 숙이며) 하오나 마마. 원손이 너무 어려 택현으로
	가는 게 이치에 맞는 것이 아니냐는 말들이 많사옵니다.
화령	말 같지도 않은 소리!
	엄연히 국법이 있고 내가 버젓이 자리를 지키고 있는데.

까칠해진 화령, 신상궁 손에서 옷을 집더니 마지막 복식 갖추며.

화령	그리고 적통이 어디 원손뿐이더냐? 대군들도 있어.
신상궁	아무래도 대비마마께서 워낙 대군들을 마땅찮아 하시니...
화령	대비마마가 국본을 정하시나?
	우리 애들이 어디가 어때서?
	배동 선발 때 성남대군이랑 계성대군은 복시까지 오르지 않았느냐...!
신상궁	(조심스럽게) 하오나 마마... 대비마마가 나서면
	택현이 유력해질 수도 있사옵니다.
화령	(굳는. 경각심 느끼는데)

9 대비전 침전 (낮)

의성군, 보검군, 심소군, 영민군, 화평군이 바르게 앉아 있다.
보료에 앉아 면접관처럼 왕자들을 주시하는 대비.

의성군	자신의 이익을 좇지 않고, 매사에 의리에 맞는 도리를 밝히는 분별력이야
	말로 왕세자의 자질 중 가장 중요한 것이라 생각합니다.
대비	(끄덕이고는 보검군 쪽- 보면)
보검군	국본의 자질 중 효(孝)보다 더 큰 것이 있겠사옵니까?
	군자가 행하는 모든 행실의 근본은 곧 효도이니
	정사를 공평하게 하고 백성을 평안케 하는 데에
	그보다 더 중요한 것은 없다 생각하옵니다.
대비	(흡족한) 그간 국본의 자리가 비어 있어 이 할미가 참으로 황망했는데...

이리 왕자들을 보고 있으니 더 이상 불안해할 이유가 없겠습니다.
적통이 아니라 해도 자질만 있다면
국본의 자리, 누구든 못 할 것도 없지요.

왕자들   (욕망이 차오른다!!)

10   **궐내 누각 (낮)**

네 개의 상이 차려져 있다.
각각의 상 위에는 조청이 올려져 있고
두충차, 검은 참깨죽, 무정과도 놓여 있다.
상 앞엔 무안, 계성, 일영 앉아 있는데. 한 자리는 비어 있다.
그리고 대군들 앞엔 화령이 우뚝 앉아 있다.

일영   (차려진 음식 보며) 갑자기 이 음식들은 다 무엇이옵니까?

화령   궁중 비법 음식들이다. 먹는 데도 순서가 있으니 조청부터 먹거라.

왕자들   (조청 들여다보며 이게 뭔가 싶은 표정인데)

화령   집중력 향상을 위해 왕세자들은
매일 진시가 되기 전에 두 숟가락씩 조청을 먹는다.

무안   왕세자요?

왕자들   (놀라서 서로 쳐다보는데)

화령   어서 먹어~

[자막] 진시(辰時): 07~09시

대군들 숟가락 들더니 조청을 먹는데.
숟가락을 드는 계성의 반지 낀 오른손.
새끼손톱 끝엔 봉숭아 물이 들었다.

점프, 다른 음식들까지 다 먹은 듯 비워진 그릇 보이는데.

| 화령 | (누각 아래를 향해) 들이거라! |

말이 끝나기 무섭게 어마어마한 양의 서책을 들고 와 내려놓는 궁인들.
대군들은 다소 놀라는 얼굴인데.

화령	이젠 식단 관리뿐 아니라.
	학업도 왕세자의 교육 방식을 따를 거다.
계성	어마마마. 왜 저희가 왕세자 교육 방식을 따라야 합니까?
화령	너희들 중에 누군가는
	왕세자 자질이 있다는 걸 증명해야 하니까.
무안	국본 자리는 원손이 물려받는 거 아닙니까?
화령	원손이라고 그냥 물려받는 게 아니다. 너희들도 마찬가지고.
	원손은 어리고 너희는 자질에 대해 의심받고 있어.
일영	어마마마. 저희가 자질을 증명하지 못하면 어찌 되는 것입니까?
화령	택현으로 내몰리게 될 것이다.
왕자들	('택현?' 놀라고) .....!!!
화령	그러니 너희들도 달라져야 되지 않겠느냐?
	세자가 있을 땐 왕자로만 살아도 됐지만 이젠 아니야.

화령, 조용히 계성의 오른손을 잡는다.

| 화령 | 더는 하고 싶은 것만 하며 살 수는 없다. |

잠시 계성을 보더니 곧 일어나 이동하는 화령.
대군들 현실의 무게를 느끼며 긴장하는데.
계성, 자신의 오른손을 보며 생각에 잠긴다.

11   성남대군 처소 복도 (낮)

화령과 신상궁이 다가서면, 윤내관이 얼른 숙인다.

화령   (문 옆에 놓인 밥상을 본다) 오늘도 먹지 않은 것이냐?
윤내관   (푹 숙이며) 예... 송구하옵니다 중전마마...

화령, 상을 들더니 문 앞에 서면
굳게 닫힌 문이 열린다.

12   성남대군 처소 (낮)

        암막 천으로 모든 창이 가려진 내부.
        살짝 벌어진 틈으로 한줄기 빛만이 비친다.
        보료엔 식음을 전폐하고 누워 있는 성남이 보이는데
        그 앞에 밥상을 내려놓는 화령.
        아무 말 없이 성남을 보다가 돌아서 나가려는데.

성남   출궁시켜주십시오.

        화령, 멈추고 돌아서면 일어나 앉는 성남.

성남   출궁시켜주십시오. 어마마마.
화령   (잠시 보다가) 네가 어떻게 궁에 들어온지 잊었느냐?
성남   어차피... 제가 궁에 있길 원한 건 형뿐이었습니다.
화령   그래.
        어른들한테 기를 쓰고 덤벼서 여기로 널 데려온 게 니 형이야.
        나도 못한 걸. 그 앤 자기 자릴 걸고 했었다.
        근데 다시 궁 밖으로 나가겠다고...?
성남   ....
화령   너한테는 황망히 떠난 형만 있는 게 아니야.
        그 애가 남긴 자식들과 아우들도 있어.
        형이... 네게 뭘 바랄지 잘 생각해보거라...

잠시 보더니 나가는 화령.
생각에 잠긴 듯 미동 없이 앉아 있는 성남.

13 궐내 거리 (오후)

걸어가며 수군대는 내관들.

내관1 (낮게) 그 얘기 들었는가? 세자저하가 독살됐을지도 모른다는 거.
내관2 그게 말이나 되는가?

14 빈궁전 가는 길 (오후)

지나가는 궁녀들이 수군댄다. 막려 포함.

막려 (소문을 만드는 느낌으로) 살해된 게 맞다니까!
세자저하가 중궁전에 계실 때 권의관이 독을 썼다잖아.
궁녀1 (놀란 눈) 세상에!! 중궁이 보고 계시는데 독을 썼다고?
궁녀2 (낮게) 설마... 중전마마가 시키신 건 아니겠지?!

하는데 사색이 되듯 놀라서 일제히 숙이는 궁녀들!!
보면 그들을 향해 걸어오는 화령 일행.
화령, 꼿꼿하고 강건한 모습으로 그들 옆을 지나면
하나둘씩 고개를 드는 궁녀들. 수군대기 시작한다.

막려 아니 어떻게 자식이 죽었는데 저리 아무렇지가 않으셔?
궁녀1 어우... 독해 진짜.
궁녀2 (멀쩡한 모습을 보니) 정말 소문이 사실인가...?

15   빈궁전 앞 (오후)

막 빈궁전 앞에 도착한 화령 일행. 그때다.
"악!!!" 비명 소리와 함께 전각 안에서 뛰쳐나오는 민휘빈,
율희(백일 여아)는 안고, 원손의 손을 잡고 있는데 버선 바람.
화령을 보더니 달려드는 민휘빈. 반쯤 미친 모습.

민휘빈	중전마마! 살려주시옵소서!!
화령	(놀라) 빈궁. 대체 무슨 일이십니까?

하는데 뒤이어 "마마!!" 하며 빈궁상궁과 보모상궁이 뛰어나온다.
원손을 확 잡아당겨 화령의 뒤로 숨는 민휘빈!

민휘빈	(공포에 질려) 저년들이... 우리 원손을 죽이려 합니다.
화령	(그들을 보면!!)
신상궁	빈궁전 상궁과 원손마마를 양육하는 보모상궁이옵니다.
화령	(우선 지켜본다)
민휘빈	중전마마!! 저년들이 음식에 독까지 탔사옵니다.
	원손이 자꾸 구토와 설사를 한단 말이옵니다.
보모상궁	(미치겠고) 빈궁마마... 원손께서 언제 구토를 하셨사옵니까?
민휘빈	(악쓰는) 닥치거라!!!! (두려움과 불안. 극도의 흥분) 중전마마...
	국본을 해한 무리들이 우리 원손까지 노리고 있사옵니다.
	궁이 너무 무섭사옵니다... 그 누구도 믿을 수 없사옵니다.
빈궁상궁	(속상해 울먹) 빈궁마마께서 해산하신 후...
	심신을 살필 시간도 없이 저하의 일을 겪으셨사옵니다.
	그 일로 인해 망상이... 생기셨나이다.
화령	(매섭게) 네 이년!! 감히 세자빈에게 망상이라 했더냐?!
	지금 빈궁이 허언이라도 하고 있다는 것이냐?
빈궁상궁	(당황) 그..것이 아니오라.
화령	(카리스마 있게) 조사 후에 조금의 의혹이라도 있으면

너희들은 결코 무사치 못할 것이다.
모든 게 명백해질 때까지 원손 주위에 얼씬도 말거라.
(바로 오상궁 본다) 빈궁과 원손을 중궁전으로 모시거라.

오상궁   예, 마마.
화령   (어딘가로 긴박히 이동한다)

16   왕의 침전 내부 (오후)

이호를 찾아간 화령.

화령   조사를 청하옵니다, 전하.
          궁중에 원손을 해하려는 이들이 있는 것 같사옵니다.
이호   알고 있습니다.
화령   (!!) 알고 계시다니 무슨 말씀이십니까?
이호   나에게도 세자빈이 찾아왔었습니다.
          은밀히 조사 중이니 중전은 염려 마세요.
화령   세자의 죽음에 대한 나쁜 소문까지 돌고 있으니
          세자빈이 더 불안할 것입니다.
이호   (한참을 본다) 중전도... 세자가 독살되었다 생각하십니까..?
화령   .....아니요. 그렇지 않길 바랍니다.
          우릴 참 많이 웃게 해주던 아이가 아닙니까?
          지켜주지 못한 것이라면.. 너무 괴로울 것 같습니다.

말없이 서로를 안쓰럽게 보는 두 사람.

화령   저를 원망하진 않으십니까?
이호   이미 가장 큰 벌을 받으셨습니다.
화령   (본다)
이호   (본다)

이내 일어서는 화령. 가려다가 멈춰 선다.

화령   (뒤돌아선 채) 전 괜찮으니 이제 밤에 오지 마십시오.
        자식을 잃은 게 어디 저뿐입니까?
이호   (그 말에 눈이 충혈된다)
화령   부디 옥체를 보전하소서.

마음을 굳게 다잡더니 밖으로 나가는 화령.
괴로운 듯 두 눈을 감는 이호.

17   중궁전 전경 (밤)

18   중궁전 곁방 (밤)

원손의 손목을 꽉 잡고 있는 민휘빈.
지쳐 잠들었는지 율희의 칭얼거리는 소리도 듣지 못한 채 잠들었다.
화령, 율희를 품에 안고 잠든 민휘빈과 원손을 본다. 그 위로-

세자   (E) 어마마마... 약속해주십시오...
        무너지지 않겠다고. 그래야 편히 눈을 감을 수 있을 것 같습니다.
화령   나쁜 놈..... 나한테 다 맡겨놓구.

율희를 더욱 꽉 품는 화령, 눈으론 잠든 원손을 보는데.

19   태소용 처소 (밤)

귀신 얘기하듯 둘러앉은 승은후궁들.
박씨는 또 끼어들 틈이 없어 다과만 열심히 먹는데.

옥숙원	정말 대비마마께서 그리 말씀하셨단 말입니까?
태소용	예~ 원손이고 적통이고 다 필요 없고~
	실력으로만 왕세자를 뽑겠다 하셨다니까요~~
문소원	어머! 그럼 보검군이 제일 유력한 거 아닙니까?
박씨	(먹으며 찬물 끼얹는) 아닌데. 그래도 아직 원손이 제일 유력한데.
태소용	아니~! (손으로 하며) 곤지곤지 잼잼 언제 뗐다고 국본입니까, 국본은~!!
옥숙원	그러니까요! 원손 그 어린애가 뭐라고. 아니 글이나 알겠냐구요.
박씨	(계속 먹으며) 글은 이미 세 살 때 아셨는데.
후궁들	(일제히 눈 동그래지고!!)
박씨	그뿐인 줄 아십니까? 네 살 때는~

ins 》빈궁전 침전 (낮)

원손이 목숨 수(壽), 복 복(福)이 찍힌 다과만 골라 짚는다.

박씨	(E) 좋은 글자가 찍힌 다과만 골라 잡수시고~

ins 》강학청(講學廳) (낮) (현재)

강학청 스승에게 천자문을 배우고 있는 원손.
참관한 황원형, 윤수광.

박씨	(E) 또 천자문을 배우시다가 사치할 치(侈)가 나오니까~
	이리 말씀하셨답니다.
원손	(어딘가를 가리킨다) 이게 사치다!!

원손의 손이 가리킨 곳에는 망건을 고정한 황원형의 관자(貫子)가 보인다.
금으로 된 화려한 관자다.
굳는 황원형, 놀라는 윤수광!!

현재 》후궁들 역시나 놀라서 입이 쩍!!

태소용	(이쯤 되면 수상하고, 눈 가늘게 뜨며) 자넨 뭐 그리 잘 아시는가~?
박씨	(먹으며) 같은 방을 쓰던 동무가 세자빈 처소의 나인이었습니다~
옥숙원	(!!!) 신빙성 있네~!
태소용	(어이가 없네) 아무리 그래도 그 어린 게 뭘 안다고 왕세자야...!
박씨	원손은~ 영유아기 때부터 조기교육을 받질 않습니까?
	아까 말씀하신 그 곤지곤지 잼잼도 왕실 두뇌개발 운동법이잖아요~
후궁들	(정말~?!)
박씨	또 보양청, 강학청 거치고 시강원까지 입성해서
	제왕교육을 제대로 받아 성장하면!!
	(분위기 확 잡고) 원손은 사실... 가장 가능성이 있는 왕잽니다.
태소용	(또 눈 가늘게 뜨며) 근데 말일세... 자네는 교육할 자식도 없는데
	어찌 그리 왕실 교육에 대해 빠삭하게 잘 아시는가?!
후궁들	(그러고 보니 그렇고. 일제히 보는데)
박씨	제가 승은받기 전엔 대비전에 있었질 않습니까~
	보고 들은 게 좀 많아서.
태소용	(갑자기 옥숙원 앞에 있던 곶감을 박씨 앞으로 휙 밀어준다)
	대비전에서 더 주워들으신 건 없으시고?!

20   중궁전 마당 (다음 날 아침)

마당에서 천진하게 뛰어노는 원손.
그런데 "위험해!!", "그쪽으론 가지 말랬잖아!" 하며
한시도 곁에서 떨어지지 않는 민휘빈.
그 모습을 걱정스럽게 바라보는 화령.
그때 오상궁이 다가온다. 은밀히 대화.

화령	그래. 알아봤느냐?
오상궁	(숙이며) 예 마마. 원손 아기씨의 음식에선
	단 한 번도 은수저가 반응한 적이 없다 하옵니다.
화령	오늘 낮것상도 직접 기미해봤고?

오상궁	예. 하오나 설사와 구토 증상은 없었사옵니다.
화령	(흠... 생각이 많아지는데)
오상궁	(조심스럽게) 아뢰옵기 송구하오나 저하의 일을 겪은 후... 세자빈 마마께
	광증과 과대망상이 생겼다는 소문이 있는 것은 사실이옵니다.
화령	(그 말에 민휘빈을 보는데)
중궁궁녀	(다급히 다가와) 중전마마 큰일 났사옵니다. 신상궁 마마가...!!
화령	(뭔 일이 있음을 직감하는)

21 추국장 (낮)

신상궁을 신문하고 있는 황원형.

신상궁	(놀라) 독이라니요?! 말도 안 됩니다!
	혈허궐 치료약이라 말씀드렸질 않습니까?
황원형	그 안에 독이 들지 않았다는 걸 어찌 확신해? 네가 직접 마셔봤느냐?!
신상궁	(궁지에 몰리는데)
화령	**(E)** 당장 멈추세요!

화령이 궁인들을 우르르 이끌고 추국장으로 들어선다!
위엄 있는 화령과 두려울 게 없는 눈빛의 황원형.
마주 선 두 사람 사이에선 팽팽한 긴장감이 느껴지는데.

화령	뭐 하시는 겁니까 지금?
	내명부의 허락도 받지 않고 중궁전 지밀상궁을 취조하시다니요?
황원형	세자저하의 죽음에 한 치의 의혹도 남기지 말고
	소상히 밝히라는 어명을 받들고 있었사옵니다.
화령	어명 뒤에 숨어 다른 꿍꿍이를 꾸미시는 건 아니구요?
황원형	꿍꿍이라니요?
	세자저하가 중궁전에서 돌아가셨으니... 중전마마께 여쭤볼 것이 많지만
	제가 어찌 감히 마마께 직접 여쭙겠습니까?

화령	(경고) 다음부턴 반드시 절차를 제대로 밟으셔야 할 겁니다.
황원형	(허를 찌르듯) 절차를 밟아 청하면 마마께서 직접 신문에 응하시겠습니까?
화령	(이걸 노렸구나..!! 보다가) 그러지요.
	제가 책임질 게 있다면 마땅히 응할 것입니다.
	허나. 아닌 걸로 물고 늘어지면
	난 그게 누구라도 물어뜯어서 아주 씹어 먹어버릴 겁니다.
황원형	(반응!!)
화령	신상궁은 일어나거라.
신상궁	(황원형 의식하며 어찌할 바를 모르면)
황원형	신문이 아직 끝나지 않았사옵니다!
화령	신문을 해도 내가 합니다!
	의혹이 있다면 알려드리지요.
	(신상궁 본다) 내 명이 들리지 않느냐? 일어나거라 어서.

획 돌아서서 가버리는 화령.
오상궁과 궁녀들이 신상궁을 부축해 데려간다.
황원형, 더 독해진 표정으로 화령을 끝까지 보는데...!!

22   중궁전 침전 (낮)

수위 높은 위기감을 느끼는 화령의 표정.
신상궁과 오상궁 또한 사색이 된 얼굴로 두려움에 떠는데.

오상궁	마마의 허락도 없이 중궁전 지밀상궁을 신문했다는 건
	독살이라 확신하는 게 아니겠습니까?
화령	아니. 영상의 진짜 목적은 날 끌어들이려는 거다.
	독살은 미끼고.
	그래야 원손과 대군들한테 흠집이 생기니까.
신상궁	(놀라) 그 말씀은..?

화령	그래. 택현의 명분을 만들기 위한 거야.
신상궁	그럼... 이러다 외부약재를 쓴 사실이 드러나면...
화령	세자도 내가 죽였다고 하겠지.
오상궁	(정말 두렵고) 마마... 지금까진 권의관이 어떻게든 버텨냈지만
	고신이 심해지면 외부약재에 대해 발설할지도 모를 일이옵니다.
화령	(극도의 위기감) 영상이 선을 넘었다는 건 뭔가 믿는 구석이 있는 거야.
	내 권의관을 직접 만나봐야겠다.
신상궁	영상대감의 경계가 삼엄해 그자를 만나긴 어려울 것이옵니다.
화령	들어갈 수 없다면 밖으로 나오게 해야지.

23   중궁전 침전 앞 복도 (낮)

태소용	(손엔 약탕을 든 채) 외부약재~?!

다 들은 듯 놀란 눈으로 서 있는 태소용.
까치발 들더니 뒷걸음치는 태소용, 그런데 그만 복도등(燈)을 건드리고 만다!

화령	(E) 밖에 누구냐?!
태소용	(놀라지만 얼른) 마마~ 태소용이옵니다~~~

24   중궁전 침전 (낮)

내밀한 얘기를 들었을지도 모를 태소용을 날카롭게 주시하는 화령.
그 시선 느끼고 얼른 약탕을 내밀며 예쁘게 웃는 태소용.

태소용	요즘 식사를 통 못 하신다 하여~ 직접 달여 왔사옵니다~~
화령	(본다)
태소용	식습니다, 마마~~ 어서 드시옵소서~~
화령	(우선 약탕을 들어 마시는데)

태소용	(휴... 다행. 본론으로) 마마~~ 그나저나 세자는 누가 된답니까?
	원손 아기씨가 된다고도 하고~
	또 어떤 이들은 택현을 할 수도 있다던데~~
화령	택현 좋지요.
	적통 중에 마땅한 국본감이 없다면 택현도 방법이지요.
태소용	(의중을 살피듯 보는데)
화령	(쓱 보는) 태소용. 자넨 보검군이 세자가 되었으면 좋겠는가?
태소용	아니~~ 뭐 보검군이 똑똑하기도 하고~
	실력 하나로 배동도 되지 않았습니까~?
화령	보검군은 워낙 총명하니 못 될 것도 없겠지요.
	허나. 택현은 단순히 왕세자를 뽑는 것이 아니라
	목숨을 건 권력 싸움입니다. 국본이 차기 권력이니까요.
태소용	(긴장되는 듯 꿀꺽)
화령	그러니 섣불리 끼어든다면 태소용이나 보검군이 다칠 수도 있습니다.
	그땐 내가 지켜주지 못할 수도 있어요.
태소용	.... (어쩐지 두렵고!!)

25   궐내 누각 (오후)

모여 앉아 차를 마시고 있는 간택후궁들.
황귀인을 중심으로 고귀인, 숙의, 소의 등이 앉아 있는데

고귀인	(입이 근질거린다. 못 참고) 근데... 세자가 정말 독살됐을까요?
숙의	(의심 품듯 눈 가늘어지며) 예, 전 독살 같습니다!
	사실 너무 갑작스럽게 죽었질 않습니까?
황귀인	(말없이 듣고 있다)
고귀인	뭐~ 추국이 연일 이어지니 권의관도 곧 토설하지 않겠습니까?
	(황귀인 쪽 보며) 아버님께 뭐 전해 들으신 건 없습니까?
황귀인	수사 중이니 곧 결과가 나오겠지요.
숙의	(또 의심) 근데~ 정말 중전마마가 배후일까요?

고귀인	또 모르죠!! 우리가 전혀 상상도 못 한 이름이 나올지도.
	없는 것도 만들어내는 곳이 추국장 아닙니까?
소의	맞습니다~! 어디 독살뿐입니까? 역모도 만들어내지.
황귀인	(끊듯) 독살이라니요! 역모라니요!!
	빈들께선 떠도는 무설조차 가려내지 못하시니
	뒷길에서 수군대는 궁인들과 다를 것이 없으십니다.

[자막] 무설(誣說): 꾸며낸 소문

후궁들, 민망한 듯 말이 쏙 들어가는데
그때, 치맛자락 들고 총총총 뛰어오는 태소용.

태소용	(어우~ 숨차) 한참 찾았네~ 늦어서 죄송요.
숙의	(놀란다. 낮게) 태소용은 중전 쪽 사람이 아닙니까~?
소의	그러게요.
고귀인	(경계) 태소용께선 여기 웬일이십니까?
황귀인	제가 불렀습니다. (위치를 가리키며) 저쪽에 앉으시지요.
태소용	(고귀인 옆에 쏙 앉는데)
고귀인	(옆으로 밀려나자 짜증 나서 확 째리는데!!)
소의	태소용, 이제 우리 편에 서신 겝니까?
태소용	예? 우리 편이라니요~?
황귀인	이 자리는 적통 승계를 반대하고
	택현이 되도록 힘을 모으기 위한 자립니다.
태소용	(깜짝 놀라는) 어머~!! 그럼 전 잘못 찾아온 것 같습니다.

벌떡!! 일어서더니 태소용 나가는데.

고귀인	(비아냥) 뭐 하긴~ 택현하더라도 보검군이 후보라도 되겠습니까?
	여기 있어봤자 괜히 헛바람만 들지.
태소용	(멈춰 선다. 획!! 돌아보며 무섭게 째리는) 왜요? 우리 보검군이
	안 될 이유라도 있습니까~?!

후궁들	(어머 왜 저래?)
황귀인	(영향력 있는 말투로) 배동 선발 때 보검군이 능력을 보여주었으니 자격이 안 될 것은 없습니다.
태소용	(그 말에 쓱 와서 앉는다. 어깨 으쓱. 당당.)
황귀인	(무게감 있게 쭉 둘러본다) 결국 택현을 관철시키려면... 모두가 힘을 모아야 합니다.

그 말에 눈빛이 달라지는 태소용, 그리고 묘한 눈빛의 황귀인.

26   옥사 독방 (밤)

바닥엔 비워진 밥그릇이 보이고
복통을 일으키며 괴로워하는 권의관. 식은땀까지 흐르는데
놀라서 달려오는 나졸들!!

나졸1	(권의관 흔들며) 이보시오? 왜 이러시오?
나졸2	(나졸1 보며 심각한) 당장 내의원으로 데려가야겠네.

27   황원형 사가 전경 (밤)

쓰개치마를 두른 여인이 주변을 경계하듯 은밀히 들어선다.

28   황원형 사랑채 방 안 (밤)

다소 놀란 얼굴의 황원형, 사복을 입고 앉아 있는 황귀인을 본다.

황원형	이 밤에 귀인께서 어인 일이십니까?
황귀인	아버님께서는 세자가 정말 독살됐다 생각하십니까...?

황원형	(흔들림 없는 모습으로) 약이 과하면 독이 될 수도 있지요.
	그런데 그건 왜 묻는 것입니까?
황귀인	......
황원형	(뭔가 있구나) 귀인마마. 이 애비에게 말하고 싶은 것이 뭡니까...?
황귀인	(머뭇거리듯 본다)
황원형	(말해봐)
황귀인	(의미심장) 추국을 멈추세요.
	그렇지 않으면 권의관의 입에서 제 이름이 나올 수도 있습니다.
황원형	(!!!!) 설마... 귀인께서 연관되신 겁니까?

ins_cut 》 내의원 탕약방 (밤) (황원형의 상상)

달여지는 약탕 앞. 권의관이 주변을 경계하더니
품에서 꺼낸 약재 가루를 약탕에 쓱 첨가한다.

현재 》 서서히 극도의 불안감을 보이는 황귀인.

황귀인	죽이려던 의도는 없었습니다...!
	병증을 더 악화시켜 세자를 폐하려던 것뿐이었습니다.
	살짝 혼만 내주려던 것뿐인데... 죽어버렸습니다.
황원형	(대노) 어찌 그 엄청난 일을 애비와 상의도 없이 벌인단 말이냐?!
	잘못되기라도 하면 어찌 다 감당하려고 그런 짓을 해?!!!

그 말에 감정이 점점 요동치며 솟구치는 황귀인.

황귀인	제가 죽인 게 아니라 지가 못 버틴 겁니다...!!
	(부정) 아니!!! 따지고 보면 제가 죽인 게 아닐 수도 있습니다.
	분명 피를 토한다고는 하지 않았으니까요.
황원형	(분노) 네가 지금 무슨 일을 벌인 줄이나 아느냐?
황귀인	(피를 토하는 느낌으로 항변) 제자리로 돌려놓으려 한 것입니다!
	원래대로라면 중전의 자리는 제 것입니다.
	원래대로라면 세자는 의성군이란 말입니다!!

(눈이 돈다) 모든 걸 그냥 제자리로 돌려놓으려던 것뿐인데
무슨 잘못을 했습니까 내가...?!!!

황원형 (호통을 치려다가 뭔가를 보고 멈칫한다)

황귀인 (꼿꼿하고 당당해 보이지만 두려운 듯 손이 미세하게 떨리고 있다)

29   내의원 어느 전각 앞 (밤)

주변을 경계하며 망을 보고 있는 신상궁.

30   내의원 일각 (밤)

달빛 드는 어둠 속. 약탕을 마시고 바닥에 내려놓는 권의관.
그 모습을 매섭게 주시하는 화령 서 있다.

화령   세자가 마지막으로 복용한 약탕은 조제를 달리한 것인가?

권의관 (긴장) 아니옵니다. 호전을 보인 약재였기에 바꾸지 않고 드렸나이다.

화령   (압박) 그럼 약탕은 어디서 달렸는가?

권의관 내의원 탕약방이었사옵니다.

화령   탕약방엔 자네뿐이었고?

권의관 드나든 사람들은 있었사오나 소인은 자리를 비운 적이 없사옵니다.

화령   (날카롭게 보는데)

권의관 (고개 들어 보는) 중전마마께서도 독살을 의심하십니까?

31   다시, 황원형 사랑채 방 안 (밤)

황원형 귀인마마께서는 빠져 계십시오. 이제부턴 이 애비가 알아서 하겠습니다.

황귀인 어떻게요?

황원형 (쓱 본다) 권의관부터 처리할 것입니다.

황귀인	살리세요! 건들지도 마시고 절대 아는 척도 마십시오.
황원형	(인상 팍) 무슨 소리십니까?! 그러기엔 너무 많은 걸 알고 있습니다.
황귀인	고신해보셨으니 아시질 않습니까? 누구보다 입이 무거운 자입니다.
	게다가 왕족의 몸에 손을 댈 수 있는 유일한 자리가 아닙니까?
	의관 한 명 정도는 우리 손에 있어야지요.
황원형	(그 말에 강렬히 본다) 정말... 믿을 만한 자입니까?
황귀인	(본다)

ins 》황귀인 처소 (밤) (과거)

발처럼 내려진 하얀 천을 사이에 둔 황귀인과 권의관.
진맥하는 황귀인의 손목엔 얇은 천이 감싸졌고. 단둘뿐인데.
손목을 감싼 얇은 천을 쓱 잡아당기는 황귀인.
권의관의 손이 그대로 황귀인 살 위에 닿는다.
놀라는 기색 없이 서로를 바라보는 두 사람. 묘한 기류.

32 다시, 내의원 일각 (밤)

충성스런 눈빛의 권의관!!

권의관	믿어주시옵소서 마마. 저하의 사인은 명백히 혈허궐이었사옵니다!
화령	확신할 수 있는가?
권의관	예. 혈허궐이 원인일 뿐 그 어떤 다른 이유가 있을 수 없사옵니다.
화령	(한참을 보다가) 그럼 외부약재에 대해선 끝까지 함구해야 할 것이네.
	더구나 이 일과 성남대군은 무슨 일이 있어도 절대 연관시켜선 안 돼.
권의관	예 마마. 소인이 바라는 것은 그저 노모께 화가 미치지 않는 것뿐입니다.
화령	(여전히 경계의 시선은 거두지 않고)
권의관	(깊이 숙이는데 눈빛 묘하다)

33 황원형 사랑채 방 안 (깊은 밤)

불 꺼진 어둠 속.
고뇌에 빠진 듯 깊은 숨을 내뿜는 황원형.

F.B 》28씬. 당당해 보이지만 두려운 듯 손을 미세하게 떠는 황귀인.

현재 》 이내 결단을 내린 듯 지그시 두 눈을 감는 황원형. 긴 숨.

34   중궁전 침전 (낮)

다급히 들어서는 신상궁! 보료에 앉은 화령에게 다가선다.

신상궁   마마...! 영상대감이 추국을 멈췄다 합니다.
화령   추국을 멈췄다고? (다행이다 싶으면서도 찜찜한데)
신상궁   안 그래도 궁중에 소문과 억측이 난무하질 않았사옵니까?
          이 선에서 마무리되니 정말 다행이옵니다.
화령   이대로 끝낼 리가 없을 텐데...
          (긴장을 늦추지 않는 표정) 영상을 계속 주시하거라.
신상궁   예, 마마. 그리고 분부하신 대로 얼음을 준비했사옵니다.

35   종학 전경 (낮)

현판 宗學.

36   종학 내부 (낮)

숨 막히듯 조용한 신경전.
의성군, 보검군, 계성을 비롯한 왕자들이 서책을 보고 있다.

그러나 살벌한 종학이 영 적응 안 되는 무안과 일영.

일영   (낮게) 아니... 요즘 종학 분위기가 왜 이럽니까?

무안   (헐) 난 시강원인 줄. 어우!! 적응 안 돼.

일영   (바로 앞에 앉은 보검군의 등을 톡톡 친다) 저기 형님~
          시강원은 분위기가 어떻습니까?

무안   (자세 바뀌며) 어 그래! 보검군은 배동으로 가봤으니 알겠네~
          시강원도 이래? 분위기가?

보검군   스무 분의 스승님이 단 한 명의 왕세자를 교육하니
          아무래도 종학보다는 더 엄격할 수밖에 없겠지요.

무안   (기겁) 뭐 스무 명?!!

일영   (생각만 해도 아찔한데)

무안   (심각 심각) 잠깐만!! 만약에 원손이 왕세자가 안 되면... (생각해본다)
          (헉!!) 설마 진짜 나한테까지 차례 오는 거 아니야?!

의성군   (조소) 무안대군... 용포를 누가 입게 될지는 두고 봐야 아는 것이다.

성남   두고 볼 것까지 있습니까?

왕자들 소리 나는 쪽을 보면 말끔히 의복을 정제한 성남이 들어선다.

무안, 계성, 일영   (반색) 형님!!

의성군   (말투는 정중하게) 살아 계셨습니까 대군마마?
          하도 안 보이시길래 난 또 줄초상 난 줄 알았습니다...

성남   (자리에 앉으며 시크하게) 신경 끄시지요.
          형님과 무관한 왕세자 자리도 신경 끄시고.

의성군   (가시 돋친) 무관하다니요 아우님... 같은 뿌리와 잇닿은 나뭇가진데
          제일 먼저 뻗은 가지가 가장 높이 솟아야지 않겠습니까?

보검군   (쳐다보지도 않고 서책 넘기며) '막등고수부모우지'라 했습니다.
          부모께서 근심하시니 너무 높은 나무엔 오르지 마시지요.

의성군   (저 천한 새끼가... 어디서!!) 뭐 이 새끼야?

37   종학 마당 (낮)

의성군과 보검군이 진검을 들고 붙었다!!

의성군   (칼을 휘두르며) 니 따위가 감히 날 무시해?!

칼날이 중간에 맞붙는다. 대치하듯 보는 두 왕자.

의성군   난 꿈이라도 꿔보지... 근데 넌 꿈도 못 꿔보잖아.
         중궁전 시녀 출신 아들이라... (비웃음)
보검군   (매서워지는 눈빛)
의성군   그러니까 줄 잘 서... 네 모친이라도 궁에서 편히 살게 하고 싶으면.

그 말에 이를 악물더니 다시 달려드는 보검군!!
의성군이 놀라서 팔목을 보면 옷이 칼에 베어 찢겼다.
눈이 돈다. "악!!!" 심장을 찌를 기세로 달려드는 의성군!!
보검군, 미처 방어할 새도 없이 밀려 넘어지고 마는데

의성군   (보검군의 목에 검을 겨눈다!!) 빌어. 무릎 꿇고 빌면 내가 용서는 해줄게.
보검군   (목에선 피까지 보이지만 흔들림 없고) 차라리 베십시오.
의성군   이 새끼가!!

의성군, 정말 죽일 생각으로 검을 치켜들어 내리친다. 칼끝에 망설임조차 없고!
놀란 보검군 눈을 질끈 감아버리는데!
그 검을 막아내는 목검!! 성남이다.

성남   형제를 죽일 작정입니까?!
의성군   (보검군 보며 비웃는) 형제? (씨바) 저런 천한 놈이랑 누가 형제야!!!

하더니 갑자기 성남을 공격하기 시작하는 의성군!!
봐줄 성남 아니고. 두 왕자의 혈투.

그러나 의성군이 밀리며 넘어지고! 급기야 성남에게 검까지 뺏기고 만다!!
성남에게 완전히 제압된 채 목이 겨눠진 의성군.

의성군	(실실 쪼개며 낮게) 세자 뒈지고 나니까 뵈는 게 없냐...?
성남	(턱을 치켜올리는 칼날. 구개수를 겨눈다!!) 닥치거라.
의성군	(속삭이듯) 니 애미가 죽었다는 소문이 돌던데... 들었냐?
성남	(목을 확 찌르려는데)
민승윤	(호통) 이게 뭐 하는 짓입니까!
	(성남을 매섭게 본다) 당장 검을 거두시지요.
성남	(꿈쩍 않는데)
민승윤	어서 거두십시오!!
성남	(결국. 의성군 앞에 검을 내리꽂는데)
청하	(E) 사람 좀 찾읍시다~

38   호황봉 마당 (오후)

호황봉으로 귀엽게 들어서는 청하!
팔찌처럼 한 손엔 엽전 다발 낀 채 머리 넘기며 들어선다.
그 모습에 잠이 확 깨는 택호 형제. 간만의 VIP에 벌떡 일어서는데!

택호	아이고~ 찾아드려야지~ 누굴 찾으십니까요?
청하	돈 떼먹고 도망간 잘생긴 놈이요~ (씽긋)
택호 형	(반색) 돈 떼먹은 놈 찾는 게 우리 전문인데 잘 찾아오셨네!
두리	(막 뛰어와 도착. 숨차고) 아씨~ 말은 바로 하셔야죠~
	떼먹은 건 아니잖아요. 그 약재상이 없어진 거지~~
청하	여튼 못 받았잖아~~ 내가.
택호 형	(맞장구) 그럼 떼먹은 거지요~
청하	말 좀 통하네~ (씽긋) 용모파기 좀 그립니까~?

점프, 붓을 들고 용모파기를 그리고 있는 택호.

두 손으로 턱 괴고 설명하는 청하. 끄덕이며 열심히 그리는 택호.

청하   눈은 좀 더 부리부리하게. 코는 더 높고~~ 어 그 정도.
            (목 짚으며) 요기 점 하나만 찍어봐요~
택호   거 자세히도 보셨네~

택호, 붓으로 목에 점까지 딱 찍으면. 정말 성남과 비슷하다!!

청하   (완성된 용모파기 든 채 씽긋) 실물보단 못해도 쫌 비슷하긴 하네~

39   종학 내부 (오후)

성남이 보인다. 그 앞엔 서책을 든 민승윤도 서 있다.

민승윤   종학은 오고 싶을 때 오는 곳이 아닙니다.
성남   (잘못은 인정) 송구합니다.
민승윤   형제에게 진검으로 위협을 가했으니.. 벌은 받으셔야겠습니다.
성남   (변명하지 않는다)
민승윤   (본다) 왜 억울하다 항변하지 않으십니까?
성남   말리지 않으셨으면. 멈추지 않았을 겁니다.
민승윤   (서책을 한 권 건넨다) 그럼 금일부터 남아 매일 한 권씩 연송하시지요.
            배강을 하셔야 종학에서 내보내드릴 것이옵니다.

            [자막] 배강(背講): 책을 덮고 암송하는 방식

성남   학생이 잘못을 저지른 뒤에 막으려 하셨으니
            스승으로서의 과실은 없는 것입니까?
민승윤   (피식) 송구합니다. 그럼 전 어떤 벌을 받으면 되겠습니까?
성남   (본다) 잘못을 예견하여 방지하는 예(豫)를 놓치셨으니
            때에 알맞게 가르치는 시(時)로 바로 잡아주십시오.

민승윤	(본다. 기특하고)
성남	배동 선발 때 제 한계를 알았습니다.
	모르는 것이 많으니 연송할 때 질문을 해야겠습니다.
	혼자 공부하면 견문이 고루해지니 남아서 함께 해주시겠습니까?
민승윤	(못 이기겠고) 좋습니다.
성남	(웃는)

40   궐내 일각 (오후)

끼--익 문을 열고 들어서던 무안, 계성, 일영이 헉!! 놀란다.
보면, 이곳은 입김이 나오는 겨울 왕국.
중앙엔 얼음이 둥둥 떠 있는 커다란 목재 목욕통이 있다.
그 옆에서 분주하게 얼음덩이를 대패로 갈고 있는 궁녀들도 보인다.
빙수처럼 갈린 얼음은 눈처럼 한편에 소복이 쌓여 있는 상태.
화령은 교관처럼 서 있다.
대군들은 이 상황이 매우 황당하기만 한데.

화령	성남대군은?
무안	형님은 지금 종학에서 나머지 공부하는데요~ 곧 온댔습니다~
일영	근데 어마마마... 이것들은 대체 다 뭡니까?
화령	오늘은 사신수련법을 해볼 것이다~
무안	엥? 사신 뭐요?

[자막] 사신(四神)수련법: 사지를 강화하는 왕실 수련법

화령	궁중에서는 왕세자의 심신 수련을 비밀리에 시켜왔다.
	어느새 홑바지저고리만 입고 목욕통 안에 들어가 있는 세 왕자.
화령	영하의 혹한에도 눈으로 온몸을 비비며 신체를 단련했지~

대패로 갈아놓은 빙수를 온몸에 비비며 괴로워하는 대군들.

무안	장가도 가기 전에 얼어 죽겠습니다-아!!
계성	(덜덜 떨며) 어마마마. 대체 이걸 왜 해야 하는 것입니까?
화령	이 수련의 목적은 시련을 이겨내기 위한 것이다~
	내가 만든 거 아니야~ 왕실 교육법이지.
	제대로 하려면 진짜 눈밭에 구르면서 야간 훈련까지 해야 돼~
대군들	(헉!!)

그때 끼-익 하며 성남이 들어선다.
대군들의 모습에 어리둥절한 표정인데.

화령	뭐 해? 너도 언능 들어가~
성남	?!!

어느새 목욕통에 들어가 있는 성남.
입김 뿜는 네 왕자. 그 모습이 귀여운지 피식 웃는 화령.

41   태소용 처소 (오후)

잘 차려진 다과상 앞에 마주 앉은 태소용과 박씨.
상 위엔 고급 다기와 다식이 놓여 있고,
바닥엔 민무늬 다기가 쟁반 위에 놓여 있다.

박씨	(먹으며) 맞아요~ 보검군은 세자 되긴 힘들어요~
태소용	(이쯤 되면 정말 궁금하고) 아니 왜 다들 우리 보검군은 안 된대?!
박씨	(민무늬 다기 쟁반을 상 위로 올리더니) 이 중에 딱 하나만 골라보세요~
태소용	(스캔하더니 고급 잔 중에 차가 담긴 잔을 집어 드는데)
박씨	왜 그걸 고르셨어요?

태소용	그야~ 잔도 고급지고, 개중에 양도 많아서~
박씨	그거예요!! (손으로 고급 잔 짚고) 요 잔들이 적통.
	(민무늬 잔 짚으며) 요 잔들은 서자라 생각하시면 돼요~
태소용	(입 삐죽. 민무늬 잔(A. B. C) 쪽 가리키며) 그러니까!
	후궁의 소생들은 다~~ 똑같은데 왜 보검군만 안 된다는 거냐구~?
박씨	보세요. (A잔 든다) 이게 의성군인데.
	(그 밑에 잔 받침을 깔며) 외조부인 영상대감을 비롯해서...
	(다식을 A잔 옆에 마구 갖다 놓는다) 주변에 지지하는 세력이 많아요.
태소용	(야바위 보듯 잔에 집중하는)
박씨	(B잔 든다) 또 이건 심소군인데.
	(그 밑에 잔 받침을 깔며) 고귀인의 숙부가 우의정이에요.
	(다식을 B잔 옆에 세 개 정도 갖다 놓는다) 지지 세력도 적당히 있어요.
태소용	아~~~
박씨	(C잔 딱 짚으며) 그리고 이건 보검군!!
	(잔을 손으로 받치며) 외척도... (다식) 뒷배도 없어요.
태소용	(이거구나 충격...!!)
박씨	그리고 중전께서 아무리 외척이 없다 해도. (고급 잔 싹 다 밀어붙이며)
	적통까지 맞붙으면 (C잔 보며) 누가 이걸 고르겠어요~
태소용	(잔 하나 덜렁 있는 C잔을 보자. 가슴은 아리지만 애써) 에이~~~
	잔이 단단하면 되는 거지~!!

42   궁 연못가 (오후)

보검군과 나란히 걸어가다가 멈춰 서는 태소용.

태소용	너까지 왜 그래~~ 왕자들 중에서 제일 똑똑한 건 너잖아~
보검군	(본다) 가장 현명한 자를 세자로 뽑는 것이 택현이라 생각하십니까?
태소용	어!! 그게 택현 아니야~?
보검군	택현은. 적통이 아닌 왕자를 세자로 세우려는 구실일 뿐입니다.
태소용	아... (그렇구나) 근데?

보검군	(미치겠고) 전 안 된다질 않습니까?
태소용	보검군~ 생각해봐 전하께서도 후궁의 자식이셨잖아~~!
보검군	아바마마의 모친은 명문가 출신의 간택후궁이셨습니다.
태소용	설마... 이 어미 때문에 안 된다는 거야?
보검군	(본다) 예.
태소용	(상처다!!)
보검군	중궁전 시녀... 그 출신 때문에, 내세울 것 없는 그 비천한 외가 때문에 죽었다 깨어나도 전... 절대 될 수 없다구요.
태소용	(하늘이 무너지는 느낌) 그래도... 다 같은 전하의 자식이잖아?
보검군	서자라고 다 같은 줄 아십니까?!! (목에 난 상처를 확 보이며) 같은 서자에게도 형제 취급 못 받는다고요... 난!
태소용	(놀라 상처에 손을 뻗는데) 여긴 왜 그래?
보검군	(그 손길 피해버리는) 그러니 어머니께서 절 위해 해주실 수 있는 건 아무것도 하지 않는 것입니다. (차갑게 가버린다)
태소용	(뭔가 전기충격기에 감전된 기분) ....

43   태소용 처소 (오후)

바닥에 던져지며 박살 나는 다기들.
고급 잔과 민무늬 잔까지 모두 깨져 있다.
베인 듯 피가 나는 태소용의 손엔 온전한 C잔만이 들려 있다.

박씨	부르셨습니까?

태소용 매섭게 문 쪽을 쓱 보면, 살짝 놀란 표정의 박씨가 서 있다.

태소용	(이전과 다른 눈빛으로) 보검군이 세자 되려면 뭐부터 해야 돼? 내가 어떻게 해야 우리 보검군이 세자가 될 수 있느냐구?!
박씨	(뜸 들이듯 하다가) 방법이 딱 하나 있긴 한데... (씩 웃는)

44 누각 위 (오후)

네 개의 서안 앞에 모든 대군들이 앉아 있다.
대군들 앞엔 화령 서 있고, 신상궁도 보인다.

화령	자로(子路)가 해진 솜옷을 입고도 좋은 옷을 입은 자와 함께 서서 부끄러워하지 않은 까닭은 무엇이냐?
계성	도(道)를 즐기면서 자신과 남을 비교하지 않았기 때문입니다.
일영	근데~ 당시 경제 상황에 따라 해석이 달라야 하는 거 아닙니까~?
성남	경제적 여유가 있거나 없거나 자로의 마음은 같았을 거다. 그가 해진 솜옷을 입고도 부끄러워하지 않은 건 물질적 풍요가 행복과 직결되지 않는다는 걸 이미 알고 있었기 때문이야...

대군들 대화하듯 토론하듯 대화를 이어가자
슬쩍 누각 일각으로 빠지는 화령.

신상궁	대군들께서 저리 대화를 나누시니 참으로 보기 좋사옵니다~
화령	(미소로 보며) 말하고 묻는 방식을 터득하는 것이다. 대대로 중전한테만 전해져 내려오는 왕실 교육법이 있어. 이제부턴 대군들도 그걸로 교육시킬 거야. (눈으론 토론하는 대군들을 보며) 택현을 피하는 유일한 방법이 대군들의 자질을 증명하는 거라면 지금부터 준비하면 돼. 원래 왕세자는 타고나는 게 아니라 만들어지는 거거든.

45 고귀인 처소 (오후)

독대 중인 고귀인과 우의정.

고귀인	어떻게 되어가고 있습니까~?

（간절하고) 택현이 될 것 같습니까, 숙부님~?

우의정 분위기는 무르익었습니다.
하... 대비가 힘을 좀 보태주면 될 것도 같은데 그 늙은 여우를
우리 쪽으로 완전히 넘어오게 할 방법이 있어야 말이지요!

고귀인 (그렇단 말이지...) 그건 제게 방법이 있을 것 같습니다. (미소)

46 궁 연못가 (밤)

등을 들고 서 있는 막려, 왼손엔 경미한 화상 자국 있다.
그 앞엔 대비가 서 있다. 독대하는 두 사람.

막려 (숙이며) 외소주방에서 일하는 막려라 하옵니다.

대비 간도 크구나... 감히 나인 따위가 밖에서 독대를 청하다니.

막려 (눈도 맞추지 못하고 떨지만) 감히 쇤네가 대비마마를 뵙고자 청했다면
궁중이 뒤집힐 일이 아니겠사옵니까?

대비 (홋. 재밌다는 듯 본다) 그래 어디 한번 말해보거라.

막려 국모께서 역적의 수괴를 만났나이다.

대비 (본다!!) 누굴 말하는 것이냐?

막려 태인세자의 모친 말이옵니다.

대비 (섬뜩해지는 눈빛) 중전이... 폐비 윤씨를 만났단 말이냐?!

47 대비전 침전 (밤)

표정조차 읽히지 않는 어둠 속... 대비가 서안 앞에 우뚝 앉아 있다.

ins 》편전 내부 (낮) (과거, 20년 전)
편전으로 쳐들어온 느낌의 대비. 용상의 선왕을 본다. 독대.

대비 왜 하필 그 규수입니까?!

누가 봐도 황원형의 여식이 가장 뛰어났습니다.

선왕   결정은 이미 끝났습니다.

대비   전하의 뜻입니까?

선왕   중전의 뜻이 곧 나의 뜻입니다.

대비   (눈빛 변화) 세자의 모친은 접니다!!

선왕   (더없이 차가운) 세자는 이제 귀인의 아들이 아닙니다.
          세자빈 간택도 귀인의 며느리를 뽑는 것이 아니란 말입니다!!

대비   전하...!!

선왕   (애정 없이, 냉정한) 귀인께서는 세자를 낳은 후궁일 뿐입니다.

대비   (선왕을 바라보는.. 충혈되는 눈)

ins 》궐내 거리 (낮) (과거, 20년 전)
대비가 남상궁을 이끌고 걸어가는데.

화령   (E) 어마마마~!

대비, 소리에 돌아보면. 저 멀리 윤왕후에게 다가서는 화령(세자빈 복식).
사이좋은 고부처럼 미소 짓는 두 사람.

남상궁   (괘씸하다는 듯) 누가 보면 저하의 모친이 중궁인 줄 알겠사옵니다.
          어찌 세자빈은... 저리 중전만 따른단 말입니까?

대비   ......

현재 》서늘한 표정으로 앉아 있는 대비.

48   왕의 침전 (밤)

문이 열리며 무게감 있게 침전으로 들어서는 대비.
이호의 서안 위엔 술병과 술잔이 놓여 있다.

대비	(매섭게 본다) 이제 그만 후계를 정하시지요.
이호	(술을 따른다) 당분간은 공석으로 둘 것입니다.
대비	원손을 밀어붙일 자신이 없으면 차라리 택현을 하세요.
	그것이 임금으로서의 권위를 지키는 일입니다.
이호	(쓰게 웃는) 결국... 어마마마 또한 저들과 같은 생각이십니까?
대비	저들의 뜻을 들어주면서 실리를 챙기란 말입니다.
	택현을 해도 주상이 원하는 왕자를 뽑을 수 있지 않습니까?
이호	제가 어떤 결정을 해도 그저 지지해주시면 안 되겠습니까?!
대비	어차피 적통이든 아니든 다 주상의 자식이 아닙니까!!!
	반드시 중전의 소생이어야 할 이유가 뭐가 있습니까?
이호	어마마마...!!
대비	세자가 중궁전에 있다가 죽은 걸 잊으셨습니까?!
	(섬뜩하게) 중전은 반드시 대가를 치러야 합니다...

49 윤수광 사가 대문 앞 (밤)

대문이 활짝 열리며 나타나는 사람. 청하다!!
청하, 묘한 기운을 뿜는 밤손님 태소용을 쓱 훑는다.

태소용	병판대감을 만나뵈러 왔습니다.
청하	(눈 가늘게) 이 야밤에 우리 아버지를 만나러 오셨다...?
	(쓱 다가와서 귀에 속삭인다) 어머니께 말해도 되는 사입니까~?!
태소용	(뭐야 얜?!)

50 윤수광 사랑채 방 안 (밤)

마주 앉아 있는 태소용과 윤수광.

윤수광	(우선 경계) 궁중에 계셔야 할 태소용 마마께서...

어찌 이 야심한 시각에 사가에 드셨습니까?

태소용　(예쁘게 웃는다) 어디 사가에만 들었습니까? 문지방을 넘었지요~
　　　　왕의 여인이 대감댁 문지방을 넘었으니~ 책임지셔야겠습니다.

윤수광　(매우 당황) 책임지라니.. 지금 뭐 하는 수작이십니까?

태소용　저 말고 보검군 말입니다.
　　　　(눈빛 변하며 본론) 병판께서 우리 보검군의 뒷배가 되어주시지요.

윤수광　아니 갑자기 이 무슨...

태소용　가장 먼저 기회를 드리는 것입니다. 결심이 늦으시면~
　　　　보검군이 세자가 됐을 때 뒷줄에 서셔야 할 겁니다~

윤수광　(당당한 기세가 나쁘진 않고) 예. 그 제안 생각은 해보겠습니다.

태소용　아니요. 지금 약조해주셔야겠습니다.
　　　　약조해주신다면 제가 대감께 선물을 하나 드리겠습니다....
　　　　중궁전에 대한 정보입니다~ (미소)

51　황원형 사랑채 방 안 (밤)

황원형에게 서찰을 건네는 수하1.

수하1　윤수광 대감께서 보내왔습니다.

황원형　병판이...?

황원형, 서찰을 받더니 확 펼쳐서 읽다가... 기회를 잡은 눈빛.

52　약재창고 내부 (새벽)

어두침침한 내부에 최어의와 서의녀, 젊은의녀 서 있다.
그때 그들 앞에 다가서는 누군가. 황원형이다.

황원형　(인자한 표정으로) 그래... 권의관과 함께 일하던 자들이라고?

모두	(숙이며) 예.
황원형	세자저하를 치료할 때 말이다...
	(쓱 보며) 권의관에게 수상한 점은 없었느냐?
젊은의녀	(잠시 생각) 의심되는 점은 전혀 없었나이다.
황원형	아... 그래? 의심되는 게 없었어? (어딘가로 눈짓하면)
젊은의녀	(윽!!! 하더니 피를 토한다.)

최어의와 서의녀 놀라서 보면
젊은의녀 뒤에서 칼을 쓱 빼내는 수하1. 쓰러지는 젊은의녀.

황원형	(쓱 고개 틀더니 서의녀와 최어의를 보며) 지금부터...
	내 자네들이 뭘 보고 들었는지 알려주겠네.

53 중궁전 침전 (낮)

정말 놀란 얼굴로 보는 화령!! 그 앞엔 신상궁 있다.

화령	갑자기 국문이 열린다니 무슨 소리야?!
신상궁	영상대감이 주상전하뿐 아니라
	대비마마와 중전마마께도 참석을 청했다 하옵니다.
화령	(확연히 굳는) 도대체 무슨 수작이지...?

54 추국장 전경 (낮)

55 추국장 (낮)

윗줄엔 이호와 대비, 화령 앉아 있고
아래엔 윤수광, 우의정, 이판, 여기영, 민승유을 비롯한 대신들도 와 있다.

참고인석엔 조국영이, 피고인석엔 권의관이 서 있고, 황원형이 신문하고 있다.

황원형	(권의관을 본다) 내약방(內藥房) 기록을 살펴보니...
	중궁전에서 저하를 치료하던 기간엔 네가 궁중 약재를 사용한 기록이
	전혀 없었다. 당시 중궁전에선 무슨 약재로 치료하였느냐?
권의관	(대답하지 않는다)
황원형	(이호 본다) 전하!! 권의관이 저하께 복용시킨 약재가 출처가 불분명한
	것이란 의혹이 있사옵니다. 그것을 증언해줄 증인들도 있사옵니다.
화령	(놀라 고개 든다)

점프, 최어의와 서의녀가 증언하고 있다.

최어의	혈허궐은 보통... 귀비탕이나 독삼탕을 쓰는데.
	권의관의 것은 약재의 배합이... 달랐사옵니다.
황원형	(서의녀 본다) 자네가 본 것도 고하시게.
서의녀	약탕을 다 우리고 약재를 버리던 중 이상한 것을 보았나이다.

ins 》 내의원 뒷마당 (밤)

약탕기에 든 약재 찌꺼기를 버리다가 다시 보는 서의녀.
찌꺼기를 들어 요리조리 보더니 냄새도 맡아본다. 놀라는데!!

서의녀	(E) 분명 그 약재는...

현재 》

서의녀	궁중의 것이 아니었사옵니다.
모두	(마구 술렁인다)
화령	(위기감)
황원형	묻겠다. 약재 찌꺼기만 보고 어찌 단언하느냐?
서의녀	(숙이며) 내의원에서 일한 지만 십칠 년째이옵니다.
	잘라진 크기도 달랐지만, 사실 약탕을 달이기 전부터 이상했사옵니다...

ins 》 내의원 뒷마당 (밤)

권의관, 약재를 싼 종이를 풀어 약탕기에 넣는데 그 종이가 황색을 띤다.
이동하다가 이상하다는 듯 갸웃하는 서의녀.

서의녀   **(E)** 약재를 쌌던 첩지(貼紙)의 색이
       내약방 것과는 달리 황색이었습니다.

현재 》 압박하듯 몰아붙이는 황원형!

황원형   전하!! 증인들의 말대로라면 그 약재는 외부 것으로 보아야 하옵니다.
권의관   (묘한 눈빛. 속내를 알 수 없는 표정)
황원형   (조국영 본다) 저하께서 복용한 약재가 외부의 것이라면
       급사의 원인이 될 수 있겠는가?
조국영   같은 병이라도 체질에 따라 처방이 다르고
       약재도 과하면 부작용을 일으킬 수 있기 때문에
       방서에 따르지 않은 처방은 사인이 됩니다.
황원형   전하! 권의관이 세자저하께 복용시킨 약은 외부에서 들여온 약재임이
       분명하며, 그 약재로 인해 저하께서 사망에 이른 것입니다.
화령   그것이 사인이라니요?! 말도 안 됩니다!!
황원형   외부약재를 권의관에게 전한 사람이 바로 저하를 살해한 범인입니다.
       (바로 권의관 본다) 그 약재는 누가 준 것이냐?!
이호   죄인은! 그 약재가 어디서 난 것인지 약재의 출처를 밝히거라!!
권의관   (뭔가 답을 할 듯 고개 든다!)
황원형   (차단하듯 바로!!) 지엄한 중궁전에서 한낱 의관이 외부약재를 저하께
       복용시켰습니다. 이런 명을 내릴 수 있고 의관을 움직일 수 있는 사람이
       누구겠습니까?! (화령 본다!!) 중전마마께서 대답해주십시오...!!
화령   (본다!!)
모두   (웅성웅성)
황원형   (재촉하듯) 중전마마. 대답해주시지요!!
화령   외부약재가 직접적으로 세자를 사망케 했다는 증좌가 있습니까?!

체질이니 부작용이니 그딴 말장난으로 현혹하지 말고. 증좌 말입니다!!

황원형   (나서며) 약재를 저하게 복용케 한 권의관이 증좌가 아니면 뭡니까!!

화령   (시선 틀며) 전하!! 추국 내내 독살이라 주장했던 영상대감이

이제 와 외부약재가 사인이라 주장하고 있습니다.

영상이 누굽니까?! 세자가 죽기도 전에 폐세자를 논했던 자입니다.

세자가 죽기를 바라는 이가 있다면 제가 아니라 영상대감일 것입니다!!

누군가 세자를 해하고 국모까지 모함하려는 것이 아닌지 의심됩니다!

대비   (저년이!!!) 그게 무슨 소립니까 중전?

중전은 세자가 진정 독살이라도 당했단 말입니까?!!

화령   예....!!! 왕세자의 급사가 어디 우리 세자뿐입니까?!!

대비   (사색이 되고!)

이호   !!!

모두   (마구 술렁이는데)

황원형   전하!! 지금 중전마마는 외부약재를 들여온 사실을 감추기 위해

독살을 운운하고 있습니다!!

화령   영상! 어디서 감히 국모를 모함하는 것입니까?! 계속 날 모함한다면 영상

은 그 자리뿐만 아니라

목숨까지 걸어야 할 것입니다!!

황원형   (화령의 말에 답하지 않고) 전하!!

외부약재를 준 게 중전마마가 맞는지 그 대답만 들으면 될 일입니다!

이호   (서안 쾅!! 내리치며) 그만, 그만!!! 대체 이 뭐 하는 짓들이오!

(성난 얼굴로 보더니 일어선다) 국문은 내일 다시 속개하겠다.

그대로 가버리는 이호.

'다 된 밥에...!!' 분한 황원형. 흩어지는 대신들.

그리고 파르르 떨리는 눈으로 화령에게 다가서는 대비.

아수라장 같은 추국장에서 그들만 멈춰 선 듯 마주 보는 두 여자!!

대비   (극도의 흥분. 이성을 놓은 듯 부들거리는) 뭐 왕세자의 급사요...?!

어디 감히... 과거의 일을 함부로 들먹이십니까?

어디서 감히!! 그때의 일을 함부로 입에 올리시느냔 말입니다.

	이젠... 아예 뵈는 것도 없는 겁니까?
화령	예. 자식을 잃고 나니 무서울 게 없어졌습니다.
대비	아직 남은 자식들이 있다는 걸 잊으셨나 봅니다...
화령	그 아이들은 건드리지 마십시오!!
대비	(섬뜩) 그럼... 폐비 윤씨를 만나러 가실 때 그 정도 각오는 하셨어야지요.
화령	(!!!!! 아셨구나)
대비	왜요? 제가 알고 있으니 놀라셨습니까?
	얘기했잖습니까...
	이 궁의 모든 눈과 귀는 다 대비전으로 통한다고.
	(코너로 몰듯 광기 어린 모습으로 한 걸음씩 다가선다) 전 말입니다...
	내일 중전께서 모든 걸 인정하지 않으시면
	역적 폐비 윤씨를 만났다는 사실을 이 국문장에서 폭로할 생각입니다.
화령	(뒤로 한 걸음씩 물러서는데... 더 이상 갈 곳이 없다)
대비	(코앞까지 다가서며) 내 생애 가장 큰 실수는...
	네가 중전 자릴 차지하는 걸 막지 못한 거야.
	(귀에 대고 속삭인다) 난... 니가 중전인 게 너무 싫거든.
화령	(궁지에 몰린 듯 위기감!)

56   중궁전 복도 (오후)

심각한 표정으로 걸어가는 화령, 신상궁, 오상궁.

신상궁	외부약재를 가져온 사실을 대체 어찌 알아냈을까요?
오상궁	설마... 권의관이 실토한 걸까요?
화령	(긴장감) 지금 중요한 건 그게 아니다.
	이제 더 이상 외부약재를 숨길 수가 없게 되었어.

화령 문 앞에 서는데. 심호흡을 하더니 마음을 다잡는다.

| 화령 | 열거라. |

상궁들 침전 문을 여는 순간 화령이 표정을 밝게 바꾼다.
침전 내부에 앉아 있던 민휘빈이 일어서고
원손은 반가운 듯 달려와 화령에게 폭 안긴다.
화령도 그런 원손을 반갑게 품어주는데.

오상궁　(자신도 모르게 한숨. 걱정으로 굳은 표정인데)
신상궁　(낮게) 웃으시게.
　　　　마마께서 원손 아기씨 앞에서는 절대 티를 내서는 안 된다 당부하셨네.

57　궐내 일각 (오후)

분한 얼굴로 걸어가는 황원형, 우의정, 이판.

우의정　중궁의 목이 날아가기 직전에 추국을 멈추다니요?!
이판　주상이 내일 국문에서도 저리 나온다면
　　　　중전도 못 날리고 택현도 물 건너가는 거 아닙니까?
황원형　그럴 수는 없지요. 주상의 선택지를 좁혀드릴 수밖에...

더 독해진 표정으로 빠르게 걸어가는 황원형.

58　중궁전 침전 (오후)

화선지에 그림을 그리고 있는 원손을 미소로 바라보는 화령.
그때 수라간 나인이 참을 가져온다.
병시만두, 오이갑장과, 감로빈, 계강과 등이 차려졌는데.

신상궁　원손 아기씨의 참이 들었사옵니다.
민휘빈　(여전히 불안한 눈빛)

민휘빈의 불안한 모습에... 화령, 직접 은수저를 음식에 넣어 확인해본다.
그러나 색은 변하지 않고. 화령은 기미까지 직접 해보는데

화령   (병시만두 먹으며) 음 맛있어~ 원손도 이리 와 좀 먹어봐.
원손   안 먹겠사옵니다.
화령   (이그) 오늘 조반(朝飯)도 안 먹었잖어~ 좀 먹어봐~ 응?
원손   (그림 그리며) 꼬기만 좋아요.

'녀석~' 화령, 만두피를 쪼개 속만 은수저 위에 올린다.
그리고 입에 쏙 넣어주면 꼭꼭 잘 씹는 원손.
화령, 문득 원손의 그림을 보면... 남자애와 어른 여자를 그려놨다.

화령   우와~ 원손 참 잘 그렸다~ 누굴 그린 거야~?
          내가 한번 맞춰볼까~? (남자애 짚으며) 이거는~ 우리 귀여운 원손이고.
          (어른 여자 짚으며) 어~ 이건 누구지~?
원손   (이힛 웃으며 고개 젓고) 보모상궁입니다. 비밀놀이 중이옵니다.
화령   비밀놀이~?
보모상궁   (E) 재밌는 놀이를 하는 것이옵니다.

ins 》원손의 방 (밤) (회상)

보모상궁   이건.. 우리 둘만 아는 비밀놀이입니다...
          (쉿!!) 다른 사람들이 알아서는 안 됩니다. (좋은 사람처럼 웃으면)
원손   (해맑게 미소)
보모상궁   (소매에서 뭔가를 꺼내는데)

현재 》그림을 보던 화령의 얼굴이 점점 굳는다!!
자세히 보니 보모상궁 손에 아주 얇은 무언가가 들려 있는데
그것이 허벅지를 찌르고 있는 모습. !!! 갑자기 원손의 바지를 벗기는 화령.

신상궁   (놀라) 왜 그러시옵니까, 마마?

        화령, 원손의 허벅지를 살피는데
        바늘 같은 것에 찍힌 점상출혈이 여러 군데 있다. 놀라는 화령!!!
        그런데 더 놀라운 것은 점점 변하고 있는 은수저 색깔!!
        고기를 올렸던 그 모양으로.

화령   (안 돼!!! 원손을 뒤에서 안더니 복부를 압박한다) 뱉어. 뱉거라 어서!

7부

1   보모상궁 처소 앞 (오후)

신상궁과 궁녀들, 돌진하듯 우르르 이동하는데
그 선두엔 화령 있다!

2   보모상궁 처소 (오후)

화령이 들이닥친다!!
보모상궁 놀라서 나자빠지는데 화령이 긴 바늘로 보모상궁의 눈을 겨눈다!!

화령   비밀놀이 그거. 왼손 말고 나랑 하자.
보모상궁   (사색. 아셨구나!!!)
화령   (바늘을 더욱 들이대는) 음식에 독을 탄 것도 네 짓이더냐?
보모상궁   (마구 고개 저으며) 아니옵니다.. 그건 제가 아니옵니다! 정말입니다.
화령   바늘로 찌른 건 맞다는 거네...? 누가 시켰느냐?!
보모상궁   (괴롭고) 그들이 가족을 볼모로 잡아 어쩔 수 없었나이다.
          죽여주시옵소서. 마마... (흐느끼는)
화령   그래 죽여주마. 곱게 죽으려면 누가 시켰는지 먼저 말하거라!
보모상궁   (정말 두려운 얼굴) 발설하면 제 가족들이 죽사옵니다...
화령   배후를 댄다면 네 가족들은 내가 살리마. 그러니 어서 말하거라!!

보모상궁   (눈물 주룩) 마마께서는... 제 가족을 살리지 못하실 겁니다.
          그들은 중전마마보다 더 무서운 존재니까요. (하더니 갑자기 혀를 깨문다)
화령   (놀라) 안 돼!!!

그러나 피를 토하며 숨을 거두는 보모상궁!!
돌아버릴 것 같은 화령. "악!!" 소리친다.

3   수라간 (오후)

분노한 듯 음식을 쏟어버리는 화령!
수라간 궁인들 놀라며 겁먹는데 들이닥치는 내금위장과 나졸들.

화령   샅샅이 뒤지거라! 독이 나온다면 삼족을 멸할 것이다!!

수라간을 수색하는 내금위장과 나졸들.
화령 카리스마 있게 지켜보는데... 수라간으로 다급히 뛰어드는 오상궁.

오상궁   큰일 났사옵니다 마마!!

4   중궁전 곁방 (오후)

뛰어드는 화령!! 침전이 매캐한 연기로 가득 찼는데.
호롱불이 넘어져 있고, 이불엔 탄 자국이 고스란히 남아 있다.
신상궁과 궁인들은 정신없이 창문을 열어 연기를 내보내고 있는 상황.

화령   어떻게 된 거야?
신상궁   작은 화재가 있었습니다. 다행히 금방 발견하여 끄긴 했으나
          (아직도 가슴 떨리고) 큰불로 번질 뻔했사옵니다...
화령   (넘어진 호롱을 본다. 보이지 않는 두려움이 엄습한다) 신상궁!

신상궁	예 마마.
화령	이 시간부터 내 허락 없인 그 누구도 중궁전에 들여선 안 돼...!!
	(위기감) 이젠 아무도 믿을 수 없어.
신상궁	마마.... 내일 국문은 어찌하옵니까...?
	마마께 무슨 일이라도 생기면 당장 원손 아기씨는 어찌합니까...
화령	(신상궁 본다) 자넨 대비전 움직임을 좀 살펴봐.
오상궁	(황급히 들어서며) 마마! 나와 보셔야겠사옵니다.

5 중궁전 복도 (오후)

곁방에서 막 나와 서던 화령이 놀란다.
보면, 매캐한 연기로 자욱한 복도 한가운데
민휘빈이 무릎을 꿇고 앉아 있다!!

민휘빈	(절박한 간청) 마마. 궁에서 나가게 해주십시오!
화령	(예상치 못한 상황에) 빈궁...
민휘빈	전 이미 이 궁에서 지아비를 잃었습니다.
	자식마저 잃을 순 없습니다. 제발 출궁시켜주십시오!
화령	(보다가. 단호히) 그럴 순 없습니다.
민휘빈	누군가 원손의 음식에 독을 넣고 침소에 불을 놓았습니다.
	이 중궁전에서조차 말입니다.
	그런데... 아직 실체는커녕 증좌도 찾지 못하고 있질 않습니까?
화령	(그 말에 가슴이 내려앉고)
민휘빈	원손이 궁에 있는 한... 살해 위협은 계속될 것이옵니다.
화령	나간다고 그 위협이 사라지진 않습니다!
민휘빈	(간곡히) 마마... 제발......
화령	(힘겹게) 뭣들 하느냐? 빈궁을 어서 침전으로 모시거라.

궁인들이 다가서는데, 민휘빈이 갑자기 은장도를 꺼내더니 뽑아 든다.
놀라서 뒷걸음질 치는 궁인들.

화령　　(매섭게) 지금 뭐 하는 짓입니까?!

민휘빈　(은장도로 목을 겨누며) 지아비를 잃은 여인이 뭘 할 수 있겠습니까?

　　　　원손마저 잘못된다면 전 살 이유가 없습니다.

화령　　지아비를 잃은 여인은 아무것도 하지 못한답니까?!

　　　　더 독하게 맘먹고 살아남아서

　　　　원손도 지키고, 자신도 지키셔야지요.

민휘빈　아니요!!

　　　　제가 원손을 지킬 수 있는 유일한 방법은 이 궁을 나가는 것입니다.

　　　　그러니 허락해주십시오.

　　　　허락해주시지 않으면 이 자리에서 죽어버리겠습니다!!

화령　　어찌 자식 딸린 어미가 자신에게 칼을 겨누십니까?!

　　　　나라면 그 용기로 원손을 지키겠습니다.

　　　　민휘빈을 잠시 보더니 침전으로 들어가버리는 화령.

　　　　털썩... 은장도 든 손을 내려놓는 민휘빈. 흐느끼기 시작한다.

6　　　중궁전 침전 (오후)

　　　　문이 닫히자 그대로 문에 기대는 화령.

　　　　미동조차 없이 한동안 서 있다.

7　　　편전 내부 (오후)

　　　　용좌의 이호를 분노로 바라보는 대비.

대비　　왜 국문을 멈추셨습니까?

　　　　중전이 세자를 죽였어요. 응당 책임을 저야지요!

이호　　중전이 세자를 죽였다 어찌 단정하십니까?

　　　　　　대체 어느 부모가 자식을 죽인단 말입니까!!

대비　　　(서늘히) 주상께서 계속 이리 나오신다면 제가 나설 것입니다.

　　　　　　그깟 중전 하나 끌어내리는 건 그리 어렵지 않아요.

이호　　　예!! 한번 해보셨으니 두 번이 어렵겠습니까?

　　　　　　중전 폐위가... 어마마마껜 일도 아니시겠지요.

대비　　　(눈에 핏발 설 정도로) 주상!!!

이호　　　왜요?! 마음에 안 드시면 아예 임금도 바꾸려 하십니까?!

대비　　　주상은 뭐가 그리 두렵습니까?

　　　　　　도대체 뭐가 그리 두렵냔 말입니다!!

이호　　　다 두렵습니다.

　　　　　　대신들도 두렵고 어마마마도 두렵습니다.

　　　　　　(점점 고조되는 감정) 정말 중전이 외부약재와 연관됐을까 두렵습니다.

　　　　　　세자의 죽음으로 누군가는 태인세자의 죽음을 떠올리진 않을까

　　　　　　더럽혀진 이 용상에서 날 끌어내리진 않을까 두렵단 말입니다!

대비　　　지금 더럽다 하셨습니까?

　　　　　　주상을 그 용상에 앉히기 위해 내가 어떻게 했는데!!

이호　　　(절규) 절 위해서가 아니라 어머니 자신을 위해서가 아니었습니까?!!

대비　　　(내지르듯) 너도 원했잖아!!!!!

이호　　　(본다!!)

대비　　　(광기 어린 눈빛) 시작은... 내가 아니라 주상이었습니다.

ins 》궐내 연못가 (낮) (과거)

　　　　　　- 대비 옆에 어린이호가 서 있다.

　　　　　　갖고 싶은 걸 끝내 가지지 못한 절망스런 아이의 표정.

어린이호　제가 세자보다 못한 것이 무엇이옵니까?

　　　　　　왜 저에게는 기회조차 없는 것입니까....?

대비　　　(아프게 본다)

어린이호　저도 세자가 되고 싶습니다. 어마마마.

대비　　　(!!! 눈빛 변한다)

대비를 보는 어린이호의 강렬한 욕망의 눈빛. 그 위로-

대비   (E) 주상이 원하지 않았다면... 전 시작도 하지 않았을 겁니다.

현재 》 용좌를 꽉 움켜쥔 이호, 그런 이호를 당당히 보는 대비!

이호   그래서 이 용상의 주인이 어마마마란 말씀이십니까?
         아니요. 임금은 접니다!!
대비   임금으로 만든 건 이 어미입니다.

ins 》 동궁전 (깊은 밤) (과거)
- 붉은색 당의를 확 움켜쥐는 누군가의 손!!
핏발 선 눈으로 노려보던 태인세자가 쓰러지며 우드-득 찢기는 당의.
곧 숨이 끊긴 듯 움켜쥐었던 손이 풀리는데
무감정으로 그 손을 툭 쳐내는 대비.

ins 》 옥사 (밤) (과거)
- 옥사를 사이에 두고 마주 선 두 여자. 대비와 윤왕후.
대비, 죄인의 모습으로 머리가 풀어 헤쳐진 윤왕후를 본다.
그럼에도 위용 있는 모습의 윤왕후. 오히려 더 화가 나는 대비.

대비   숙이거라!! 감히 폐서인 주제에 어디 고개를 꼿꼿이 들어?!
윤왕후 (숙이지 않는다) 난 너 따위한텐 안 숙여.
         네가...!! 세자를 그리 만들었고... 내 가문마저 무너뜨렸다.
대비   (다가와 속삭인다) 맞아 내가 니 아들 죽였어. 근데 증거 있어?
윤왕후 (!!! 본다)
대비   (도도하게 미소 짓는다)

현재 》 홀로 남은 이호.
용좌에 괴로운 모습으로 앉아 있는데 그 위로-

대비   (E) 택현 받아들이세요.
그렇지 않으면 내 직접 중전을 끌어내릴 겁니다...!!

8   중궁전 침전 (오후)

깊은 고뇌에 잠긴 채 앉아 있는 화령, 고립된 듯 외로워 보이는데.

9   대비전 침전 (오후)

서늘한 눈빛으로 흐트러짐 없이 앉아 있는 대비.

10   성남대군 처소 (오후)

심각한 표정으로 보료에 앉아 있는 성남. 그 위로-

윤내관   (E) 세자저하의 사인이 외부약재로 판명 났사옵니다.
그런데 그 약재를 들여온 사람이 중전마마라 하옵니다.

11   중궁전 복도 + 침전 (오후)

서로 밀치며 문에 귀를 대려고 투닥거리는 무안, 계성, 일영.
대군들 조심스럽고 낮은 목소리로 대화한다.

무안   들리냐? 뭐라서? 괜찮으신 거 같애?
일영   아~ 조용히 좀 하십시오!
무안   아오 진짜~ 야 나와봐. 내가 좀 들어보게~!
계성   (쉿!!) 형님 때문에 하나도 안 들립니다~

| 무안 | 우씨 그냥 확 들어가버릴까? |
| | (다짜고짜 아우들 밀치는) 아 쫌 비켜봐~! |

하는데, 문이 열리며 안으로 우르르 쏟아지는 대군들.

| 신상궁 | (오잉) 대군마마??? |
| 화령 | (놀라서 일어서는) 니들이 여기 어인 일이냐? |

"아오 아파~" 바닥에 넘어진 무안과 계성 신음하며 일어서는데.

| 일영 | (달려가 와락 화령의 품에 안긴다) 어마마마... |

점프, 막내 일영은 화령 옆에 앉아 치맛자락을 붙잡고 있고
무안과 계성은 어색하게 그 앞에 앉아 있다.

무안	(민망한 듯 계성 툭 친다. 낮게) 거봐~ 내가 괜찮으실 거라고 했잖아~
계성	(같이 툭 치며. 낮게) 아니~ 제일 걱정하신 게 누군데요~
무안	내가 모~~!
일영	형님들이 어마마마 괜찮으신지 보러 가자 해서 왔습니다.
화령	(그 말에 긴장 풀리며 피식)
계성	(소매에서 보에 싸인 뭔가를 꺼내 건넨다) 식사도 안 하셨다 들었습니다.
	좀 드셔보십시오 어머니~

그런데 보를 건네는 계성의 오른손을 보는 화령.
봉숭아를 물들였던 새끼손톱 끝이 잘려 나갔다.
그 모습을 보는 화령, 이내 보를 펼쳐보는데 두텁떡이 들었다.

화령	(옅은 미소) 니들 이 어미가 걱정돼서 온 것이냐?
계성	오늘 국문장에서 고초를 겪으셨다 들었습니다.
화령	고초는 무슨~ (두텁떡 하나 집어 든다) 잘 되었다 배고팠는데~
	(입에 넣고 오물오물) 음~~ 맛있구나~

계성	(먹는 모습 보며 미소)
일영	(조심스럽게) 근데 어마마마...
	택현하면 정말 우리 형제들은 다 죽는 겁니까?
계성	(놀라) 율아!
화령	(혼내는 거 아니고) 누가 그런 소릴 해?
일영	내관들이 그러는데...
	예전에 아바마마께서 세자가 되셨을 때도 대군들은 다 죽었다고.
화령	아니. 이 엄마가 있는 한 절대 그럴 일 없다. 그러니 걱정 마.
일영	어마마마는... 두렵지 않으십니까?
화령	(보다가 이내 미소 지으며) 엄마도 두렵지.
	근데 너희들 보니까 하나도 안 무섭구나~ (긴장 풀어주듯 씽긋)
	이제 이 어미 괜찮은 거 봤으니까 돌아들 가~
계성	여기 좀 더 머물면서 원손과 율희와 놀다 가도 되겠습니까~?
일영	(손 든다) 저두요 저두요!
화령	그래. 그리하거라~ 아이들이 아주 좋아하겠구나.
무안	(허세 가득) 대신 어마마마는 제가 지켜드리겠습니다~!!
화령	(웃다가) 근데 성남대군은 왜 안 보이느냐?

12   왕의 침전 (오후)

성남이 이호 앞에 앉아 있다.

성남	어마마마는 아니십니다. 그 약재를 가져온 건 접니다.
이호	(본다!!)
성남	궁 밖으로 나가 제가 직접 처방해 온 것입니다.
이호	(믿어야 하나 혼란스럽게 보다가) 권의관에게 네가 직접 주었느냐?
	아니면 중전을 통해 건넨 것이냐?
성남	(말하지 못한다)
이호	(보다가) 그 약재가 세자를 죽였다고 한다.
	그 말은 모든 책임을 네가 져야 될 수도 있단 말이야!

성남	약재엔 아무런 문제가 없었습니다..!
	형님을 살리고자 선택한 일이니 제가 책임지겠습니다.
	출처가 저라는 걸 밝히고, 그게 사인이 아님을 증명하겠습니다.
이호	네가 그리 말한다고 해서 사람들이 다 믿어줄 것 같으냐?
	그걸 어떻게 증명할 것이냐?
성남	의원과 약재상을 데려와 방서에 따른 처방임을 입증하겠습니다.
이호	그래. 데려올 순 있겠지.
	허나 세자의 사인을 증명하지 못한다면 네가 죽을 수도 있어!!!
성남	(본다)
이호	(본다) 위험한 일이다. 그러니 어른들한테 맡기고 넌 물러서 있거라.
	임금이 아니라 아비로서 하는 당부다...
성남	아니요. 그럴 순 없습니다. 그럼 그 약재 때문에 형이 죽었다는 걸
	제 스스로 인정하는 꼴이 되는 것 아닙니까?
이호	네가 감당하기엔 위험한 일이라 하질 않느냐!!
성남	평생 죄책감 속에 살란 말씀이십니까?
	전 형을 죽인 동생으로 살고 싶진 않습니다!
이호	....형을 죽인.. 동생이라...
성남	(본다)
이호	(본다) 자신 있느냐?
성남	해야 하는 일이옵니다.
이호	(눈빛 변하고. 본다) 국문 전까지 증인들을 데려오거라.
	그리고 외부약재가 사인이 아님을 반드시 밝히거라.
	이건 임금으로서 내리는 명이다!

13   중궁전 침전 (오후)

부복한 채 화령에게 보고하고 있는 부요.

| 화령 | 죽은 보모상궁에 대해선 알아봤느냐? |
| 부요 | 예, 영상대감의 추천으로 궁에 들어왔사온데 |

나인 생활의 시작은 대비전이라 하옵니다.
또한 원손마마를 보필하기 전엔 심소군을 양육한 전력도 있어
배후를 특정하기에는 무리가 있사옵니다.

화령 (미치겠고) 그럼 수라간 조사는 어찌 됐어?

부요 원손마마의 참에 올라온 음식들을 모두 조사해보았으나
독 반응은 전혀 없었사옵니다.

화령 결국 아무것도 밝혀내지 못한다는 것이냐?!

부요 송구하옵니다.

화령 (두려움 엄습) 지금까진 운 좋게 피했지만
다음엔 막아내지 못할지도 모른다...!!
그러니 작은 단서라도 찾아서 누가 적인지 반드시 밝혀내야 돼.
이제 더 이상 궁도... 안전한 곳이 아니야.

14   중궁전 복도 (오후)

데구르르 굴러가는 비단 공. 그 뒤를 쫓으며 신난 얼굴로 공놀이 중인 원손.
함께 비단 공을 몰아가며 놀아주는 무안, 계성, 일영.

15   중궁전 침전 (오후)

밖에선 원손의 해맑은 웃음소리가 들려온다.
힘을 내려는 듯 공진단을 오독오독 씹어 삼키는 화령.
넘어가지 않지만 억지로 삼킨다.
그 모습을 말없이 지켜보는 신상궁.

16   황귀인 처소 (오후)

독대하는 황귀인과 황원형.

황원형은 판이 유리하게 돌아간다 생각하는 듯 자신만만한 표정.

황원형　이제 중전은 독 안에 든 쥡니다...
　　　　　원손 때문에 지금은 정신이 없을 겁니다.
황귀인　중전이 권의관을 만나려 하지 않겠습니까?
황원형　예, 그렇겠지요. 제가 볼 때 출구는 그거 하나밖에 없습니다.
　　　　　허나 그 길목은 제가 지킬 테니 걱정하지 마십시오.

17　대비전 침전 (밤)

대비 앞에 무릎을 꿇고 앉아 있는 신상궁.

대비　대비전에 뜸했던 걸 보니 꽤 바빴나 보구나.
　　　　(눈빛 변하며) 그런데... 아무리 바빠도 그건 보고했어야지?
신상궁　무슨 말씀이신지 모르겠나이다.
대비　(남상궁 보면)

"짝! 짝!! 짝!!!" 휘청일 정도로 세게 신상궁의 따귀를 내리치는 남상궁.
그리고는 무표정으로 물러난다.
대비, 흐트러짐 없이 차가운 시선으로 신상궁을 보는데.

대비　중전이 폐비 윤씨를 만났다는 사실을... 왜 숨겼느냐 묻는 것이다.
　　　　말해보거라. 폐비가 무슨 말을 하였느냐?
신상궁　(보다가) 전 모르는 일이옵니다.

"짝!!!" 따귀를 올려붙이는 남상궁.

남상궁　배은망덕한 것. 네 가족을 이제껏 거둔 것이 마마신 것을 잊었느냐?
대비　(그만하라는 듯 손을 올리면)
남상궁　(신상궁을 노려보다가 물러난다)

대비   일곱 살짜리 계집애가 영특하고 입이 무거워 거두었더니
       그 영특함으로 내 뒤통수를 칠 줄은 몰랐구나.
신상궁   .....
대비   섬기는 주인을 바꾼 것이냐?
신상궁   전 한 번도 주빈을 바꾼 적이 없사옵니다.
       마마께 입은 은혜를 갚기 위해 심부름을 좀 해드린 것뿐이지
       제 주빈인 중전마마를 찌르는 칼이 된 적은 단 한 번도 없사옵니다.
대비   (기가 막힌 듯 피식) 비루한 개 한 마리를 거둬 키웠더니
       날 한 번도 주인이라 여긴 적이 없다..? 죽고 싶은 게냐?!
신상궁   길가에 떠도는 개들도
       마음을 준.. 단 한 명의 주인만 섬기는 법이옵니다.
대비   (한참을 보다가. 경고) 오늘은 그냥 보내주지만
       네 목줄을 쥐고 있는 게 나라는 걸 잊지 말거라.

18   대비전 복도 (밤)

       입술에 피가 맺힌 신상궁, 걸어가다가 멈춰 선다. 돌아보는데...

19   다시, 대비전 침전 (밤)

       대비 앞에 서 있는 남상궁.

대비   막려는 어찌 됐느냐?
남상궁   행방이 묘연하옵니다.
대비   무슨 일이 있어도 그 아이를 찾아. 중전이 손에 넣기 전에...
남상궁   하온데 마마... 내일 국문장에서 폐비 일을 밝힐 생각이시옵니까?
대비   아니. 어차피 그 자리에서 폐비 일을 거론하는 건 위험해.

20   대비전 곁방 (밤)

      !!! 다 들은 듯 놀란 표정이 되는 신상궁.

21   중궁전 침전 (밤)

      상기된 얼굴로 고개 드는 화령, 신상궁을 본다.

화령   (이미 눈치챘었던 듯) 역시 맞았어.
       내가 윤왕후를 만난 사실을 깔 거였으면 진작에 까셨겠지.
신상궁   이유가 뭘까요?
화령   갖고는 있는데 쓰기엔 위험한 패니까.
       (표정 바뀐다) 내가 엄청난 얘기를 들었거든.

      F.B 》7씬. 옥사 (밤) (과거)

대비   (윤왕후에게 속삭이는) 맞아 내가 니 아들 죽였어. 근데 증거 있어?

      현재 》눈빛 달라지는 화령.

화령   대비마마는 그 사실이 공개적으로 드러나는 건
       절대 원치 않으실 거야. (신상궁 본다) 나갈 채비를 하거라.

22   의금부 근방 거리 (밤)

      쓰개치마를 두른 화령, 빠른 걸음으로 이동하는데
      그 뒤를 달리듯 따르는 신상궁. 걱정스런 얼굴.

신상궁   마마... 간다고 해도 권의관을 만날 수 있는 건 아니지 않사옵니까?

화령	(의미심장) 내 목적은 권의관을 만나는 게 아니다.
신상궁	예? 그럼 대체 왜....
	하... 저는 도저히 마마의 걸음도 생각도 따라갈 수가 없사옵니다...

급히 뒤따르는 신상궁, 돌진하듯 걸어가는 화령.
그런데 근방 길목부터 담장 앞까지 군졸들로 즐비하다. 철통방어.
화령, 멈추지 않고 의금부 입구로 다가서는데
그녀 앞으로 여러 개의 창끝이 겨눠진다!!

군졸	멈추거라!
신상궁	네 이놈!!! 감히 뉘신 줄 알고 창부터 겨눈단 말이냐?!
화령	(그만하라는 듯 손 들더니 쓰개치마 내린다)
신상궁	중전마마시다. 예를 갖추거라.
군졸들	(!!! 깜짝 놀라 얼른 창을 내린다)
화령	비켜서거라.
의금부사	(숙이며) 송구하오나 아무도 들이지 말라는 어명이 있었사옵니다.
화령	비켜서라 하였다.
황원형	(E) 웬 소란이야?!

문 열리며 나와 서는 황원형. 곧 굳게 걸어 잠기는 문.

황원형	(내려다보며) 중전마마... 이 야심한 시각에 어인 일이십니까?
	친히 죄인을 만나 말이라도 맞추시려던 겁니까?
화령	예. 저도 권의관 정도는 단속해야 국문장에서 승산이 있지 않겠습니까?
황원형	마음이 급하셨나 봅니다?
	그럼 권의관과 내통하려 하셨다 주상께 아뢰어도 될까요?
화령	내통이라니요?
	고신으로 거짓 자백을 강요할까 단속하려는 것입니다.
황원형	진실을 실토할까 두려운 건 아니시고요?
화령	(눈은 황원형 보며) 네 이놈!!! 당장 길을 열거라!!
군졸들	(두렵고. 몇 명은 뒤로 물러서는데)

황원형	(눈은 화령을 보며) 어명이다!! 감히 전하의 명을 어길 셈이더냐?!
군졸들	(어쩔 수 없이 화령의 앞을 가로막는데)
화령	영상대감!!
황원형	중전마마...
	한 발만 더 앞서신다면 그땐 군졸들의 창이 마마를 향할 것입니다.
화령	(보면!!)
황원형	오늘 밤 이 문을 넘을 수 있는 분은 오직 주상전하뿐이십니다!!
화령	(매섭게 보다가 휙 돌아서서 간다)
황원형	(의기양양한 표정)

23 의금부 옥사 복도 → 독방 앞 (밤)

복도를 걸어가는 여인의 붉은 당혜. 곧 옥사 앞에서 멈춰 선다.
인기척에 고개를 드는 권의관, 놀라는데
당혜의 주인, 황귀인이다!

황귀인	고생이 많습니다...
권의관	(다가와 그 앞에 선다)

창살 안으로 손을 뻗는 황귀인.
그 손이 안쓰럽다는 듯 권의관의 얼굴에 닿으면... 옅은 미소 짓는 권의관.

황귀인	조금만 더 견디십시오. 곧 끝날 겁니다.
권의관	(충성스런 눈빛으로 본다)

24 한성 밖 들판 (다음 날 새벽)

들판을 질주하는 성남. 환도를 허리에 차고 있다.
비장한 얼굴로 "으랴!!" 더욱 속도에 박차를 더한다.

25   움막촌 안, 격리 민가 (아침)

달려온 성남이 누군가를 찾기 시작한다.
중증환자로 가득했던 격리 민가엔 소수의 환자들과 조수들만이 보인다.
그때 의녀 같은 여인(4부 40씬)이 탕약을 들고 지나간다.

성남 (달려가 앞에 선다) 혹시 토지선생은 지금 어디 계십니까?
여인 그분은 얼마 전 떠나셨습니다.
성남 (놀라) 떠나다니요?!
여인 역병이 끝나가니 더 머물 이유가 없다 하셨습니다.
성남 (!!!) 혹시 어디로 가신지 아십니까?
여인 모릅니다. 너무 갑작스레 가버리셔서 인사할 시간조차 없었습니다.

26   약재상 자리 앞 거리 (아침)

말 달려온 성남이 곧 약재상 앞에 도착하는데
이미 그곳은 폐업한 듯 싹 비워진 상태!
놀란 듯 굳는 성남, 그러나 지체할 시간 없고 어딘가로 다급히 이동한다.

27   궐 전경 (아침)

28   왕의 침전 (아침)

이호의 의복 수발을 드는 대전내관.

대전내관 곧 국문이 시작되옵니다.

이호	(초조한 빛이 역력한) 성남대군에겐 아직 기별이 없느냐?

29   호황봉 마당 (낮)

호황봉으로 들어서는 성남. 택호 반색하며 일어서는데
성남, 다짜고짜 환도를 뽑아 택호 목에 겨눈다!!

성남	묻겠다. 그때 토지선생이 움막촌에 있는 건 어떻게 알았어?
택호	(움찔) 에이 형님~~ 오랜만에 봤는데 왜 또 이러실까~?
성남	(검 더욱 들이대며) 대답해!!
택호	약초꾼한테 들었수. 그 선생이 수삼은 꼭 떼다 쓰는 약방이 있다드만...
성남	그 약방이 어디야?

30   추국장 (낮)

윗줄엔 이호와 대비가 앉아 있고
아래엔 황원형, 윤수광, 우의정, 이판, 여기영, 민승윤을 비롯한
대신들도 와 있다. 피고인석엔 권의관과 화령이 서 있다.
화령, 긴장된 표정으로 지켜보는 가운데

황원형	저하의 시신에선 그 어떤 독살의 정황도 없었으며 검시 때 독에 대한 반응 또한 없었습니다. 조사 결과 외부약재가 사인이 되었음이 명백합니다.
이호	(무거운 표정으로 조국영 본다) 그럼 어의가 답하라. 외부약재가 사인이 될 수 있는가?
조국영	예 전하! 방서에 따르지 않은 치료는 칼로 환자의 급소를 찌른 것과 다를 바 없는 치명적인 행위이옵니다!! 세자저하의 사인은 출처가 불분명한 약재 복용과

방서를 따르지 않은 처방에 의한 것이 분명하옵니다!

화령   ......!!

[자막] 방서(方書): 의술과 약에 관한 책

이호   (긴 숨) 세자의 죽음은 독살이 아닌 외부약재에 의한 사인임이 밝혀졌다.
            권의관에게 묻겠다.
            세자를 사망케 한 외부약재를 누가 주었느냐?
권의관   (망설이자)
이호   권의관은 어서 출처를 밝혀라!
권의관   (결심한 듯 고개 든다) 중전마마십니다.
화령   !!!!
이호   !!!!
모두   (경악. 웅성웅성)
이호   다시 한번 묻겠다! 한 치의 거짓도 없어야 할 것이다.
            외부약재는 누가 준 것이냐?
권의관   정말이옵니다! 중전마마께서 제게 준 것이옵니다.
대비   (이 상황이 재밌다는 듯 피식)
이호   (화령 본다) 중전에게 묻겠습니다.
            권의관의 말이 사실입니까?
화령   ....
황원형   중전마마. 어서 대답을 하시지요!!
화령   예. 제가 권의관에게 주었습니다.
이호   !!!!
모두   (웅성웅성)
화령   허나 그 약재가 세자를 죽였다는 것엔 동의할 수 없습니다.
            독살이 아니라 해서 외부약재가 유일한 사인이 되다니요?!
황원형   동의하지 않으셔도 이미 외부약재가 사인으로 밝혀졌사옵니다!

모두의 시선이 화령에게로 향하는데!!

화령	(절절하고 진심으로) 그 약재가 그렇게 위험한 거라 생각했다면
	소중한 내 자식한테 절대 먹이지 않았을 겁니다.
	나 또한.... 그 약재를 받은 것입니다.
	누구보다 세자를 귀히 여기는 이였고, 내가 믿는 이였기에
	그 약재가 해가 될 것이라고는 추호도 생각지 못했습니다...
대비	(대노) 받았다니요?! 그 약재로 세자가 죽었습니다!!!
	대체 누가 중전에게 그딴 약재를 건넸단 말입니까?
화령	....
이호	말씀하세요 중전.
화령	.......세자빈입니다.
이호	!!!!!
대비	!!!!!
대신들	(마구 술렁이는데)
화령	세자빈이... 제게 직접 준 것입니다.
	전에도 계속 세자에게 먹였다 하여 문제가 없다 생각했습니다.
이호	(믿을 수 없고)

점프, 증인들이 증언한다.

궁녀1	예... 세자빈께서 직접 약을 달이신 지는 꽤 오래되었사옵니다.
	(기억을 더듬는) 만삭이신데도...
	세자저하의 건강을 많이 신경 쓰신다 생각했었사옵니다.
궁녀2	저희가 달인다 하여도 한사코 마다하시며
	늘 약탕만큼은 직접 달이셨사옵니다.
이호	(괴로운 얼굴로 고개 든다) 세자빈궁을 수색하라!!

31   세자빈궁 침전 (낮)

곳곳을 수색하는 나졸들.
수궤(竪櫃) 안에서 황색 약종이 첩지를 발견하는 나졸!!

32 약재 거리 (낮)

약을 사려는 사람들로 붐비는 약재 거리의 아침.
약방 앞에서 기다리는 성남.
저 멀리서 걸어오는 토지선생을 발견한다!
급히 사람들을 헤치고 다가서는데 이미 사라지고 없는 토지선생.
당황하는 성남, 주위를 둘러보는데
먼발치에서 그 모습을 지켜보다가 사라지는 토지선생...!

33 다시, 추국장 (낮)

긴장한 표정이 역력한 민휘빈과 화령이 참관했다.
황원형은 갑작스런 상황에 대처하기 위해 머리를 굴리는 표정.
대비와 이호 또한 예상치 못한 모습인데
조국영, 황색 첩지를 펴서 약재들을 살펴본다.
냄새도 맡고 맛도 살짝 보다가 놀라서 퉤!! 하는 조국영.

조국영　　전하! 이것은 외부약재가 분명하옵니다!!
민휘빈　　억울하옵니다 전하!!
　　　　　저하께서 아양 증세가 심하시어... 약탕을 달인 적은 있으나
　　　　　그것은 궁에서 구한 것이었사옵니다.
조국영　　전하. 그럼 내약방에 그 기록이 남아 있을 것이옵니다.
이호　　　당장 그 기록을 가져오라!

　　　　　- 약재 기록을 이호에게 건네는 조국영.
　　　　　넘겨보고, 살펴보지만 그 어디에도 기록은 없다. 굳는 이호!!

조국영　　내약방 문서 어디에도 기록이 남아 있질 않사옵니다.

민휘빈	전 아닙니다. 억울합니다!!
	(화령을 붙잡는) 중전마마 대체 저한테 왜 이러시는 겁니까?
	억울하옵니다! 전 아니란 말이옵니다!!
화령	(체념) 그만하세요 세자빈... 나도 어쩔 수가 없었습니다.
	그 약재로 내 아들이 죽었다 하질 않습니까?
민휘빈	(충격!!)
이호	(참담하고) 국문을 마치겠소...

34 황귀인 처소 (오후)

앞으로 어떻게 처신해야 될지 고민하는 황원형과 황귀인.

황귀인	중전에게 한 방 먹었습니다!
	그 입에서 세자빈이 나올 줄 상상도 못 했습니다...
황원형	권의관이 우리 수중에 있으니 다른 방법이 있었겠습니까?
	자기 자리 지키겠다고 세자빈을 갖다 바친 게지요.
황귀인	이제 중전을 날리는 게 더 어려워진 거 아닙니까?
황원형	어떤 수를 써서라도 강하게 밀어붙여야지요.
	오히려... 중전과 원손 모두 날릴 기회가 될지도 모릅니다.

35 편전 내부 (오후)

물러서지 않을 기세로 이호를 몰아붙이는 대신들.

황원형	중궁전에서 외부약재를 사용한 것에 대한 책임을
	반드시 물으셔야 할 것이옵니다. 중전마마를 폐위하시옵소서!!
다수 대신들	중궁을 폐위하고, 원손은 사사하시옵소서!!!
이호	(단호히) 중전은 외부약재를 건넨 것뿐이다.
	그러니 중전의 폐위는 절대 받아들일 수 없다!

윤수광	전하!!
	중전께선 국본을 사망케 한 책임에서 결코 벗어나실 수 없사옵니다.
이호	더는 중전 폐위를 거론치 말라!
황원형	전하!! 한 나라의 국본이 사망하였습니다.
	이것은 명백한 역모입니다!! 누군가는 책임을 져야 하옵니다.
	중전의 폐위가 아니라면 후일의 난적(亂賊)을 제거하기 위해서라도
	세자빈 일가와 원손을 사사하시옵소서!
다수 대신들	사사하시옵소서!!!
이호	황원형 대감!
	(저격하듯 똑바로 쳐다보며) 원손을 그리 죽이고 싶은 겁니까?
	어린 원손까지 죽여야 속이 시원하시겠습니까?

일어서는 이호. 대신들을 보다가 편전을 나가버린다.

36   대나무 숲 (늦은 오후)

거센 바람에 흔들리는 대숲.
이호, 참혹한 심정으로 마구 검을 휘두르고 있다.
그때 대숲으로 뛰어드는 누군가. 성남이다.

성남	아바마마, 세자빈은 아니옵니다!
	세자빈은 외부약재와 아무런 관련이 없습니다.
이호	(검을 멈춘다. 진실이 무엇인지 혼란스럽고) 너는 네가 가져왔다 하고
	중전은 세자빈이 가져왔다 한다. 대체 무엇이 진실이고
	난 무엇을 믿어야 하느냐?!
성남	약재를 가져온 건 분명 접니다.
이호	그럼 국문 전까지 네가 데리고 온다던 그 증인들은 어찌 되었느냐?
성남	의원과 약재상이 모두 사라져 행방이 묘연합니다.
	하지만 무슨 일이 있어도 반드시 찾아내겠습니다.
이호	(실망하는 표정) 이미 끝난 일이다. 이제 더 이상 기회가 없어.

| 성남 | 여기서 끝낼 순 없습니다. 어째서 이대로 포기하려 하십니까? |
| 이호 | (칼을 들이대며) 감히 네가 이 나라의 왕을 가르치려 드는 것이냐!!! |

성남의 목을 칠 것 같은 위태함. 긴장감 흐르는데.

이호	내가 포기한 것이 아니라 네가 기회를 놓친 것이다!!
성남	(본다!!)
이호	저들은 그 약재가 사인임을 증명했고, 세자빈은 자백까지 하였다.
	허나 넌!! 증인을 데려오지 못했고
	그게 사인이 아니란 것도 증명하지 못했어!
	이미 다 끝난 일이다.
성남	아바마마... 정녕 이대로 끝내시려는 겁니까?
이호	(자조적으로 보다가) 임금이라 해서 뭐든 할 수 있을 것 같으냐?!
성남	임금이 할 수 없다면 그럼 대체 누가 한단 말입니까?!!
이호	(!!!!! 칼을 더욱 깊이 겨누지만 손끝이 떨린다)
성남	정말... 바꿀 수 없는 것입니까?

둘 사이에 침묵이 흐른다.
이호를 한참이고 보다가 뒤돌아 가버리는 성남.
이호 "악!!!!" 포효하며 검을 휘두른다.
그러나 대나무는 베이지 않고 도리어 튕겨 나가는 검.
손이 베인 듯 툭툭... 손에서 떨어지는 피.
바람에 흔들리는 대숲 한가운데 그대로 서 있는 이호.

37   대비전 복도 (밤)

저벅저벅 걸어오는 화령. 남상궁 앞에 멈춰 선다!!

| 화령 | 아뢰거라. |
| 남상궁 | 침소에 드셨사옵니다. |

화령	아뢰거라!!
남상궁	이미 침소에 드셨다 하질 않사옵니까…?
화령	아뢰거라!!!
남상궁	대비마마… 중전마마 드시었사옵니다.

하는데, 화령 문을 벌컥!! 열어버린다.

38 대비전 침전 (밤)

침전으로 들이닥치듯 난입하는 화령!! 대비가 경악하듯 본다.

대비	아주 미쳤군요!!
화령	예!! 지금 제가 제정신일 수 있겠습니까?
	그러니 대비마마께서 절 도우셔야겠습니다.
대비	(조소) 제가 왜요?!
	그렇게 나대지 말고 중궁전에 처박혀 얌전히 있을 것이지
	역적 폐비를 만나다니요? 그것이 역모임을 몰랐습니까?
화령	자식이 사경을 헤매니 중궁전에 처박혀 있을 수만은 없어
	비슷한 처지로 자식을 잃은 어미를 찾아간 겁니다.
	한데 그것을 어찌 역모라고만 하십니까?
대비	중전!!!
화령	(왜!!) 예!! 근데 그 여인이 제게 무슨 얘길 했는지 궁금하지 않으십니까?
	태인세자의 죽음이 병사가 아니라는 얘기를 들었습니다.
대비	(!!! 반응)
화령	(갖고 놀듯 쓱 보며) 참으로 기묘한 죽음이 아닙니까?
	그가 그렇게 죽지 않았다면
	한낱 후궁의 소생에 불과했던 전하께서 어찌 왕이 될 수 있었겠습니까?
대비	(그만해!) 중전!!
화령	(여유 있는 미소로) 그때가 기억나셨나 봅니다?
	태인세자의 죽음이 대비마마의 짓이라 실토하셨다면서요?

이리 역정을 내시는 걸 보니 그 얘기가 진짜인가 봅니다.

대비 (화령의 말이 끝나기도 전에 따귀 날리는) 그 입 다무세요!!!

화령 (흐트러짐 없이) 대신들을 움직여주신다면 다물겠습니다.

대비 (허!!)

남상궁 (E) 대비마마 영상대감 드셨사옵니다.

대비 ...?

화령 제가 불렀습니다. (밖을 향해) 들라 하라!!

문이 열리며 황원형 든다.

점프, 화령, 대비, 황원형이 삼자대면을 한다.

화령 여기서 그만하시지요.
이 판을 이제 멈추잔 말입니다.

대비 중전 자리 지키겠다고 낭떠러지로 그 아이들을 등 떠밀 땐 언제고
이제 와서 뭐 하는 수작입니까?

화령 택현. 받아들이겠습니다!!
결국 이 모든 것이 택현을 얻기 위해 벌인 판이 아닙니까?!

황원형 중전마마. 택현으로 갈 것이 자명하온데
제가 왜 그 청을 들어드려야 하옵니까?

화령 영상. 끝까지 밀어붙이면 정말로 나와 세자빈, 원손 모두를
죽일 수 있다고 생각하십니까? 자신 있으십니까?!

황원형 (본다!)

화령 외부약재 증인을 매수하고
나를 모함한 것을 제가 정말 모를 것 같습니까?
지금부터 한번 따져볼까요?!

황원형 (움찔)

화령 어차피 세자빈과 원손을 사사시키는 건 무리한 요구라는 거
영상도 대비마마도 알고 계시지 않습니까?!
여기서 그만하고
세자빈과 원손을 폐서인하는 것으로 끝내시지요.

대비, 황원형　!!!!!

황원형　지금 폐서인이라 하셨습니까?

화령　예! 대신 택현으로 대군 중에 세자가 되지 못한다면

그땐 제가 중전의 자리에서 물러나겠습니다!

황원형　!!!!!

대비　!!!!!

화령　지금 답을 주시지요. 이 방을 나서면 제 마음이 바뀔지도 모릅니다.

대비　하하하. 그게 목적이었습니까?

제 목숨 지키겠다고 며느리와 손자는 궁 밖으로 쫓아내시겠다는 겁니까?

화령　예!! 내 사지가 다 잘려 나가더라도 머리와 심장은 지켜야지요.

그래야 저한테도 기회가 오지 않겠습니까?

대비　(본다)

황원형　(본다)

화령　주상은. 제가 설득하겠습니다.

39　황귀인 처소 (밤)

놀라서 황원형을 보는 황귀인.

황귀인　결국 중전 자리도 지켜주고 원손도 살리는 꼴이 되는 거 아닙니까?!

황원형　택현으로 의성군이 국본에 오르면

약조한 대로 중전 자리에서 끌어내려야지요.

황귀인　(날카로운) 원손은 이대로 살려두실 겁니까?

황원형　그럴 리가요. 어린 것을 제거하기에 오히려 더 좋은 상황이 됐습니다.

궁궐 안보다 궁 밖이 사냥하기엔 훨씬 수월하니까요.

궁을 나서는 순간 원손은 죽은 목숨입니다...

40　편전 내부 (다음 날 낮)

대신들이 모두 모인 가운데 선언하는 이호!

이호   그대들의 뜻을 받아들여
        동궁을 제대로 치료치 못한 의관 권오경을 파직하고,
        세자를 죽음에 이르게 한 휘빈 민씨는 폐하여 서인으로 강등한다!!
        원손 또한 서인으로 강등하여 위리안치하라.
        그들과 접촉하는 이들은 원손을 왕위에 옹립하려 드는 것으로 간주하고
        역모로 다스릴 것이다...!!

        여기영과 민승윤은 참담한 표정인데
        황원형, 윤수광 등은 소기의 목적을 달성한 듯한 얼굴이다.

41   궐 출구 (낮)

        포승줄에 묶여 걸어가는 민휘빈과 원손.
        율희는 흰 소복의 보모에게 안겨 있다.
        그렇게 원손 일행이 죄인의 모습으로 처절하게 끌려간다.
        그 모습을 고통스럽게 지켜보는 무안, 계성, 일영.
        그러나 이내 하나둘 자리를 뜨고 궁인들 몇 명만 남는데.

궁녀1   아무리 그래도 그렇지... 원손 아기씨 가시는 마지막 길인데
        어떻게 중전마마는 나와 보시지도 않아?
궁녀2   못 들었어? 중전 자리 지키겠다고 세자빈을 폐위시킨 거라잖아.

        궁인들 수군거리는데, 그 사이를 비장하게 가로지르는 성남!!

성남   다들 물러서거라!!
원손   (돌아본다. 울먹) 성남.. 숙부...

        군졸들 놀라서 죄인들을 막아서며 방어하는데

성남을 알아본 의금부사. 손을 들어 군졸들을 저지한다.
원손에게 다가가는 성남. 포승줄을 풀어준다. 붉게 부어오른 원손의 손목...
그 손이 성남의 손을 잡는다. 서로 마주 보는 크고 작은 두 남자.
성남, 주눅 들고 기죽은 원손의 어깨를 펴준다.

성남　고개 들어. 넌 아무 잘못이 없어.
원손　(울컥하며) 숙부.....
성남　(머리를 쓰다듬어주듯 손을 올린다) 기다려... 꼭 데리러 갈게.
원손　(눈물이 그렁그렁한 눈으로 씩 웃는다)

42　　한성 거리 (낮)

함거에 실려 끌려가는 원손 일행.
그 안에서 두 아이를 품에 끌어안은 민휘빈.
몰려든 구경꾼들이 수군댄다. "세상에 어떻게 세자저하를..."
"원손을 왕위에 올리려고 그랬다잖아!!", "천벌을 받는구만." 웅성거리는데
그 군중 사이에 서 있는 쓰개치마를 두른 화령.
원손의 함거가 화령의 앞을 지난다...
스치며 눈이 마주치는 화령과 민휘빈.

민휘빈　(본다)
화령　(본다)

묘한 눈빛으로 서로를 바라보는 두 여인.
잠시 뒤 돌아서는 화령, 어디론가 이동한다.

43　　민가 거리 (낮)

고신으로 만신창이가 된 권의관.

한쪽 다리에서 피가 흐르는 채로 절룩이며 걸어가는 뒷모습.

44   길 어딘가 (낮)

이동하는 함거.
넋을 놓고 앉아 있는 민휘빈과 안겨 있는 두 아이.
구경꾼들이 몰려들자, 군졸이 민휘빈 일행을 가려주듯 함거에 거적을 씌운다.

45   위리안치 유배지 마당 (낮)

칼을 든 자객들이 방 안으로 들어간다.
마당에는 이미 매복해 있는 자객들도 보이는데.

황원형   (E) 이동할 때는 보는 눈이 많으니 유배지에서 처리하거라.
            들어서는 즉시 숨통을 끊어야 한다.

46   위리안치 밖 (해 질 녘)

함거가 유배지 앞에 막 도착한다.
관졸, 함거에서 거적을 벗기다가 경악한다!!
함거 안이 비어 있는 것.

47   황원형 사랑채 방 안 (해 질 녘)

경악하듯 수하1을 쳐다보는 황원형.

황원형   그게 말이 돼?!

그럼 대체 어디로 사라졌단 말이냐?!

48   원손의 안가 (해 질 녘)

터가 넓고 높은 담으로 둘러져 있는 기와집.
대문이 열리며 율희를 안은 민휘빈과 원손이 들어선다.
주눅 들었던 원손이 누군가를 보더니 환하게 웃으며 달려가 와락 안긴다.
원손을 안아주는 사람, 화령이다.

원손   할마마마!
화령   원손....!!

원손을 꽉 안아 품는 화령의 손에 힘이 들어간다.
율희를 안은 민휘빈이 다가선다.

민휘빈   어마마마...

원손을 품은 화령, 고개 들어 민휘빈 보면. 그 위로-

화령   (E) 감당하고 견딜 수 있겠습니까?

ins 》중궁전 침전 (밤) (회상)
화령에게 간청하는 민휘빈.

민휘빈   예...
         원손의 목숨만 지킬 수 있다면 뭐든지 할 수 있습니다.
화령   (보다가) 좋습니다.
         원하는 대로 궁 밖으로 내보내드릴 것입니다.
         이 궁보다 안전한 곳을 마련하지요.
         그곳에선 아무도 원손을 해치지 못할 겁니다.

민휘빈	(본다)
화령	(결연히 본다) 늦지 않게 다시 궁으로 부를 것입니다.

현재 》 원손을 꼭 안아 품는 화령.

화령	이젠... 겁먹지 말고 두려워도 말거라. 마음껏 뛰어놀고 마음껏 웃어도 된다...
원손	(끄덕이며 배시시 웃는)

그제야 편안히 미소 짓는 민휘빈.
그 모습을 먼발치에서 바라보는 누군가. 성남이다! 그 위로-

화령	(E) 그래. 내 자리 지키려고 그랬다.

49   중궁전 마당 (오후) (회상)

화령 앞에 분노에 찬 성남이 서 있다.

성남	어떻게!!! 어떻게 그러실 수가 있습니까?!
화령	내 자리를 지켜야 너도 지키고 애들도 지킬 수 있으니까.
성남	결국 원손을 잃었습니다!! 어마마마의 자리를 지키자고 원손과 세자빈이 희생됐단 말입니다!
화령	아니! 이게 그 아이들을 지키는 길이야.
성남	다 변명일 뿐입니다!! 어마마마께서 원손을 궁 밖으로 쫓아낸 겁니다!

성남, 분노를 참지 못하고 돌아서서 가려는데.

화령	궁으로 다시 돌아오게 할 거야.
성남	(멈춰 서서 돌아본다)
화령	너도 나와 함께 해보겠느냐?
성남	그게 무슨 말씀이십니까?
화령	(본다) 강아. 형의 자리를 대신할 수 있겠느냐?
성남	(본다)
화령	네가 세자가 되어야 한다는 얘기다.
성남	......!!!

50   동궁전 복도 → 동 침전 (밤) (현재)

복도를 저벅저벅 걸어오는 성남.
출입문의 쇄금을 목검으로 내리친다!! 쇄금 툭 떨어지고.
곧 문이 열리며 먼지 쌓인 침전으로 들어서는 성남.

성남   (E) 예, 어마마마. 해보겠습니다.

세자익선관을 들어 올리는 성남.

성남   (E) 되돌릴 수만 있다면
제 모든 걸 걸고서라도 세자가 되겠습니다.

고개를 틀더니 걸려 있는 왕세자복을 보는 성남. 의미심장하다.

51   중궁전 침전 (밤)

"예-에?" 놀란 표정의 신상궁, 화령 앞에 앉아 있다.

신상궁   아니 그럼... 의금부 가실 때도

영상대감이 나타날 걸 알고 가셨다는 것이옵니까?

화령 어. 내가 초조해 보일수록 영상은 더 방심할 테니까.

신상궁 어찌 제게도 귀띔해주시지 않으셨사옵니까? 정말 깜빡 속았사옵니다~

그때 "마마!" 하며 급히 드는 오상궁, 보료에 앉은 화령에게 다가선다.

화령 그래. 다녀왔느냐?

오상궁 예 마마. 하온데 권의관이 이미 자취를 감추었습니다.
(소매에서 서찰을 꺼내 건네며) 이게 남겨져 있었습니다.

굳은 얼굴의 화령, 서찰을 펼치면. 그 위로-

권의관 (편지 내용, E) 마마를 뵐 면목이 없어 떠납니다.
결국 고신을 이기지 못해 끝까지 함구하지 못하였나이다. 하오나...

52   한성 거리, 한적한 골목 (밤)

붕대가 감긴 다리를 절룩이며 걸어가는 권의관. 그 위로-

권의관 (E) 저는 외부약재가 세자저하의 사인이 아님을 알고 있사옵니다.
지켜드리지 못해 송구하옵니다.

멈춰 서는 권의관.

권의관 (묘한 눈빛) 오랜만에 뵙습니다, 선생님...

보면, 그 길 끝에 토지선생이 서 있다!!
마주 보는 권의관과 토지선생, 서로를 의미심장하게 바라본다.

53   다시, 중궁전 침전 (밤)

       의혹을 느끼는 화령, 서찰을 딱 접는다.

오상궁   (심각) 하온데 마마.
        이웃들 말에 의하면 권의관에겐 노모가 없다고 합니다.
화령   (뭐지?!) 권의관에 대해 더 소상히 알아보거라.
        궁엔 언제 어떻게 들어왔는지... 어디 출신인지도 확인해봐.
오상궁   (결연) 예, 마마.

54   궐 전경 (낮)

55   정전 내부 (낮)

       텅 빈 정전 한가운데 홀로 서서 용상을 바라보는 이호.

       ins 》궐 어딘가 (전날 밤)
       장엄한 궁에 마주 서 있는 이호와 화령.

이호   중전의 자리를 걸었다 들었습니다.
        택현이 뭘 의미하는지 알고 그리하셨습니까?
화령   압니다.
이호   그들이 만든 임금은 나 하나로 족합니다.
        택현은 절대 받아들일 수 없습니다.
화령   아니요. 전하께서 택현의 의미를 되살려주십시오.
        본디 택현은 가장 어진 자를 뽑는 것이지 않습니까?
        대신들 입맛대로 정하는 게 아니라...
이호   (뭔가에 맞은 듯 보는데)
화령   내 비록 신하들이 세운 왕이지만

신하가 아닌, 백성을 두려워하는 임금이 되고 싶다...

이십 년이 지났지만. 전 그때 그 말씀을 기억합니다.

그때 이 남자.. 참 멋있다 생각했습니다.

이호   (보다가) 대군이 아닌 다른 왕자가 세자가 될 수도 있습니다.

화령   예. 그럴 수도 있겠지요.

(당당하게 보며) 허나 전 우리 대군들을 믿습니다.

제가 왜 중전 자리까지 걸었겠습니까?

(여유 있는 미소로) 딴 왕자들이 왕세자가 되면 배알이 꼴려서

솔직히 전 그 꼴 못 볼 것 같습니다.

그 지경이면 중전 따위 해서 뭐 합니까? 그 정도 각오는 하고 있습니다.

다만. 딱 하나만 지켜주시면 됩니다.

이호   (보면)

화령   (본다) 진짜 실력대로. 정말 자격 있는 왕자를 세자로 택해주십시오.

이호   (그 말에 눈빛 달라진다)

현재 》 정전. 계단을 올라 용상에 앉는 이호.

고개를 드는데 확연히 달라진 표정!!

어느새 이호 앞엔 정전을 가득 메운 대신들이 보인다.

이호   왕세자는 택현으로 뽑겠다!

적자와 서자를 가리지 않고, 모든 왕자들을 후보로 삼을 것이다.

황원형   주상전하의 명을 받들겠사옵니다!

대신들   성은이 망극하옵니다!!

이호   단. 선발 방식은 내가 정한다.

황원형   (반발) 전하!! 택현이란 본디...

이호   (말 자르며) 택현이란 본디!!!

말 그대로 가장 어진 자를 뽑는 것이 아닌가?

그대들의 입맛대로 고르는 것이 아니라.

(대신들을 갖고 놀듯 씩 웃으며) 왜? 뭐 잘못된 것이 있는가?

황원형   (평소와 다른 이호의 모습에 놀란)

56 궐내 거리 (낮)

빠르게 어딘가로 걸어가는 화령, 그 뒤로 우르르 궁인들이 따른다.
신상궁은 화령에게 바짝 붙어 걸어가는데.

신상궁   마마, 어째서 택현을 받아들이신 것이옵니까?
화령   어차피 막을 수 없었어.
    근데 떠밀려서 가는 건 싫어. 파도에 맞설 게 아니라면 올라타야지.
신상궁   그래도 택현은 대군마마들에게 너무 불리하옵니다.
화령   어. 다들 그렇게 생각해야 돼. 그래야 우리 애들이 유리해져.
신상궁   (엥) 예?
화령   (순간 멈춰 선다)
궁인들   (모두 브레이크 잡듯 끽!! 멈춰 선다)
화령   나 그렇게 무모하지 않아. 완전 자신 있어. (귓속말 속닥속닥)
신상궁   (눈 커지며 화들짝) 진짜요?!
화령   어. 진짜라니까~

씩 입꼬리 올리더니 다시 빠르게 걸어가는 화령.
급히 뒤를 따르는 신상궁과 궁인들.

57 대비전 침전 (낮)

대비가 재밌다는 듯 누군가를 보면 보검군 앉아 있다.
그런데 서안 위에 비책이 놓여 있다.

대비   이 서책이 뭔지 알고 돌려주는 겁니까?
보검군   왕실 교육의 비법 서책이라 알고 있습니다.
대비   (피식) 의외네요... 누구보다 국본 자리에 욕심이 있는지 알았는데.
    모친께서 보낸 것입니까?

보검군	어머닌 제가 여기 온 걸 모릅니다.
대비	(훗) 세자가 되는 데 썩 도움이 되지 않는다 여기셨나 봅니다...
보검군	예.
대비	(씩 웃으며 요놈 봐라...)
보검군	전 그 책 때문에 아바마마께서 용상에 앉으셨다 생각하지 않습니다.
	할마마마와 같은 모친이 계셨기에 국본이 되신 겁니다.
대비	(요 녀석 봐라)
보검군	(본다) 허나 아바마마께서 용상의 주인이 될 수 있었던 진짜 이유는
	자질과 실력을 갖춘 최적의 왕재였기 때문입니다.
대비	(영특하다 느끼고) 그럼 이 할미가 뭘 도와줄 수 있을까요...?
보검군	저도 그리 만들어주십시오.
대비	(흥미롭다는 듯 미소 짓는다)

58 중궁전 부속, 내명부 회의실 (낮)

모든 후궁들이 착석한 가운데
맨 앞에 앉아 쓱 둘러보는 화령.

화령	다들 들으셨겠지만
	비어 있는 국본의 자리는 택현으로 정해질 겁니다.
	택현의 방식은 경합입니다.
후궁들	(매우 당황! "경합?" 웅성이는데)
황귀인	(굳고) 경합이라니요 중전마마? 지금껏 그런 택현은 없었습니다.
태소용	(자신감) 어머 왜요~? 난 경합 완전 괜찮은데~
황귀인	(그런 태소용 거슬리는데)
고귀인	중전마마. 경합으로 왕세자를 선발하는 건 원칙에 어긋난 거 아닙니까?
박씨	굳이 원칙을 따진다면~
	원손이나 적통 왕자 중에서 왕세자를 책립해야 되는데~
고귀인	(말이 쏙 들어가고. 박씨 쩨리며 저건 또 뭐야?)
황귀인	그럼 경합은 언제부터 시작되는 것이옵니까?

화령	(본다) 이미 시작됐습니다.
후궁들	!!!!!!!

59   궐내 곳곳 (낮) (왕자들 교차)

무안과 일영 걸어가는데 갑자기 뒤에서 검은 자루가 씌워진다. 획! 획!

무안	뭐야?!
일영	(놀라) 왜 이러느냐?!

의성군도, 보검군도, 계성도, 일영도
그리고 성남에게도 검은 자루가 획!!! 씌워진다!!
갑자기 시커메지는 눈앞.

60   가마 안 (낮) (왕자들 교차)

막 뛰는 소리 들리고. 시커먼 눈앞에 막 흔들리는 빛들.
성남 획!! 계성 획!! 보검군 획!!
시커먼 자루 벗으면 이곳은 가마 안. 매우 당황하는 왕자들!!
한편, 자루 벗은 무안은 가만있지 못하고 가마 창문을 열어젖힌다.
보면, 빠르게 지나가는 바깥 풍경.

61   가마 밖 (낮)

가마의 작은 창으로 고개 내민 채 소리치는 무안!!

무안	대체 어디 가는 건데-에!!!
청하	(E) 잠깐만요~!

62   민가 거리 (낮)

다짜고짜 성남의 용모파기를 선비의 얼굴 옆에 대고 비교하는 청하.

선비   (황당) 아니 왜 이러시오?
청하   돈 떼어 간 잘생긴 놈 찾는 중입니다~
          (용모파기 보이며) 혹시 본 적 있습니까?
선비   (보는데 갸웃) 아니요.. 없는 것 같은데...
청하   (살짝 버럭) 이렇게 잘생긴 남자를 본 적이 없단 말이오~?
선비   (당황) 예-에?
청하   없으면 됐소~ 갈 길 가시오~!
선비   (가며 혼잣말로) 어휴... 젊은 여자가 단단히 미쳤구만.
청하   (용모파기 펼쳐 들며 얼굴 쓰다듬는) 대체 어딨는 것입니까~ 하~~

63   전나무 숲 (낮)

가마의 문이 열리며 내려서는 성남!!
다른 왕자들도 당황한 얼굴로 모두 가마에서 내리면
사방에 펄럭이는 오방기, 왕세자를 상징하는 기린기(麒麟旗)도 나부끼는데
민승윤이 크게 호령한다.

민승윤   지금부터 세자 경합을 시작한다!
왕자들   (잘못 들었나 싶은데) !!!!

시작을 알리는 북소리가 울려 퍼지는 순간!
내금위장이 하늘로 화살을 쏘아 올린다.
하늘에서 펑!! 터지며 노란색 연기가 피어오르면.

64   그 시각, 활터 (낮)

하늘에 퍼진 노란색 신호에 불시계*에 불이 붙여진다.
치---- 타오르기 시작하자
화면 하단에 뜨는 타임 자막 10분이 빠르게 줄어들기 시작한다.

이호   **(E)** 불시계가 모두 타기 전에 결승점에 도착하라.

65   전나무 숲 (낮)

신호를 알리듯 오방기를 일제히 흔들자
힘차게 출발하는 왕자들!!
얼결에 무안도 냅다 뛴다.
이를 악물고 질주하는 왕자들의 얼굴 위로-

이호   **(E)** 도착 순서에 따라 점수가 차등 부여될 것이다

66   동궁전 마당 (낮)

주르륵 나무틀에 매달린 왕자들의 상아 호패!
그 윗단 가로목 중앙엔, 왕세자 호패를 걸어놓을 빈자리가 마련됐다.

이호   **(E)** 또한, 세자 경합에서 낙오되거나 중도 탈락한 왕자는
        본인의 호패를 직접 회수한다.
        마지막까지 호패를 지킨 왕자가 동궁전의 주인이 될 것이다!

---

* 불시계: 선향(線香)이나 화승(火繩) 따위에 불을 붙여서 그것이 타들어가는 것으로 시간을 재는 시계.

내걸린 호패를 바라보는 후궁들.

成枏大君, 啓晟大君, 武矸大君, 日映大君, 義聖君,
寶芡君, 心昭君, 好瞳君, 營縉君, 和平君, 南玹君.

[자막] 성남대군, 계성대군, 무안대군, 일영대군, 의성군,
보검군, 심소군, 호동군, 영민군, 화평군, 남현군

태소용   아니~ 경합을 뭐 이리 요란뻑적하게 한답니까~?
            학문 실력이나 겨룰 것이지~!

고귀인   그러게 말입니다. 어쩌자고 궁 밖에서 세자 경합을 치르시겠다는 건지!

화령   자신 없으시면 호패를 거두면 될 일입니다.

후궁들, 놀라 돌아보면 위엄 있게 걸어오는 화령.

화령   무엇 하나 빠짐이 없어야
            한 나라를 책임질 세자감이라 하지 않겠습니까?

태소용   (일부러 생글거리며) 에이 마마~~ 경합 방식에 문제가 있는 듯하여
            대화를 나눈 것뿐인데 어찌 그러십니까~~?

화령   방식이 마음에 안 들면 세자 경합에 참여하지 않으면 됩니다.
            지금이라도 보검군을 기권시키시겠습니까?

태소용   (헙!!! 황급히 딴 데 본다)

화령   왕자들의 안위가 걱정되거나 불만이 있다면 당장 호패를 거두세요.

후궁들   (눈이라도 마주칠까 푹 숙이는데)

황귀인   이번 세자 경합에 중궁의 자리를 거셨다는 게 사실입니까?

화령   예, 걸었습니다.
            대군이 세자로 선발되지 않는다면 중전 자리에서 물러날 생각입니다.

후궁들   (!!!!! 진짜 자리를 걸었다고?)

화령   왜요? 황귀인도 자릴 거시겠습니까?

황귀인   제 자리가 중전마마의 자리와 감히 비견이 되겠습니까?

화령   (살짝 웃는 여유) 황귀인. 전 우리 대군들이 대통을 잇더라도

귀인의 자리만큼은 지켜드리겠습니다.

황귀인 (본다)

화령 (보다가 한 명씩 쓱 보며) 소용도 있고, 숙원도 있고.. 귀인의 자리도
있어야 이 중전의 자리가 더 빛나는 것이 아니겠습니까? (미소)

황귀인 마마께서 중궁의 자리를 지키실 수 있도록
대군들이 실력으로 밀리지 않기를 바랄 뿐이옵니다.

맞서듯 마주 선 두 여자를 바라보는 후궁들.

숙의 (E) 이러다 중전도 바뀌는 거 아닙니까?!

67   궐 은밀한 일각 (낮)

혼돈에 빠진 고귀인, 숙의, 소의.

고귀인 왜 아닙니까? 왕세자가 누가 되느냐에 따라 중전 자리도 결정 나겠지요.

숙의 (대혼란) 대체 어느 줄에 서야 되는 겁니까?!

소의 당연히 황귀인 뒤에 붙어야지요~ 대신들의 지지로 보나, 나이로 보나
의성군이 제일 유력하질 않습니까~?

숙의 아니요. 사실 실력만 보면 배동이었던 보검군도 무시할 순 없습니다.

소의 (화들짝) 보검군은 안 됩니다!!
우리가 그동안 태소용을 얼마나 박대하고 무시했습니까?

고귀인 (잠깐만) 거 듣고 있자니 참으로 언짢습니다.
어찌 빈들께서는 심소군을 염두에 두지 않으시는 겁니까?!

숙의 (안 들리고) 하... 줄 잘못 섰다가 피바람 불면 우린 다 끝장입니다!

소의 (번뜩! 숙의 귀에 대고 속닥속닥)

숙의 (듣고 눈 커진다) 오~!!

고귀인 (궁금) 뭔데 그럽니까?

하는데 쌍쌍바처럼 딱 붙어 쌩~ 하고 가버리는 숙의, 소의.

"저것들이!" 투명인간 취급에 이를 악무는 고귀인. 독기 품는 표정!

68   전나무 숲 (낮)

햇살이 쏟아지는 숲을 질주하는 왕자들의 레이스.
하단엔 빠르게 줄어드는 타임 자막. **8분 35초!**
치열한 선두엔 의성군, 성남, 계성이 보이는데
뒤에서 "으아!!" 기합을 내지르며 폭발적인 스피드로 달려오는 무안.
곧 선두주자들을 추월하며 치고 나가는데!
성남의 뒤를 끈질기게 따라붙는 영민군.
그렇게 서로를 추격하고 추월하며
살벌한 경쟁을 벌이는 왕자들의 얼굴에서_ 엔딩!!

8부

1   전나무 숲 (낮)

숲을 질주하는 왕자들의 치열한 레이스.
하단엔 빠르게 줄어드는 타임 자막. **8분 35초!**
성남의 뒤를 끈질기게 따라붙는 영민군.
무서운 속도로 따라잡더니 럭비 하듯 어깨로 팍!! 밀쳐버린다.
불시에 공격당한 성남은 바닥으로 나뒹구는데...!!
그 틈에 성남을 제치고 앞지르는 보검군과 왕자들.
경쟁자들에게 추월을 허용한 성남, 다급히 일어나보지만!

성남   (발목에서 느껴지는 통증) 윽...

이번엔 계성이 타깃인 듯 노골적으로 접근하는 영민군.
공격하듯 몸을 날리는데! 휙 피하는 계성.
바닥을 구르며 나무에 픽!! 부딪히는 영민군.

2   활터 (낮)

치--- 빠르게 타들어가는 불시계.
1위로 달려온 무안이 활터로 들어선다.

도착하자마자 사대(射臺)에 올라 활시위를 당긴다. 팽!!
뒤이어 도착한 계성과 의성군도 활을 집어 든다. 팽! 팽! 팽!!
반면, 보검군은 바로 쏘지 않고 숨을 고르며 호흡을 가다듬는데. 그 위로-

이호   (E) 시간 안에 다섯 발을 명중시켜야
다음 경합을 치를 수 있는 자격이 주어질 것이다!

픽! 픽! 픽! 웅후 과녁에 꽂히는 화살.
타임 자막. **4분 24초!**
다섯 발을 모두 명중시킨 왕자들은 빠르게 활터를 빠져나가는데
발목부상의 열세를 딛고 뒤늦게 들어서는 성남, 도착하자마자 활을 쏜다..!!
그때다. 갑자기 거칠게 나부끼는 깃발.
바람이 거세지자 화살도 과녁에서 빗나가기 시작한다.
당황한 왕자들은 더욱 실수를 연발하는데...!!
성남, 활시위를 당긴 채 바람을 느끼며 눈을 감는다.

세자   (E) 바람이 불 땐 눈을 감고 바람을 느껴라...

3   강무장 (낮) (과거)

활을 들고 사대에 나란히 서 있는 세자와 성남.
세자가 활시위를 쭉- 당기며 시범을 보이자
형을 그대로 따라 하며 자세를 잡는 성남.

세자   (나부끼는 깃발의 방향을 본다) 바람은. 이기는 게 아니라 이용하는 거야.

과감하게 방향을 틀더니 당기는 세자! 날아간 화살이 명중한다!!
세자의 시범에 성남도 활시위를 팽팽하게 당겨 조준한다.

세자   (E) 얼마나 더 과감하게...

4   활터 (낮) (현재)

활시위를 당긴 성남, 바람에 나부끼는 깃발을 본다.

세자   (E) 오조준하느냐가 관건이다.

[자막] 오조준: 기후 등 주변 환경을 고려해 일부러 '틀리게' 겨냥하는 것

과감하게 방향을 틀더니 팽!! 활시위를 당기는 성남.
픽! 픽! 픽! 명중하는 화살.

5   결승점 (낮)

왕자들이 달려와 추생(抽栍: 제비뽑기)한다.
결승점에 도착하는 순서에 따라 머리 위로 팍팍 박히는 점수.
무안 100점! 거의 동시에 도착한 계성과 의성군은 90점! 보검군 80점...

이호   (E) 경합을 수행하는 동안 너희들은 왕자가 아닌 어사의 신분이 될 것이다.

대나무통에 들어 있는 여러 개의 접선(접었다 폈다 하는 부채) 중
하나씩을 뽑는 왕자들. 다급히 달려가며 좌락!! 펼쳐보면
미션이 적혀 있다. '尋訪朴京優 下敎旨而乘轎'.

[자막] 박경우를 찾아 교지를 내리고 궁가마에 태워라!

무안, 보검군의 접선엔 '박경우(朴京優)'
계성과 의성군은 '서함덕(徐含德)'이라 적혀 있는데.
미션을 확인하며 바로 역참으로 뛰어가는 왕자들의 얼굴 위로-

이호	(E) 그들을 찾아 교지를 내리고 궁가마에 태워라.
	기한은 나흘이다. 서두르거라!!

다른 왕자들은 추생이 끝나자마자 긴박히 달려가는데
무안은 접선을 펼쳐보더니 그대로 멈춰 서 있다. 고민하는 얼굴.
그사이 왕자들은 무안을 추월해 달려가는데...!!

황원형	(E) 박경우라니요?!

6   궐내 집무실 (낮)

서안을 쾅! 내리치는 황원형. 그 앞엔 윤수광, 우의정, 이판, 형판 있다.

우의정	(매우 심각한 표정) 서함덕도 있다 들었습니다...!
윤수광	작금의 왕조를 반대하고 관직마저 거부한 자들을
	어찌 궁으로 불러들인단 말입니까?
황원형	주상이 단단히 미쳤습니다.
윤수광	대체 무슨 꿍꿍일까요...?

7   궁내 모처 → 대나무 숲 (낮)

나란히 걷는 화령과 이호. 뒤로는 궁인들이 우르르 따른다.
겹겹이 쌓인 구중궁궐 속으로, 아주 깊숙이 들어간다.

화령	어디까지 가려 하십니까?
이호	과인을 찾아오지 못할 곳으로 갑니다.
	경합과제가 문제라 하도 난리들이니 도망치는 중입니다. (웃는)
화령	(웃는) 요즘 전하의 왕세자 시절이 자주 떠오릅니다~

임금이 되면, 누구의 눈치도 안 보고
신하들을 빡세게 굴리겠다 호언장담하지 않으셨습니까~?

어느새 대나무 숲으로 들어서는 일행. 대숲 한가운데 멈춰 선다.

이호 참으로 당돌한 국본이었네요.
화령 해서 전 반가웠습니다~
　　　 이번 경합과제는 그 당돌한 국본이 낸 것 같아서 말입니다.
이호 역시 날 가장 잘 아는 이는 중전이네요...
　　　 내 평생의 벗이라 여기고 버틸 수 있는 힘이 되어준 사람이
　　　 바로 중전입니다.
화령 신하들 중에도 그리 여기실 수 있는 이가 있다면 좋을 텐데요.
이호 (쓰게 웃는) 한때는 내게도 뜻을 함께했던 벗이 있었지요...
화령 박경우를 말씀하시는 겁니까?
이호 (말없이 서 있다)
화령 전하께 등을 돌린 자이지만 왕세자의 신료는 될 수도 있다...
　　　 그리 생각하신 겁니까?
이호 (허허) 중전 눈은 못 속이겠습니다.
　　　 내 임금을 해보니 가장 어려운 것이 인재를 발굴하는 것이더이다.
　　　 그 인재를 내 사람으로 만드는 건 더 어렵구요.
화령 (보다가) 내 편이 없는 장수는 늘 힘겨운 싸움을 해야 하니 말입니다.
이호 (자각도 되고 위안도 되는) 해서 왕세자에게 자신의 신하가 될 인재를
　　　 직접 데려올 기회를 주고 싶었습니다.
화령 (끄덕이다가) 하온데 전하. 혹시나 경합이 과열되어 왕자들의 신변에
　　　 위험이 생기지는 않을까 그것이 걱정입니다.
이호 그건 대비해두었습니다 중전.

8　　　 민가, 어느 사랑채 (낮)

쌀이 서안 위로 휙!! 뿌려진다.

눈을 감고 방울을 마구 흔들기 시작하는 박수무당. 여자 한복 착용.
그 앞에 긴장한 듯 바르게 앉아 있는 숙의와 소의.
둘러쓴 쓰개치마 사이로 얼굴만 보이는 두 여인.

숙의   (낮게) 저 박수무당이 앞날을 보고 온 것처럼 그리 용하답니다~
박수무당   (방울을 딱 멈추더니 눈 희번덕) 이번에 왕세자가 되실 왕자님께서는!
숙의, 소의   (!!! 집중하는데)
박수무당   (다시 방울을 흔드는) 아 보인다.. 보인다...

9   역참(驛站) 앞 거리 (낮)

역참으로 다급히 들어서는 보검군 옆으로
말 타고 길을 나서는 계성의 모습. "으랴!!" 박차를 가하는데.

10   역참, 마구간 (낮)

다급히 마패를 보여주며 마구간으로 들어서는 보검군.
곧 말의 피모(皮毛)를 살피고, 유척으로 말굽까지 체크한다.

보검군   (급하지만 차분히) 말굽에 편자는 언제 갈았는가?
관원1   보름 정도 되었습니다. 이 말로 내어 드릴까요?
보검군   아니. 턱밑이 좁아 호흡이 부족할 것이네. 다른 말로 보여주게.

야무진 눈빛의 보검군 위로- 확 박히는 자막. [자막] 깐깐한 놈!
한편, 막 달려온 의성군이 마패부터 보인다.

의성군   (시간 없고, 흑마 본다) 저 말로 내주게.

관원2가 흑마 쪽으로 이동하자

말 먹이통에 액체를 뿌리더니 빠르게 이동하는 의성군. [자막] 위험한 놈!

11   노상 관상집 (낮)

        얼굴 내민 채, 관상가 앞에 앉아 있는 무안.

무안   (정말 진지하고) 관상가 양반. 내가. 왕세자가 될 상인가?
관상가   (뭐래?!)
무안   (쉿!! 너만 들어) 면상만 봐도 이미 눈치챘겠지만 내가 이 나라의 왕잘세~
관상가   (영혼 없이) 아. 그러시구나.
무안   국본이 되고 싶은 마음은 손톱만큼도 없는데
        어마마마를 생각하면 또 돼야 하는 상황일세. 그래서 고민이네~~
관상가   (손톱 때 빼고, 훅 불며) 아.. 그르시겠지.
무안   내 궁 안에 갇혀 따분하게 사는 건 딱 질색인데
        혹여 경합을 계속하다가 진짜 왕세자가 되면 어쩐단 말인가~!

        혼자 진지한 무안의 얼굴 위로- [자막] 뻔뻔한 놈!

관상가   (쯧쯧쯧) 그건 걱정 마슈! 관운은 없으니~
        대신~ 애정운 하나는 아주 철철 넘치는구만~
        (분위기 잡고) 조만간 두 여인을 만날 것인데...
        그중 한 여인이 당신에게 금은주옥보다 더 귀한 것을 줄 것이오.
무안   (오잉?!) 내 이미 부유해 물욕은 없는데~?
관상가   (의미심장하게 웃는) 돈으로도 살 수 없는 것이지요~
        부디 운명의 여인을 알아보길 바라오.

12   역참 가는 길 (낮)

        여전히 고민되는 얼굴의 무안, 접선으로 부채질하며 걸어가는데

무안	운명의 여인이라... 누구지? (슬쩍 갸웃) 초월인가~?
	(하다가 내가 이럴 때가 아니지) 아 근데 역참은 어디야?

하는데 "으랴!!" 전속력으로 달려오는 의성군,
행인들을 무시한 채 말을 몰아가는데!!
몸종 두리와 그 옆을 지나던 청하, 질주하는 말에 놀라 용모파기를 놓치고 만다.
용모파기를 잡기 위해 몸을 날리는 청하.
중심을 잃고 넘어지는 순간, 누군가 청하의 허리를 감싸 안는다! 무안이다.

무안	그대가. 내 운명의 여인인가~?
청하	지랄~
무안	(엥?! 그러다 청하가 품은 성남의 용모파기 발견) 어?!

13   한성, 어느 거리 (낮)

급히 말에서 내리는 계성, 덕지덕지 붙은 용모파기 사이에서
오래되어 누렇게 바랜 逆賊(역적) 서함덕의 용모파기를 확 뗀다.

군졸1	(창으로 막으며) 뭐 하는 짓이오!
	대역죄인의 용모파기를 훼손하는 게 중죄임을 모르시오?!
계성	(마패 보이며) 주상전하께서 오늘부로 이자를 사면하셨네.

하고는 긴박히 이동하는 계성의 얼굴 위로- [자막] 겁 없는 놈!

14   한성 거리 (낮)

성남의 용모파기를 유심히 살피는 무안. 그 앞엔 청하 서 있다.
뒤엔 두리 서 있는데... 무안을 보며 홍조 띤다.

무안	(목에 점까지 확인하더니. 확신) 맞네!!
청하	(기쁜) 정말 이 돈 떼먹은 잘생긴 놈을 아십니까~?
무안	뭐?! 돈을 떼먹어? 우리 형이?
청하	뭐?! 우리 형~? (본능적으로 조신함을 장착한다)
무안	(갸웃) 하... 우리 형이 그럴 사람이 아닌데.
청하	(규수모드 돌입) 그럴 사람은 아니온데~
	제 모친께서 물려주신 장도를 가져가셨습니다~
무안	(놀라) 모친께서 물려주신 거면 소중한 것이 아니오~?
청하	소중하지요~ 그러니 알려주십시오~ (씽긋) 형님은 지금 어딨습니까~?

15   역참, 마구간 (낮)

심상치 않은 표정의 성남. 보면 정신없이 뛰어다니는 관원들.
여기저기서 소리친다. "이 말도 이상합니다!!", "여기도 쓰러졌습니다!"
뛰어가던 관원1이 마방을 둘러보는 성남에게 다가선다.

관원1	죄송하지만 다음 역참으로 가서야겠습니다...
성남	(심각) 빌릴 수 있는 말이 없는가?
관원1	(난처) 예에... 말들이 뭘 잘못 먹었는지 탈이 나서 난립니다.
성남	(어딘가에서 시선을 멈추는) 그럼 저 말로 내주게.
관원1	예-에?!

보면, 마방에도 들이지 않은 야생마가 끈을 끊어낼 듯 투레질하고,
앞발을 치켜올리며 난리다.
여러 명의 관원들이 붙어 마방으로 들이려 하지만, 되레 질질 끌려가는데.

관원1	아니 저 말은... 길들이지 못한 야생마라 진짜 말을
	잘 타시는 게 아니라면 통제하기 힘드실 겁니다.
성남	지금부터 친해지면 되지.

피식 웃는 성남의 얼굴 위로- [자막] 잘생긴 놈?
그런데 곧 그 위에 엑스(X) 쳐지더니, 다시 써지는 [자막] 알 수 없는 놈!!

16   몽타주 _ 왕자들의 질주 (낮)

그 시각, 성곽 일각
성곽 문으로 말을 타고 달려 나오는 성남.
곧 흙먼지 일으키며 도성을 빠져나간다.

신길 초입
산길로 막 들어서는 보검군. "으랴!!"

들판
말 달리는 계성. 같은 방향으로 달리며 박차를 가하는 의성군!

17   민가 거리, 은밀한 골목 (낮)

주변을 경계하며 골목으로 들어서는 장옷 두른 황귀인.
황귀인, 골목 끝에 서 있는 수하2에게 얇은 대나무통을 건넨다.

황귀인   의성군이 계룡산에 당도하기 전에 전달돼야 할 것이다. 서두르거라.
수하2   (충성스럽게 숙이더니 급히 간다)

18   대비전 침전 (낮)

차를 마시고 있는 자리.
대비, 태소용, 윤수광, 형조참판이 앉아 있다.

형조참판	(문서를 건네며 살짝 생색) 형조와 성균관의 기록을 싹 다 뒤져서 찾은 박경우에 대한 정보입니다.
태소용	(문서 품으며) 어머!! 이 귀한 것을~~
대비	보검군이 실력은 좋은데 지지해주는 대신들이 없어 내 직접 짝을 지어준 것인데 이리 직접 보니 참으로 보람찹니다. 그간 너무 불공평하지 않았습니까?
윤수광	보검군께서 이번 과제를 통과하시면 저희가 더 바빠지겠습니다.
대비	(웃으며 끄덕인다)
태소용	저희 모자~ 성심을 다하여 여러분의 기대에 부응할 것이옵니다~!
대비	내 태소용과 차담을 더 즐기고 싶지만 빨리 움직이셔야겠지요~?

19   중궁전 침전 (낮)

평화롭게 앉아 자수를 놓고 있는 화령.
꽤 능란한 솜씨로 모란을 수놓고 있는데 거의 완성된 상태.

신상궁	후궁들의 움직임이 심상치 않사옵니다...
화령	(자수에 집중하고)
신상궁	마마... 어찌 이리도 태평하십니까?
화령	이 와중에 무슨 자수나 놓고 있냔 말이지?
신상궁	(이판사판) 예 마마! 의성군의 뒤엔 영상대감과 조정 대신들이 있고 대비마마께 줄을 댄 신료들은 보검군 쪽으로 움직이기 시작했습니다!
화령	(바늘 쭉 뽑으며) 그럼 대소 신료들 좀 불러와. 우리 대군들 뒷배 돼달라고 청탁 좀 하게~ 아니면, 회유하고 겁박해서 권력남용 좀 해볼까? 그럼 되겠어?
신상궁	그렇다고 언제까지 이리 손 놓고 계실 작정이십니까?
화령	내가 손 놓고 있는 거로 보여~? (바늘 쭉 빼며 수놓는) 지금 하고 있잖아~ 눈에 빤히 보이게 저 난리들을 치는데 나도 뭐라도 해야지~

신상궁	(답답) 그럼 진짜 뭐라도 하셔야지요.
	지금 이 궁에서 원칙을 지키는 사람은 마마뿐일 것이옵니다!
화령	걱정 마~ (눈빛 변하며) 손해 보면서 원칙만 고수할 만큼 순진하진
	않으니까. 나도 믿는 구석이 있거든.

F.B 》7부 49씬. 중궁전 마당 (오후) 이어지며-

화령	정말 어려운 싸움이 될 거야. 자신 있느냐?
성남	자신 있습니다. 학문도 무예도 형님께 다 배웠습니다.
	왕세자 교육을 왕세자에게 받았으니 꽤 승산 있는 거 아닙니까?
	그리고. 저도 어머니처럼 승부욕 되게 강합니다.
화령	(훗) 좋다.
	택현으로 가면 네 스스로 왕재임을 증명해야 돼.
성남	각오하고 있습니다.
화령	대신!! 반칙 쓰는 것들은 내가 막을게.

현재 》여유 있는 표정으로 수를 놓는 화령.

신상궁	아니 그러니까~ 저들을 그냥 보고만 계실 작정이옵니까?
화령	원래 원칙 지키는 게 야로 쓰는 거보다 훨씬 어려운 거거든~
	야로 쓰는 것들이 더 부지런하고 성실한 건 내가 인정~!
	(실을 이빨로 툭 끊고, 자수를 마치는) 다 되었다~!!

20 궐내 거리 (낮)

빠른 걸음으로 이동하는 태소용.
손엔 얇은 대나무통이 들렸고, 옆엔 박씨도 따른다.

| 태소용 | (대나무통 꽉 쥔) 박경우에 대한 자료야. 이거 들키면 끝장인 거 알지? |
| 박씨 | 걱정 마세요~ 눈치 빠르고, 발까지 빠른 아이니~ |

들키지 않고 보검군께 전달할 겁니다~ (발견) 저기 저 아입니다!

박씨가 가리키는 곳을 보면 궁녀가 서 있다.
궁녀에게 다가가는 태소용, 이제 그녀를 만나기 몇 미터 전인데
그 앞에 뚝!! 나타나는 신상궁.
태소용, 화들짝 놀라 얼른 소매에 대나무통을 쏙 숨긴다.

21   황귀인 처소 (낮)

황귀인에게 서약서를 쓱- 내미는 숙의와 소의.

소의   충성을 맹세하는 서약서이옵니다~
황귀인   (쓱 읽어보더니 호롱불로 가져가 불을 붙인다)
숙의, 소의   (경악) 어머!!
황귀인   전 진심을 믿지, 이런 종이 쪼가리 따윈 믿지 않습니다.
            제게 두 분의 충심을 보여주세요.
숙의   어떻게 보여드리면 되겠습니까?
황귀인   영민군과 화평군은 경합을 포기하세요.
숙의, 소의   !!!!!!!
상궁   (E) 마마! 중궁전에서 신상궁이 들었사옵니다.
황귀인   (날카롭게 돌아보는데)

22   중궁전 곁방 (오후)

모든 후궁들이 모여 앉아 있다.
황귀인을 중심으로 한 간택후궁, 태소용을 중심으로 한 승은후궁.
그리고 작정한 듯 부드러운 눈빛으로 쓱- 둘러보는 화령.

화령   왕자들이 갑작스럽게 궁 밖으로 나가 경합을 치르게 됐으니

	다들 얼마나 놀라고 심려가 되십니까~?
황귀인	(대체 무슨 수작이지 하고 주시하는데)
화령	해서 빈들의 심신 안정을 위해 준비했습니다~
	(신상궁 본다) 상을 들이거라!!
숙의	(낮게) 다과상인가 봅니다~
옥숙원	(반색하는데)

문이 열리며 상을 든 궁녀들이 우르르 들어선다.
곧 상이 하나씩 후궁들 앞에 놓이는데
먹을 것은 제로. 바늘과 오색찬란한 실이 올려진 자수상이다.
뒤이어 병풍을 들고 오더니 촤라-락 펼치는 신상궁과 오상궁.
근데 병풍이 좀 이상하다. 틀만 있고 그림 없이 비어 있는데.

후궁들	(당황해 웅성웅성)
황귀인	중전마마. 이것이 다 무엇이옵니까?
화령	보시는 대로 자수 병풍입니다~ 각자 한 폭씩을 맡아 수를 놓으면 됩니다.
태소용	(미치겠네 증말) 한 폭을 전부 다요?!
화령	예~ 왕자들의 무사 귀환을 기원하는 우리 모두의 정성을 모아야지요~
	완성되면 동궁전의 새 주인이 될 왕세자에게 선물하고자 하니
	다들 성심을 다해주세요~
	빈들의 평정심을 회복하는 데도 도움이 될 것입니다.
태소용	(시간이 없어 초조한) 아니 중전마마.
	자수를 한다고 마음이 평안해지겠사옵니까?
화령	나는 되던데요~~ (신상궁 쪽 보면)
신상궁	(화령이 완성한 모란 자수를 촤-락 펼쳐 보인다)
후궁들	(헙!! 다들 놀라면)
화령	완성을 하고 나니 이 마음이 아~~주 평안해졌습니다~
	나라의 국본을 정하는 이 막중한 일에
	궁의 여인들도 뜻을 보태야 하지 않겠습니까~?
후궁들	(뜻은 좋으니 아무 말도 못 하는데)
황귀인	한 폭이 완성될 때까지 중궁전에 머물란 말씀이십니까?

화령	그렇지요~ (황귀인 상에서 실을 들어 침 발라 쓱 끼워주며)
	실이 모자라면 서로 주고받고~ 담소도 나누고~ (실 끼운 바늘 건네주며)
	얼마나 좋습니까~?
황귀인	(꼿꼿하게 보더니 미소로 받는다) 성심을 다하겠습니다.
화령	(미소)

태소용, 급히 박씨의 몸을 툭 친다.
소매에 든 대나무통 쓱 전달해주면 받아서 얼른 감추는 박씨.

박씨	(손 번쩍) 저기 마마~ 저는 무사 귀환을 기원할 자식이 없사옵니다~
화령	(미소) 주상전하의 자식은 다 같은 우리의 자식이지요~

박씨, 이상하게 설득력 있고. 슬그머니 태소용에게 대나무통 돌려준다.

화령	(쓱- 둘러보다가) 한데 고귀인이 안 보입니다~?
후궁들	(둘러보며 웅성웅성)

23   주막 마당 (오후)

난생처음 주막에 온 느낌으로 어리바리하게 평상에 앉는 심소군.

심소군	(목 가다듬는) 음음... 이..리 오너라...!

하자마자. 바로 국밥을 내오는 주모. 상 위로 뚝!!

심소군	(놀라. 국밥 한번 보고, 주모 한번 보며) 난 아직.. 주문을 안 했소.
주모	아, 국밥집에 국밥 아니면 뭐가 있어?! 뜨실 때 빨리 드셔.

심소군, 국밥에 든 선지는 좀 비호감이지만 냄새도 좋고. 배도 고프다.
막 한 입 뜨려는데 지나던 우락부락한 남자가 그만 그 손에 부딪히고 만다.

심소군	(한 입도 못 떴는데) 미안합니다...
남자	(멱살을 잡아 번쩍 드는) 사람 쳐놓고 죄송하다면 다야?!

남자, 심소군을 다짜고짜 어딘가로 끌고 가는데
잔뜩 놀란 심소군 얼굴 위로- [자막] 소심한 놈!

24   주막 뒤편 (오후)

"왜... 이러시..오?" 잔뜩 겁먹은 심소군 눈을 질끈 감았는데
너무 고요하다... 슬쩍 눈을 뜨다가 귀신이라도 본 듯 '헉!!!!'
눈앞에 고귀인과 우의정 서 있다.

심소군	어.. 어머니... 어떻게 여기 계십니까?

심소군을 보자 걱정했었던 듯 안도하는 고귀인. 그러나 티 내지 않고.

고귀인	(심소군의 흐트러진 옷을 바로 여며주며) 몸가짐이 단정해야
	어딜 가든 대우받는 것이다. 늘 옷매무새를 정돈하거라.
심소군	예...
고귀인	네가 왕세자에 한발 더 다가서려면
	다른 왕자들보다 열 발은 더 앞서야 한다. (쓱 우의정 보면)
우의정	누구에게 가십니까?
심소군	(고귀인의 눈치를 보는데)
고귀인	('말해도 돼' 하듯 고개 끄덕인다)
심소군	(그제야) 서함덕입니다.
우의정	(자료 중 하나를 건네는) 그와 관련된 자료입니다.
심소군	(머뭇댄다. 안 받고 고귀인 쳐다보며) 규칙에 어긋나는 거 아닙니까...?
고귀인	(자료 쥐여준다) 딴 사람들이라고 이 어미와 다를 것 같으냐?
	똑같아. 다들 뒷구멍에서 할 거 다 한다구!

심소군	그래두...
고귀인	시끄럽다!! 이제는 주막과 역참에도 들리지 말고, 쉼 없이 가거라!
	네가 다른 왕자들을 이길 수 있는 방법은
	한 식경이라도 빨리 도착하는 것뿐이다. (남자에게 눈짓한다)
남자	(지도 위 두 갈래 길에서 왼쪽 샛길을 가리키며) 안읍을 가로질러 가는
	이 지름길로 가시면 계룡산에 반나절은 먼저 당도하실 수 있을 겁니다.
심소군	(소심하게 끄덕인다)
고귀인	(비장) 난 내 모든 걸 너에게 걸었다. 절대 이 어미를 실망시키지 말거라.

25   중궁전 복도 (오후)

화령, 오상궁에게 지시한다.

화령	고귀인이 도착하면 바로 보고하거라. 한시도 자리를 비워선 안 된다.
오상궁	(결연) 예, 마마.

화령, 신상궁과 함께 복도를 빠르게 빠져나간다.

26   중궁전 곁방 (오후)

태소용, 조심스럽게 문 앞으로 다가가 쓱— 문을 여는데
오상궁과 눈이 딱!! 마주친다.

태소용	(놀랐는데 안 놀란 척) 내 소피가 마렵네.
오상궁	옆방에 설기(요강)가 마련되어 있습니다. 급하시면 다녀오시지요~
태소용	(철벽이네) 됐네!

획!! 돌아와 앉는 태소용. 소매에 든 대나무통을 보자 미치겠는데.

| 박씨 | (낮게) 차라리 자수를 빨리 끝내세요. 그럼 여기서 나갈 수 있습니다~ |
| 태소용 | (오!!) |

태소용, 이때부터 정신없이 자수를 놓기 시작하는데
황귀인은 손 하나 까닥 안 하고 여유롭게 차를 마시고 있다.

문소원	(손목도 아프고) 아니, 말이 좋아 자수지 감옥이 따로 없습니다.
옥숙원	대체 자수는 왜 갑자기 하라시는 건지...
황귀인	(차 음미) 중전마마께서 우리 모두의 손발을 묶어놓으신 게지요.
태소용	(손으로는 급히 자수하며) 아~~ 손발이 안 묶이셨으면 뭐라도 하려고
	하셨나 보다~~ 아침에도 어디 다녀오시는 거 같던데~?
황귀인	(조소) 태소용, 많이 한가하십니까?
태소용	전 한가할 시간 없습니다~ 하도 여기저기서 불러대서~
문소원	맞다~ 태소용 마마. 아침에 대비전에선 무슨 얘길 나눴습니까?
태소용	그냥 차담을 나누었지요~~~ 앞으로도 자주 들리라 하시던데요.
황귀인	(거슬리고)
옥숙원	어머. 대비마마께서 보검군을 염두에 두고 계신 거 아닙니까?
태소용	(들으라는 듯) 뭐~~ 우리 보검군이 워낙 영특하니
	어렸을 때부터 예뻐는 하셨지요~
황귀인	태소용... 대비마마의 관심 한 줌 얻었다고 경거망동하고
	(옥숙원 쪽 보면서) 부화뇌동하시는군요.
태소용	(못 알아듣고 입 삐죽) 한 줌이 될지 한 덩이가 될지 모를 일이지요~
황귀인	(찻잔을 잡은 손에 힘이 꽉 들어가는데)
태소용	참~~ 영민군과 화평군은 경합을 포기한 것입니까?
숙의, 소의	(일제히 황귀인 눈치를 본다)
태소용	어머! 포기한 거 맞나 보네~ 왜요?
숙의, 소의	......
태소용	(피식. 다시 자수하며) 그리고 보니~ 장성한 왕자들도 포기하는 마당에
	어린 호동군이 경합을 계속 이어간다는 게 정말 대견합니다~~
옥숙원	(감명하여 울먹) 하루에도 다섯 끼를 먹는 우리 호동군이
	저자에서 어찌 연명하나 걱정만 했는데~

이리 큰 뜻을 품었을지 누가 알았겠습니까~~?

27   들판 (오후)

경단 꼬치 뽑아 먹으며 해맑은 호동군.
총총총 당나귀를 타고 일영과 이동한다.

일영   (해맑) 호동군~ 넌 세자가 되고 싶으냐~?
호동군   (경단 씹으며) 전 그냥 맛있는 거 잔뜩 먹고 들어가려구요~!!
            형님은요? 형님은 세자가 되고 싶으십니까?
일영   난 나온 김에 문필 선생님을 만나 뵙고자 한다~
호동군   그게 누군데요~?
일영   내 우상이시다~ 조선 최고 천문 박사시니라!
호동군   그럼 경합에 참여 안 하시는 겁니까?
일영   어 난 개성으로 갈 거야~ (진심) 너도 같이 가겠느냐?
호동군   (고개 젓는)
일영   그래. 알아서 하거라~
            (가며 혼잣말) 거기 개성만두가 엄청 유명하던데... 아쉽게 됐네.
호동군   (바로 따르며) 방금 만두라 하셨습니까 형님~?
            아~~ 촉촉한 만두피를 한입 깨물면 찐~한 육즙이 와르르르~~~

[자막] 그냥 어린 애들!

28   동궁전 마당 (오후)

둥둥둥 북소리 울리는 가운데
'營繕君, 和平君' 호패를 빼내는 영민군과 화평군.
이제 남은 호패는...
成枏大君, 啓晟大君, 武斫大君, 義聖君, 寶芺君, 心昭君, 日映大君, 好瞳君, 南玹君.

[자막] 성남대군, 계성대군, 무안대군, 의성군, 보검군, 심소군, 일영대군, 호동군,
남현군

29   산길 (오후)

"으랴!!" 말을 타고 달려가는 보검군.
그런데 수풀 속에서 그 모습을 쓱- 쫓는 시선.
화살까지 겨누고 있는데... 화살촉이 붉은색이다.
이억근, 수신호 하면 보검군을 그냥 보내는 복면의 도적들.

30   산 초입 → 산길 (오후)

야생마를 타고 달려가는 성남. 박차를 가한다.
어느새 보검군이 지났던 길을 지나는 성남.
역시나 성남에게도 겨눠지는 붉은 촉의 화살들.
"팽!!" 그런데 이번엔 성남을 향해 연사된다!!
한 발은 성남의 볼을 스쳐 나무에 확 꽂히는데.

성남   !!!!!

순간, 말에서 내려 바위 뒤에 몸을 숨기는 성남.
화살이 날아온 쪽을 보면, 성남을 향해 활을 겨눈 도적들이 보인다.
그때 반대편 숲속에서 날아든 화살이 도적들을 맞힌다!!
"윽" 쓰러지는 도적들! 누군가 자신을 돕고 있다는 것을 눈치채는 성남.
숲 쪽을 보지만, 사람의 모습은 보이지 않고.
그렇게 도적 떼와... 보이지 않는 무리의 교전이 이어지는 가운데
그 틈을 타 도적 떼의 진영에 들이닥치는 성남!!

환도를 들고 달려들면, 도적들도 "악!!" 달려든다.
육탄전이 벌어지면, 반대편에서 날아들던 화살도 멈춘다.
베고, 피하고, 배를 발로 차며 도적 몇몇을 처리하는 성남.
그런데 성남의 등 뒤에서 검을 치켜드는 이억근.
또다시 반대편 숲에서 화살이 날아와 이억근을 맞힌다. 윽 쓰러지고.
성남, 기세를 몰아 도적들을 몰아붙이자
부두령(*눈 밑 상처)을 비롯한 몇 명의 도적들은 숲으로 급히 도주한다.
그러나, 더 이상 지체할 시간이 없고!!
자신을 도왔던 숲 쪽으로 가보지만, 모두 자취를 감춘 상태.

성남   (큰 소리로) 누군지는 모르겠으나, 고맙습니다.

잠시 보더니 돌아서는 성남, 곧 야생마에 올라타 박차를 가해 출발한다.
성남이 사라지자 숲에서 모습을 드러내는 무사들(청색 도복).
무사1, 두 조로 나뉜 무사들을 통솔한다.

무사1   (A조 보며) 대군의 뒤를 따르거라.
           신변은 호위하되 절대 개입해선 안 된다.
A조   예!! (숙이더니 급히 이동한다)
무사1   (B조 본다) 나머진 증좌를 확보하고, 시신을 처리한다.

무사들 붉은 촉의 화살을 집어 들고 도적들의 몸을 수색하는데
무사2가 이억근의 복면을 벗기더니 놀란다.

무사2   이자는 도적 이억근입니다.

31   몽타주 _ 왕자들의 질주 (오후)

      # 들판
      "으랴!!" 박차를 가하며 질주하는 성남, 결연한 표정.

대동여지도 → 교차로
펼쳐지는 대동여지도, 계룡산의 거리는 만월도의 두 배.
곧 그 속으로 빨려 들어가면 전속력으로 질주하는 의성군 보인다.
두 갈래로 나뉜 교차로가 나오자 오른쪽 길로 들어서는 의성군.
얼마 뒤, 계성도 오른쪽 길로 들어서며 박차를 가한다.

산길
말을 타고 질주하는 의성군.
그런데 같은 방향으로 말 달리는 수하2, 의성군에게 바짝 다가서더니
얇은 대나무통을 은밀히 전해준다.
받아 드는 의성군, 더욱 박차를 가해 앞질러 간다. 비장한 눈빛.

만월도 노둣길
바닷길을 통해 만월도로 들어서는 보검군!!

32   산길 (오후)

잘 가다가 갑자기 멈춰 서는 말. 당황하는 심소군.

심소군   왜.. 안 가는 것이냐..? 가자... 어?

고삐를 쳐봐도 말이 꼼짝을 않자, 말에서 내려서는 심소군.
그때 어둠 속에서 나타나는 산적들.

산적1   (말 허벅지를 만지작거리고) 어이구, 말이 아주 기냥 실하네~
심소군   (잔뜩 겁먹고 뒤로 물러서며) 네.. 네놈들은 누구냐...?!
산적2   누구긴. (봇짐 뒤져 염낭 꺼내며) 보면 모르냐?
심소군   (품에서 마패 꺼내 내밀며) 네.. 네 이놈들! 난 어사다! 당장 물러서거라!!
산적1   (놀리며 마패 달라고 손짓) 어 그래. 그것도 내놔봐~ 돈 좀 되나 보자.

심소군	(겁먹고 뒤로 물러서며) 물.. 물러서라 하였다!
산적1	(마패를 확 빼앗더니 약 올리는) 아이고~~ 예, 예~ 어사나리~ 그러믄입죠~~ 쉰네들은 이만 물러섭니다요~~

껄껄대며 뛰어가는 산적 떼들.
심소군 용기 내어 따라가는데. 획!! 도는 산적1. 흠칫하는 심소군.

산적1	(바닥에 옛다. 엽전 한 개 던져준다) 국밥 사 먹어~~
심소군	(울 것 같은 얼굴로 망연자실)

33   혜월각 대문 앞 (오후)

까치발을 들고 담 너머를 힐끗 보고 있는 무안.

무안	초월아~~ 내 먼 길 떠나기 전에 널 보러 왔느니라! 초월아!!
기생1	(다가서며) 어머 도련님!! 초월이 소식 듣고 오신 겝니까?
무안	(소식? 돌아보면)
기생1	잘 오셨습니다! 초월이 좀 말려주십시오.

34   행수 방 (오후)

신중한 눈빛으로 행수 앞에 앉아 있는 초월.

행수	안 된다질 않느냐! 네가 하도 졸라 악기를 다루는 것까진 허락했지만 기생은 안 된다.
초월	(물러서지 않는 눈빛) 전 이미 마음을 정했습니다.

35   혜월각 대문 앞 (오후)

평소와 다른 표정의 무안, 기생1을 보는데.

기생1　도련님 말씀은 들을 것이니 초월이를 만나서 마음을 좀 돌려주십시오.
무안　(충격...) 초월이가 기생이 된다 했다고...?

36　중궁전 곁방 (오후)

당황한 표정의 고귀인, 앞에 놓여 있는 자수상 본다.

고귀인　(헙!) 그럼 이걸 다 끝내야 여기서 나갈 수 있다는 말씀이시옵니까?
화령　예~ 고귀인께서는 시작이 늦었으니 더 서두르셔야 할 겝니다. (미소)
고귀인　(뜨끔!! 웃고 있으니 더 무섭고)

화령, 나가며 쓱- 보는데
여유롭게 차나 마시고 있는 황귀인이 보인다.

화령　황귀인께서는 왜 자수를 하지 않으십니까?
황귀인　도무지 머릿속에 그림이 그려지지 않습니다.
　　　　동궁의 새 주인에게 어떤 것이 어울릴지 잘 떠올려지지가 않사옵니다.
화령　어려워서 시작하지 못하는 게 아니라
　　　　시작을 안 하니 어려운 것이 아니겠습니까?
황귀인　시작하고 마무리를 짓지 못한다면 무슨 의미가 있겠습니까?

화령과 황귀인 팽팽하게 마주 보는데
그때 사색이 된 오상궁이 다급히 들어선다.

오상궁　중전마마... (화령에게 속삭이듯 뭔가를 보고한다)
화령　(!!!!! 굳은 얼굴로 황급히 나간다)
황귀인　(뭐지?! 나가는 화령을 날카롭게 보는데)

태소용	(화령 나가자마자 박씨 툭 친다)
박씨	고귀인 마마께선 어딜 다녀오셨습니까~?
고귀인	아... 부친께서 몸이 안 좋다는 소식을 듣고 급히 사가에 다녀왔습니다.
태소용	(의심의 눈초리로 보며) 정말요?

37 만월도, 갯벌가 (오후)

백합(白蛤)이 가득 찬 소쿠리를 들고 걸어가는 도민들.

보검군	(다가서며) 이 섬에 박경우란 사람이 있는가?

도민들 수군댄다.
"설마 또 효명(曉冥) 선생님 모시러 온 거 아녀?", "쉿!! 조용해..."

약장	(나서며) 무슨 일 때문에 그러십니까?
보검군	어명으로 그분을 모시러 왔네.
도민들	(모시러 왔다는 말에 심란해지는 얼굴들)

38 편전 내부 (오후)

부복한 내금위장이 이호에게 보고하고 있다.

이호	대체 누가 성남대군을 습격했단 말이냐?!
내금위장	이억근이라는 자가 이끄는 도적패이옵니다.
	(화살을 건네며) 이 붉은 촉의 화살도 그들을 나타내는 표식입니다.

39 중궁전 침전 (오후)

화령 앞에 부요가 부복해 있다.

화령	해서 도적의 습격이라는 것이냐?!
부요	예. 현장에서 두령 이억근의 시신이 발견되었사옵니다.
화령	내금위 군사들이 아니었다면 성남대군이 목숨을 잃을 뻔했어!!
	(눈빛 매서워진다) 이건 단순 도적패의 짓이 아니야...

40   만월도 건너편 (오후)

막 도착한 성남, 일순 굳어버린다...!
보면, 바닷물이 차오르며 만월도로 가는 유일한 길이 사라지고 있다.
군졸들이 통행을 금하기 위해 바리케이드처럼 그 앞을 막고 있다.

군졸2	(경계) 위험하니 저리 가시오!!
성남	(잠시 생각하더니, 방향을 틀어 급히 달려간다)

41   나루터 (오후)

도착해 급히 나루터를 돌아보는 성남.
그런데 이상하다. 배가 여러 척 보이지만 모두 묶여 있는 것!
옆에선 사공과 어민들이 실랑이 중이다.

어민1	아니 배가 없는 것도 아니고, 물살도 잠잠한데 잠깐 좀 가자니까...
사공	아, 몇 번을 말해. 오늘은 못 간다니깐 그러네...!
어민2	(미치고 팔짝) 못 들어가면 우리는 어쩌란 말이오!!
성남	(보다가) 관아에서 출항 금지를 내린 것인가?
사공	(뜨끔) 예? 아, 아니 아무튼 오늘은 못 나가니 그런 줄 아슈!!

하더니 사공 급히 자리를 뜨는데 누군가를 의식하며 걸어간다.

그곳엔 수하1이 서 있는데...!

42   만월도 건너편 (오후)

군졸들 바리케이드 옆에 서 있는데, 어디선가 들려오는 말발굽 소리.
전속력으로 달려오더니, 바리케이드를 뛰어넘는 성남!

군졸2   (경악) 이봐요!! 그러다 죽어요 죽어!!!

43   만월도 바닷길 (오후)

바다 위를 달리듯 물길을 가르는 성남. 질주한다.

화령   (E) 형의 자리를 대신할 수 있겠느냐?
네가 세자가 되어야 한다는 얘기다.

말고삐를 꽉 움켜쥐는 성남. "으랴!!" 사활을 건 듯 물길을 가로지른다.

44   만월도 언덕, 거적서당 (오후)

맹인 지팡이를 짚고 바닥에 앉아 있는 박경우.
펼쳐진 거적 위엔 연지와 소년1이 앉아서 산가지로 계산을 하고 있다.

연지	(마지막 산가지를 딱 놓으며) 다 풀었습니다~!
박경우	(손으로 짚어 산가지 답 확인하는) 옳지! 잘 풀었구나 훌륭하다.
연지	(신나고!!)
박경우	자 이번엔 백 단위와 천 단위를 놓는 법을 알려주겠다. 산가지를 스무 개 준비해보거라.
연지	(당황)
소년1	(킥킥) 스승님!! 연지는 산가지함을 잃어버려서 산가지가 더 없대요~~
연지	(부끄럽고. 삐침) 그걸 왜 말해?! 흥. 치.
박경우	(미소로) 이거 큰일이구나. 산가지가 없으면 놓는 법을 어찌 알려줄꼬.
보검군	(시 읊듯) 일은 세로로, 십은 가로로, 백은 서고, 천은 넘어지네.

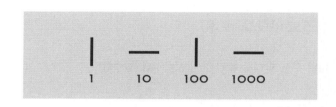

박경우	(서늘한) 당신 누군데 내 수업에 끼어들어?!
보검군	선생님을 모시러 온 어사입니다. 거적이 길 위에서 펼쳐지면 서당이 되는 풍경도 꽤 의미 있지만 나라를 위해 힘을 기울이시는 건 어떠시겠습니까?

걸어 올라오다가 그들을 보고 일각에 멈춰 서는 성남.
박경우, 반존대하며 날카롭고 날 선 느낌으로 대사한다.

보검군	(교지를 펼친다) 박경우는 들으라. 내 너를 호조판서에 임명하니 즉시 교지를 받들고 가마에 올라 입궁하라.

[자막] 호조판서: 국가의 재정을 관장한 정2품 장관

박경우	(조소) 호조판서요? 허.
보검군	어명입니다.

박경우   어명은 지랄. 당신한테나 왕이지 나한텐 왕 아니야!!!

모두 지켜본 성남은 '만만치 않겠구나...' 하는 표정.

45   궐내 집무실 (오후)

집무실엔 황원형, 윤수광, 우의정, 이판, 형판 등이 있는데.
독기 서린 눈으로 쾅!! 서안을 내리치는 황원형.

황원형   호조판서라니요?!
우의정   아니! 임금이 싫다고 떠난 자를 호조판서에 임명한다는 게 말이 됩니까?
윤수광   게다가 역적 서함덕은 어영대장입니다!
          병판인 나와 상의도 없이 어영대장에 임명하다니요!!

          [자막] 어영대장: 수도를 수비하고, 국왕을 호위하던 어영청의 수장

윤수광   (불안에 떨며) 막아야 합니다!!
          특히 서함덕은 절대 궁으로 들여선 안 됩니다!
황원형   그 무슨 소리십니까?!
          의성군이 세자가 되려면 그자를 입궁시켜야만 합니다!
윤수광   (이 악물며 낮게) 서함덕의 가문을 몰살시킨 게...
          이판과 저라는 걸 잊으셨습니까?!
이판   영상대감 이리 가만히 계실 겁니까?
          우리가 누구의 명을 받고 그 일에 앞장섰는데요...!
황원형   그거라도 하셨으니... 지금 그 자리에라도 있는 겁니다.
윤수광, 이판   ....!!!

그때 대전내관이 들어선다. 놀라는 대신들.

대전내관   영상대감, 주상전하께서 찾아 계시옵니다.

46   편전 내부 (늦은 오후)

서안 위로 붉은 촉 화살을 거칠게 내려놓는 이호.
그 앞엔 황원형이 서 있다.

이호   경은. 이것이 무엇인지 아는가?
황원형   (그 화살을 본다)
이호   (본다) 이건 경합을 수행 중인 성남대군의 목숨을 노린 화살이다.
황원형   전하... 지금 소신의 충심을 의심하시는 것이옵니까?
이호   내가 그 충심을 알기에 기회를 준 것이다.
        아니었다면 이딴 경합 없이 바로 적통대군을 국본에 앉혔겠지!!
황원형   기회라 하셨사옵니까?
        전하를 거부하고 떠난 이를 불러들여 나라의 경제를 맡기고
        역적 서경목의 아들을 어영대장에 앉히는 것이...!!
        바로 그 기회란 것이옵니까?
이호   해서 경은!! 이 화살에 대해서 전혀 아는 것이 없다는 것이냐?
황원형   어찌 주상전하를 모시는 충신이 대군의 목숨을 노렸겠사옵니까?
        감히 누가 그런 짓을 할 수 있겠습니까?
이호   (OL) 감히 누가!!! 대군의 목숨을 노렸는지는 내 반드시 밝혀낼 것이다.
황원형   예, 밝히시옵소서.
        진실은 마땅히 밝혀져야 되지 않겠사옵니까?
        태인세자의 일처럼 의문으로 남아서는 아니 되겠지요.
이호   (예민하게 반응하는 눈빛!!)
황원형   그날... 그 자리에 계셨으니 잘 아시지 않습니까?
이호   .....!!

47   동궁전 침전 (깊은 밤) (과거)

대비의 붉은색 당의를 움켜잡는 태인세자. 그 옆엔 조국영도 앉아 있다.
작게 열린 문틈으로 그 모습을 지켜보는 젊은이호.

48   동 복도 (깊은 밤) (과거)

얼어붙은 표정으로 문틈을 응시하는 젊은이호... 고뇌하듯 마구 흔들리는 눈빛.
그러나 곧 욕망이 내면의 두려움을 누른다.
이내 은폐하듯 문을 닫는 젊은이호.
죄책감, 스스로에 대한 혐오. 그러나 그 모든 것을 이기는 탐욕...
결국 소용돌이치는 감정을 내면에 봉인하듯 두 눈을 감는다.
그리고... 복도 끝에서 그 모습을 지켜보는 황원형!!

49   다시, 편전 내부 (늦은 오후) (현재)

이호   (매섭게) 지금 날 겁박하는 것인가?!
황원형   겁박이라니요 전하. 소신은 진실을 바랄 뿐이옵니다.
         그러니. 성남대군의 사건만큼은... 온 힘을 다해 밝히시옵소서.
         다만 그것이 대전에서 경합에 영향을 미치고자 하는 의도로 비춰질까
         걱정되옵니다. 진실은 때로는 만들어지기도 하니까요...
이호   ....!!!!

50   궐내 거리 (늦은 오후)

굳은 얼굴로 다급히 걸어가고 있는 화령.
신상궁을 비롯한 궁녀들이 그 뒤를 우르르 따른다.

51   편전 내부 (늦은 오후)

용좌에 홀로 앉은 이호 앞에 서 있는 화령.
그들 사이에 있는 서안 위에는 붉은 촉 화살이 놓여 있다.

화령   성남대군을 습격한 무리에 대한 조사를 중단한다 들었습니다.
이호   중단이 아니라 경합이 끝난 다음에 재개하겠다는 겁니다.
화령   경합이 끝난 다음이면 증인들을 모두 놓치고
        남아 있는 증좌마저 다 사라질 것입니다 전하.
이호   지금 증좌는 이 화살뿐인데, 수사를 강행하는 건 대신들을 자극할 뿐
        입니다. 경합에 영향을 주기 위한 의도라고 반발할 게 자명합니다.
화령   성남대군의 목숨을 노린 일입니다. 자식이 죽을 뻔했단 말입니다...!
이호   나도 그 아이의 아비입니다. 또한 이 나라 신하와 백성들의 아비이기도
        합니다. 조사를 안 한다는 것이 아니라 시기를 늦춘다는 거 아닙니까?
        그조차 이해하지 못하겠습니까 중전?!
화령   이해합니다. 백번 천번 이해합니다.
        하지만... 자식이 사지로 내몰릴 뻔했습니다. 한데 내 자식을 죽이려
        했을지도 모르는 놈들 때문에 주저하시는 겁니까?
이호   (본다) ......
화령   (한참을 보다가) 제 자식 하나 지키지 못하는 아비가
        어찌 백성을 지킬 수 있겠습니까...?
        전 내 새끼 건드린 놈들 가만두지 않을 겁니다.

화령, 걸어와 서안 위에 놓인 화살을 집어 든다.

화령   중전으로서가 아니라 아이들의 어미로서 하는 일이니
        대전에는 피해가 없을 겁니다.

화살을 움켜쥔 채 등을 돌리며 내려가는 화령.
화령의 뒷모습을 복잡한 심경으로 바라보는 이호.
서운함과 분노... 스스로에 대한 자괴감으로 괴로운데.

52   검시소 근방 거리 (해 질 녘)

　　　화살을 움켜쥔 채 빠르게 걸어가는 화령, 뒤로는 부요와 신상궁이 따른다.

53   검시소 (해 질 녘)

　　　이억근과 도당들의 시신이 줄지어 누워 있다.
　　　그 사이를 걷는 화령. 부요와 신상궁, 검시관이 뒤를 따른다.
　　　매의 눈으로 시신들을 살피던 화령.
　　　이억근 시신 옆을 지나가다가, 이상한 낌새를 느끼고 돌아선다.

화령　　저자의 목은 왜 부어 있는 것이냐?

　　　보면, 이억근의 목이 다른 시신에 비해 부어 있는 모습.

검시관　(본다. 자신도 놀란) 어?! 검시 중엔 저렇게 부어 있진 않았사온데...
화령　　확인해보게.

　　　검시관, 긴 핀셋으로 이억근의 목구멍에서 무언가를 빼내면 구겨진 종이 뭉치다.

검시관　아무래도 이물질이 수분을 먹고 부풀어 오른 듯싶사옵니다...

　　　화령, 검시관이 들고 있는 종이 뭉치를 뺏듯이 들어 펼쳐 보는데...!!
　　　먹물이 번져 있고 심하게 훼손되어 있지만 분명 성남대군의 모습이다.

신상궁　(경악) 이건 성남대군의 용모파기가 아닙니까?!
화령　　(시신들을 매섭게 본다. 확신) 이들은 단순 도적패가 아니야.
　　　성남대군의 목숨을 노린 게 분명해...!!

54　만월도, 고지대 (해 질 녘)

지팡이 짚으며 걸어가는 박경우. 그 뒤를 따르는 보검군.

박경우	돌아가시오! 귀찮게 하지 말고.
보검군	임무를 완수할 때까지는 돌아가지 않을 것입니다.
박경우	(멈춰 서며 혼잣말) 간신배들의 힘을 빌려 왕이 됐으면 그걸로 끝이지 이제 와서 뭘 해보겠다 난리야?
성남	(E) 그러게나 말입니다.

박경우와 보검군, 소리 나는 쪽을 보면 성남이 다가온다.

박경우	당신은 누구요?! 설마 또 어사요?
성남	예. 어명을 피륙에 담긴 개똥보다 못하게 여기시는 분이라 어사를 두 명이나 보내셨나 봅니다.
보검군	하지만 저희 중 한 사람의 교지만 받으셔야 합니다.
박경우	허! 어사들끼리 경쟁하시오? 됐고. 두 명이 아니라 어사 백 명이 와도 난 안 갑니다.
성남	주상전하와 막역지우로 뜻을 함께했다 들었습니다. 한데, 서자 출신이라는 이유로 왕위에 오르는 걸 반대하셨다지요? 뜻보다 당파의 논리가 더 중요했던 것입니까?
박경우	당파? 좌가 아니면 우로 나누는 건 당신들 편견일 뿐이고.
성남	당파와 이념을 따지지 않는다는 분이 대체 왜 어명을 계속 거절하시는 겁니까?
박경우	난 눈깔이 양쪽 다 뵈는 게 없거든요. 이런 내가 궁궐 단청을 구경해 봤자 무슨 분별을 할 수 있겠소. 그러니 가서 전하시오. 눈이 멀어서 호조판서가 아니라 별감 나부랭이도 못 하겠다고.
성남	선생님께서 볼 수 있다는 걸 증명하면요?
박경우	(본다)
성남	만약 증명한다면. 제게 3일의 시간을 주십시오.

박경우   (조소) 그러시든가. 근데 증명 못 하면 어쩌시겠소?

성남   이자와 함께 이 섬을 떠나겠습니다.

보검군   (반응!!) 아니 왜 저까지... (하는데)

획 검을 뽑아 박경우의 눈앞에 겨누는 성남.
그러나 눈 하나 깜짝 안 하는 박경우.

성남   (마치 패배를 인정하는 것처럼) 제가 졌군요. 약조한 대로 떠나겠습니다.

하더니, 갑자기 다다다 뛰어 절벽 아래로 뛰어내리는 성남.

박경우   (!!!!!) 무슨 짓이오?!!

경악해 달려가는 박경우, 아래를 보면 절벽을 뚫고 나온 나무가 있다.
그 나무를 한 손으로 움켜쥔 성남!! 온 힘을 다해 붙잡고 있다.

박경우   (기막혀서 순간적으로) 허...!!

성남   미친놈을 보니 두 눈이 뜨이셨습니까?

박경우   (어이없는) 보지 못하는 놈한테
         눈에 뵈는 게 없는 놈들이 찾아왔구만. 에라이.

잠시 보다가 지팡이 짚고 가버리는 박경우.

성남   (점점 힘이 빠지는데) 설마 안 구해주는 거냐?

잠시 보지만 그냥 가버리는 보검군.
꺾일 듯 우둑거리는 나뭇가지.
성남의 발이 미끄러지며 절벽 아래로 돌까지 구르는데! "야!!"

55   황원형 사랑채 방 안 (밤)

보료에 앉은 황원형, 그 앞에 앉아 있는 수하1.

황원형   부두령이 잠적했다니 그게 무슨 소리야?!
수하1   그놈들이 성남대군의 목숨을 노린 것은 사실인 듯합니다.
황원형   우린 강도로 위장해 시간만 지체하라 하지 않았더냐?!
수하1   중간에 누가 끼어든 게 아닌지 의심되옵니다.
황원형   대체 누가 끼어들어 일을 이리 망쳤단 말이냐?!
             이러다 내가 다 뒤집어쓰게 생겼어...!!
수하1   (푹 숙인다) 송구하옵니다.
황원형   무슨 수를 써서라도 부두령을 찾아내거라!
             반드시 끼어든 놈이 누군지 밝혀야 한다.

56   중궁전 곁방 (밤)

발칵 문이 열리며 들어서는 화령.
붉은 촉 화살을 들고 후궁들 앞에 우뚝 선다.

화령   (화살을 보여주며) 혹시 이 화살의 존재를 아는 이가 여기 있습니까?
후궁들   (웅성웅성. 대부분 모르겠다는 얼굴)
화령   난 이번 경합에서 왕자들이 다치고 상처받는 일만은 없길 바랐습니다.
            그런데 누군가 경합 중인 성남대군의 목숨을 노렸습니다.
            이억근이라는 놈이 이끄는 도적패의 짓이지요.
            조사 중이니 배후도 곧 드러날 겁니다. 그 잔당들을 잡았거든요.
황귀인   (순간 미세하게 흔들리는 눈빛)
화령   (그 눈빛을 포착한다. 보다가) 오늘은 그만하겠습니다. 다들 돌아가세요.

57   중궁전 복도 (밤)

모든 후궁들이 빠져나가는데. 태소용은 빛의 속도로 사라진다.
나머지 후궁들은 돌발 상황에 웅성인다.
그러면서도 서로를 의심하는 모습을 보이는데.

소의　　대체 누가 성남대군을 죽이려 했단 말입니까?
숙의　　(낮게) 혹시 고귀인 짓 아니에요? 아까 밖에 나갔다 왔잖아요!
소의, 숙의　　(일제히 고귀인 쪽 보는데)

그런데 막상 고귀인은 황귀인 쪽을 의심의 눈초리로 본다.
다급해 보이는 황귀인 빠르게 복도를 빠져나간다.

58　중궁전 곁방 (밤)

모두가 빠져나간 곁방에 화령이 앉아 있고
그 앞에 신상궁과 오상궁, 부요가 앉아 있다.

오상궁　　마마... 기껏 잡아뒀는데 저리 풀어주면 또 일을 꾸밀 수도 있사옵니다.
신상궁　　(속상해 미치겠고) 그리고 화살은 왜 보여주셨사옵니까?
　　　　제가 범인이면 남은 증거까지 찾아 다 없앨 것이옵니다.
화령　　내 그리하라고 보여준 것이다.
신상궁　　예-에?
화령　　결국 화살에 대해 아는 자가 있다면
　　　　내가 어디까지 알고 있는지, 가지고 있는 증거가 더 있는지 궁금할
　　　　테니까. 해서 이억근 잔당들을 잡았다고 거짓 정보를 줬어.
부요　　그럼 후궁들도 일부러 풀어주신 것이옵니까?

59　궁 밖 거리 (밤)

일각에 몸을 숨긴 채 기다리는 부요.

그때 궁녀1이 쓰개치마를 두르더니 긴박히 이동한다.

화령　　(E) 그래. 제일 먼저 궁 밖으로 나서는 자가 있다면
그자가 자네를 범인에게 안내할 거야.

60　　황원형 사가 앞 (밤)

주변을 두리번거리던 궁녀1이 급히 대문 안으로 들어간다.
그 모습을 지켜보는 부요.

화령　　(E) 도망친 잔당들을 찾는 일도
거기에서 실마리를 찾을 수 있을 것이다.

61　　만월도, 박경우 집 마당 (밤)

사방에 널린 건어물들이 눈에 띄는 허름한 초가집.
박경우, 툇마루에 지팡이 놓고 올라서는데...

성남　　(옷에 묻은 흙 털며 신발 벗는) 이 방을 쓰면 됩니까?

박경우 소리에 돌아보면, 이미 곁방 문을 열고 들어가는 흙투성이 성남.
털컥! 문이 닫힌다. 허!! 어이없는 박경우.

62　　동 곁방 (밤)

보검군, 이미 짐과 갓은 각 잡아 정리해놓았고
이불을 바르게 깔고 있다. 먼지까지 털어내며 깔끔을 떠는데
흙 털며 들어서는 성남, 짐은 바닥에 툭 던지더니 쳐다본다.

성남   보검군. 진짜 안 구해줄 줄은 몰랐다?

보검군   (겉옷 벗어 정갈히 개며) 득실을 따져보았습니다.

        한데 형님을 구하지 않는 것이 제게 더 득이 되더군요.

성남   (옷 벗어 던지며) 넌 사람이 죽게 생겼는데 득실을 따지냐?

보검군   절벽 아래로 뛰어내린 건 형님의 선택이 아닙니까?

        또한. 제가 형님을 구해드리면 누구의 도움도 받아선 안 된다는

        경합 규칙을 어기는 것이 됩니다.

성남   (나머지 옷 벗어 획획 던지더니) 그렇게 깐깐하게 따지는 놈이

        은근슬쩍 묻어 가냐?

        박경우가 볼 수 있다는 걸 증명한 것도 나고.

        (자리 잡고 삐딱하게 앉으며) 삼 일의 시간을 얻어낸 것도 나야.

보검군   (대꾸도 하지 않고 갠 옷을 한쪽에 놓는다)

        성남, 책꽂이에서 산학계몽(算學啓蒙) 꺼내 들더니 펼치는데

        후!! 호롱불을 꺼버리는 보검군, 눕는다.

성남   (까칠) 뭐야?

보검군   (이불 단정히 덮고) 전 해시(21~23시) 전엔 자야 합니다. (눈 감는)

성남   (베개를 획 던져 방문을 연다. 다시 서책 본다)

보검군   (달빛 훤하고, 바람 들고) 뭡니까?!

성남   난 해시 전엔 자본 적이 없어서.

보검군   춥습니다.

성남   난 더워.

보검군   (허! 잠이 다 깨버리고)

성남   (산술서 넘기며) 박경우 선생 취향 한번 독특하네...

보검군   (누워서 한동안 보다가) 근데 왜 삼 일입니까? 대체 무슨 계획이십니까?

성남   (눈은 서책에) 계획? 그딴 거 없는데.

        어차피 우리한테는 삼 일밖에 없어. 그 전에 뭐든 해봐야지.

        (고개 틀어 보검군 보는) 근데 니 계획은 뭐냐?

보검군   (획 돌아눕는다)

성남   하여간... 진짜 안 맞아.

63   중궁전 침전 (밤)

부복한 부요, 화령에게 보고한다.

부요   마마. 영상대감 쪽에서도 부두령을 쫓고 있사옵니다.

화령   쫓고 있다고?! 그럼 그들 사이가 틀어졌다는 얘기가 아니냐?
          부두령을 찾아야 실마리가 풀릴 것이다.

부요   하온데 완전히 잠적해버려서 행방이 묘연하옵니다.

화령   (잠시 생각) 그렇다면 영상대감의 수하들이 사냥개가 되어줄 것이다.
          우린 그 뒤만 쫓아도 부두령을 찾아낼 수 있어.
          하지만 반드시 우리가 먼저 그자를 손에 넣어야 한다...!!

64   박경우 집 마당 (이른 아침)

조기 대가리가 바닥으로 툭 떨어진다!!
막 방에서 나와 서던 성남과 보검군이 놀라서 보면
새끼줄에 줄줄이 엮은 조기 세 마리 중 한 마리의 어두를 잘라낸 박경우.

박경우   하루 지났소이다. (하더니 조기의 몸통까지 새끼줄에서 빼버린다)
           요 생선들이 다 빠지면 나가시오!!

차갑게 보더니 방으로 들어가버리는 박경우.
대롱대롱 매달려 있는 조기 두 마리. 성남과 보검군 조급해지는데.

65   만월도, 해안가 (낮)

어민들에게 인사하고, 다가서며 말도 시켜보는 성남.
그러나 어민들은 경계하는 모습으로 몇 마디 안 하고 쌩- 가버린다.
그때. 두세 명의 도민들이 백합 소쿠리를 들고 이동하는 모습이 보인다.

성남　　(친근하게 다가선다) 이 섬엔 백합이 이리도 많이 잡히는가?
도민1　　(경계) 예.. 지금이 제철입니다요...

한편, 갯벌에선 백합 캐는 도민들도 보이는데
그 사이 화려한 비단옷을 입은 여인이 쭈그려 앉아 백합을 캐는 뒷모습이
보인다.

66　　윤수광 사가 마당 (낮)

서찰을 손에 든 채 헐레벌떡 뛰어오는 두리. "대감마님!! 대감마님!!!"
무슨 일인가 나와 보는 윤수광과 고씨.

윤수광　　대체 무슨 일인데 이 소란이냐?
두리　　(숨차서) 아씨께서...!
윤수광　　(눈빛 변하며 급히 서찰을 가져와 펼쳐 보는데)

67　　만월도, 해안가 갯벌 (낮)

갈고리 호미로 갯벌을 긁으며 백합을 캐고 있는 청하.
진흙 사이에서 조개를 쏙쏙 골라내서 물웅덩이에 헹구자 백합이 모습을
드러낸다.
청하, 치마폭에 모아놨던 백합을 할매 소쿠리에 쏟아주자. 반색하는 할매!!
씽긋 웃으며 갯벌 위를 폴짝폴짝, 성큼성큼 걸어가는 청하.

청하　　(E) 아버님~ 늘 말씀하셨지요?

사내는 태어나 큰 뜻을 품을 줄 알아야 하고
무릇 여인은 그런 사내를 알아보는 높은 안목이 있어야 한다 말입니다~

다시 쪼그려 앉아 백합을 캐는데, 저 멀리 도민들과 대화 중인 성남이 보인다.

할매1   어? 색시~~ 저짝 아니여? 그 그림 속 남자~ 아주 똑같이 생겼구먼.

청하, 휙 고개 들어 보면 정말 성남이다!!
정말 반가운 얼굴이 되는 청하. 벌떡 일어선다.

청하   (손을 번쩍 들고 소리치는) 선비님~~!!

성남, 소리 들리는 곳을 향해 문득 돌아보는데
청하, 치마를 들고 해안가를 달리기 시작한다.
멈춰 서 있는 성남과, 그를 향해 달려가는 청하!
반가움에 그에게 와락 안긴다! 놀라는 성남!! 폭 안긴 채 환하게 웃는 청하.

청하   (E) 이 큰딸 아버님의 뜻을 받아 떠납니다~ 혼인할 서방님을 찾았거든요!
청하   (이 순간이 꿈같고) 그날 왜 안 오셨습니까~? 내가 얼마나 기다렸는데~~
성남   (현실 복귀!! 얼른 풀면서) 뭡니까?
청하   (굴하지 않는 해맑음) 저 모르십니까~? 그때 그 약재상에서 장도~
성남   (어?! 알아보고)
청하   (기쁘고) 알아보시는구나~ 진짜 보고 싶었습니다~
               (예쁜 미소로 손 내민다) 난 윤청하라고 합니다~ 그쪽 이름은 뭡니까~?
성남   (이 여자 대체 뭐지...?! 하는 표정에서)

68   황귀인 처소 (낮)

긴장한 표정이 역력한 황귀인과 황원형이 마주 앉아 있다.

황귀인	중전이 증거를 더 찾아내기 전에 그자들을 찾아서 입을 막아야 합니다!
황원형	지금 쫓고 있으니 너무 심려 마세요.
	주상의 손발을 묶어뒀으니 이제 중전 혼자 할 수 있는 건 없어요.
황귀인	아니요!! 결국 주상을 움직일 수 있는 건 중전입니다.
	그 여자를 끌어내리기 전까지는 절대 안심할 수 없어요.
	중전은 여전히 살아 있는 권력입니다...!!

69   한성, 저잣거리 포목점 → 내실 (낮)

포목 한 장 깔아 놓고 투전을 벌인 상인들.
상점 통로로 연결된 내실에선 부두령(30씬, 눈 밑 상처)이 국밥을 먹고 있다.
그때, 상점 입구로 수하1과 부하들이 들어선다.

주인장	(얼른 일어서며) 어서 오세요~ 뭐 드릴까?
수하1	(부두령의 용모파기 보이는) 혹시 이자를 본 적 있소?
주인장	(순간 당황하는 얼굴)
부하	(주인장의 목에 칼을 확 겨눈다. 손으로 쉿!!)
주인장	(떨면서 눈짓으로 내실 쪽을 가리킨다)
수하1	(부하들을 향해 턱짓)

부하들 내실 쪽으로 가는데, 내실에서 우당탕 소리가 난다.
급히 내실로 들어서는 수하1과 부하들.
바닥엔 집어 던지고 간 듯 국밥 뚝배기가 나뒹굴고, 뒷문은 활짝 열려 있다.
수하1, 급히 문밖을 살피면 정신없이 도망가는 부두령 보인다.

| 수하1 | (가리키며) 저쪽이다! 쫓아라!! |

70   저잣거리 (낮)

"비켜!!" 행인들을 밀치고, 옹기를 떨어뜨려 깨트리기도 하며
미친 듯이 도주하는 부두령. 그리고 그 뒤를 바짝 쫓는 수하1과 부하들.
한참을 달려 인적 드문 곳으로 숨어드는 부두령.
휴... 따돌렸구나 안도하며 뒤돌아서는 순간, 그의 목에 겨눠지는 여러 개
의 칼날!

71   민가, 폐창고 (낮)

눈이 가려진 채 밧줄에 묶인 부두령, 두려움에 떠는데.
눈을 가린 천이 휙 벗겨지면 경악한다!
바닥엔 뾰족한 죽창들이 놓여 있고, 부두령은 공중에 밧줄로 매달린 상태.
거미줄 가득한 폐창고엔 부요를 비롯한 무사들도 여럿 보인다.

부두령   살.. 살려주시오!!
화령   살릴 생각이었다면 찾지도 않았다.
        지금 난. 어떻게 하면 널 가장 고통스럽게 죽일지 고민 중이야.
부두령   (공포) 누, 누구신데 이러십니까? 제발 살려주십시오...
화령   강운산에서의 일을 하나도 빠짐없이 고한다면
        네 명줄이 조금은 길어질 것이다.
부두령   (그 일 때문이구나!) 전 시키는 대로 했을 뿐 아는 것이 없사옵니다.

순간 밑으로 쑥 떨어지는 부두령. "으악!!!"
죽창을 약 50cm 남겨두고 멈춰 선다. 공포에 떠는데...

화령   살고 싶거든.. 네가 본 것. 들은 것. 모두 낱낱이 고하거라.
부두령   (결심 굳히고) 그, 그날 다급히 누군가 찾아왔소.

ins 》강운산 이억근 소굴 (낮) (회상)
삿갓을 깊게 눌러쓴 황원형의 수하1이
이억근 일당 앞에 서 있다. 부두령도 그 사이에 있는데...

수하1	말과 돈... 그들이 가진 건 전부 빼앗거라. (엽전 건네며) 백 냥이다.
이억근	(엽전 들고 좋아라 웃으며) 원하시면 목도 따드릴깝쇼?
수하1	아니. 절대 그들이 다쳐서는 안 된다.
	그냥 단순 도둑질처럼 보여야만 해.

현재 》

화령	(서늘히) 한데 왜? 너희들은 그중 한 명을 죽이려 했느냐?
부두령	(잡아떼는) 무슨 소리십니까...? 우린 도적질만 하려 했습니다.
	갑작스럽게 다른 놈들의 공격을 받아 도망친 것뿐입니다.

화령, 성남의 용모파기를 부두령의 눈앞에 보인다.

화령	이걸 본 적이 있느냐?
부두령	(알아보고 움찔)
화령	이 용모파기를 준 자가 누구냐?
부두령	난 두령이 시키는 대로 했을 뿐이오. 이제 더는 아는 것이 없소...
화령	더는 아는 것이 없다... 그럼 어쩔 수 없지. (부요 쪽 본다)

밧줄이 쓱- 당겨지며 부두령의 몸이 다시 공중에 떠오른다.
부두령, 이제 살았구나 싶은데.... 높은 곳에서 갑자기 확 떨어지는 밧줄.
"악!!!"
죽창을 약 10cm 남겨두고 멈춰 선다!!

부두령	(공포심에 다급) 바, 바로 다른 사람이 우릴 찾아왔소!! 그 여인은...

72   강운산 숲속 (낮) (회상)

이억근과 마주 선 쓰개치마를 두른 여인의 뒷모습 보인다.

여인의 옆엔 목재상자를 든 남자도 있다.
근방 나무 뒤에 숨어 그 모습을 보고 있는 부두령.

부두령	(E) 앞서 온 사내가 지시한 내용을 듣더니 우리에게 다른 요구를 했소.
이억근	(여인을 본다) 이 바닥에서 일 그렇게 하면 안 돼.
	저쪽에서 내가 바꿔 탄 거 알아봐. 우리만 죽어나지.
남자	(목재상자를 열어 금괴를 보여준다)
이억근	(!!! 많은 양의 금괴를 보자 눈빛 돌변) 원하는 게 구체적으로 뭐요?
여인	(종이를 건넨다)
이억근	(펼치면 성남의 용모파기고 '반드시 숨통을 끊어라'라고 쓰여 있다)

점프, 몸을 숨긴 부두령 옆으로 지나가는 여인의 모습이 부분부분 보인다.
그때 바람이 불어오고
쓰개치마 사이로 여인의 머리 가운데 꽂힌 개구리첩지가 보인다.

73   다시, 폐창고 (낮) (현재)

부두령	그 개구리첩지를 꽂은 여인이 내 옆을 지날 때 작약향이 났소...
화령	(서늘해지는) 방금 작약향이라 했느냐...?

74   대비전 침전 (낮)

박쥐 문양이 새겨진 청동 향로(香爐)의 구멍으로 연기가 피어오른다.
개구리첩지를 착용한 (남)상궁이
말린 작약 한 송이를 향로 안에 넣은 후, 뚜껑을 닫고 물러난다.
피어오르는 연기 사이로 점점 드러나는 주빈의 모습. 대비다!!

상궁	(E) 대비마마, 중전마마 드셨사옵니다.
대비	드시라 해라.

문이 열리면 화령이 서 있다.
돌아보는 대비. 들어서는 화령.
그 뒤로 신상궁이 따르는데, 손에는 공단 보자기에 싸인 무언가가 들려 있다.

화령   (갑자기 무릎을 꿇듯이 앉는다)
대비   (예상치 못한 듯 눈썹 씰룩이는데)
화령   대비마마. 지난날의 무례함을 용서하십시오.
            불효는 천하의 중죄인데... 그동안 제가 불경한 짓을 저질렀사옵니다.
대비   (나직이) 대체 무슨 꿍꿍이십니까?
화령   시어머니께 사죄를 올리는데 어찌 다른 뜻이 있겠습니까?

            화령, 뒤에 서 있는 신상궁을 돌아보면
            서안 위에 공단 보자기를 올려놓고 물러나는 신상궁.

화령   마마께 드리는 제 작은 성의이옵니다.

            대비, 공단 보자기를 풀면 새빨간 열매가 달린 천남성이다.

남상궁   (경악) !!!!!!
대비   이건 천남성이 아닙니까? 어찌 사약의 재료를 저한테 올리십니까?!
화령   전 대비마마께서 천수를 누리셨으면 좋겠습니다...!!
            그래야 오래오래 제 효도를 받으실 수 있지 않겠습니까?
대비   독초를 내밀며 하실 말씀이 아닌 것 같은데요 중전....
화령   약으로 쓸지... 독으로 쓸지는 대비마마께 달렸지요.
            마마께서 또다시 대군들에게 해를 끼친다면!!
            그땐. 이 천남성을 직접 달여서 올리겠사옵니다.
대비   (눈에 핏발 서며) 어디서 감히 시어미를 겁박합니까?!!

            화령, 증좌를 내밀 듯 서안 위로 성남의 용모파기를 거칠게 올려놓는다!!

화령 (남상궁을 쓱 본다) 작약향을 풍기는 궁의 여인을 통해
    (다시 대비를 본다) 반드시 숨통을 끊으라 지시하셨다지요?
    겁박이 아니라 용서를 구할 기회를 드리는 것입니다.
대비 ……!!!
화령 그 도적놈들이 제 수중에 있습니다.
    (죽일 듯 노려보며 씹어 뱉는) 그러니 여기서 멈추세요.
    한 발만 더 움직이신다면…!!
    전 대비마마께서 손자에게 저지른 패륜을 전부 밝히고
    그 대가를 치르게 할 것입니다.

    용모파기를 챙겨 일어나는 화령!
    분노의 눈빛으로 보는 대비!
    화령, 일어나 공손히 예를 갖추며 서서히 고개 든다…!!

화령 부디. 옥체를 보전하시옵소서.

    대비를 똑바로 보는 화령의 얼굴에서 엔딩!